ストーリーで学ぶ開発経済学

途上国の暮らしを考える

INTRODUCTORY DEVELOPMENT ECONOMICS

著・黒崎　卓
　　栗田匡相

有斐閣ストゥディア

はしがき

　本書の企画内容をいただいたときのことです。「ミクロ・マクロ両方に目配りし，最新の研究を取り入れながら，同時に途上国の生活がイメージできるような仕掛けを随所に盛り込み，途上国に対する学生の関心に応えつつ，考える力を引き出す初学者向けの開発経済学のテキストにする」との少々よくばりな企画内容に拍手を送りつつも，かなり厄介な依頼だな，と一方で頭を抱えました。

　いろいろと悩んだ結果，筆者が出した答えは，アス一国という架空の途上国の物語に読者のみなさんを招待するというものでした。ただし，そこで語られる物語は，幸せなものとは言いがたく，貧しさゆえの問題が山積する途上国の現状を反映したものになっています。

　途上国の開発を考える際に重要なことは，客観性や論理性を重視した分析的な目を持つことと，それと同時にわれわれとは異なる環境で生活している他者への敬意を払うことです。どちらか一方だけではダメで，両方が必要です。本書を手に取ったみなさんは，アス一国の問題に心を痛めつつ，経済学の分析的な目によって問題の構造を捉え，その解決策を自らの頭で考えてください。その作業は，みなさんが本当の途上国に出合うとき，役に立つはずです。

　本書のストーリーや登場人物の設定には，筆者がこれまで見聞きした途上国での経験が活かされています。むろん，途上国で出会った人々だけではなく，筆者の研究を支えてくれた共同研究者，大学，日本の開発援助機関の方々の支えなくしては，本書を上梓することはかないませんでした。また，本書の完成には，有斐閣の担当編集者，長谷川絵里さんのサポートが欠かせませんでした。途上国のリアルな現状が伝われば学生が自ら考えながら学ぶことができるはず，という彼女の強い意志が，この一風変わったテキストを生み出す原動力になりました。長谷川さん，素敵なイラストを描いてくれたオカダケイコさん，そして筆者の研究を支えてくれたすべての方々に感謝を申し上げます。

　　2016 年 2 月

　　　　　　　　　　　　　　　　　　　　　　　黒崎 卓・栗田匡相

著者紹介

黒　崎　　卓（くろさき　たかし）

1995 年，スタンフォード大学食糧研究所博士課程修了
　アジア経済研究所研究員等を経て，
現　在，一橋大学経済研究所教授，Ph.D.
主な著作：Takashi Kurosaki (1998) *Risk and Household Behavior in Pakistan's Agriculture*, Institute of Developing Economies, 黒崎卓（2001）『開発のミクロ経済学──理論と応用』岩波書店, Takashi Kurosaki and Marcel Fafchamps (2002) "Insurance Market Efficiency and Crop Choices in Pakistan," *Journal of Development Economics*, Vol. 67, No. 2, pp. 419-453, Takashi Kurosaki (2003) "Specialization and Diversification in Agricultural Transformation: The Case of West Punjab, 1903-1992," *American Journal of Agricultural Economics*, Vol. 85, No. 2, pp. 372-386, 黒崎卓（2009）『貧困と脆弱性の経済分析』勁草書房
読者へのメッセージ　最初にインドに出かけてからちょうど 30 年経った 2016 年初頭，旧友の息子からバックパッカーでインド旅行中だとの連絡が写真付きメールで届きました。日本の若者がバックパッカーとしてインドのような途上国に出かけ，日本に手紙を出すのは変わりませんが，その手紙がスマホの写真付きメールで瞬時に着くのは大きな変化。こんな風に変わったこと，変わらないことが同居しつつ，急速な変貌を遂げつつあるのが多くの途上国だと思います。次世代の日本人がそんな途上国を理解するために，本書が 1 つの視角を提供できれば幸いです。

栗　田　匡　相（くりた　きょうすけ）

2006 年，一橋大学大学院経済学研究科博士後期課程修了
　国連大学世界開発経済研究所（UNU WIDER）客員研究員，早稲田大学大学院アジア太平洋研究科助教を経て，
現　在，関西学院大学経済学部教授，博士（経済学）
主な著作：Kyosuke Kurita and Takashi Kurosaki (2011) "Dynamics of Growth, Poverty and Inequality: A Panel Analysis of Regional Data from Thailand and the Philippines," *Asian Economic Journal*, Vol. 25, No. 1, pp. 3-53, 浦田秀次郎・栗田匡相編（2012）『アジア地域経済統合』勁草書房, 栗田匡相・野村宗訓・鷲尾友春編（2014）『日本の国際開発援助事業』日本評論社
読者へのメッセージ　未来のことは誰にもわからないということを不安と捉えるか，ワクワクする挑戦や冒険が待っていると捉えるかで，みなさんの人生の進路は大きく変わると思います。いまだ見ぬ可能性の世界を，途上国の人々と一緒に笑顔で切り拓いていってくれる人に本書が届くことを願っています。

目　　次

CHAPTER プロローグ　ある途上国のお話　1

本書の目的（2）　　本書の特色（3）　　Story の全体の流れ（4）　　Story の舞台（5）　　Story の登場人物（6）　　途上国の現状（9）

CHAPTER 1　農　業　13
伝統的制度に秘められた知恵

1　Story ……………………………………………… 14
　ムギさん一家の農業（14）　　不作の年には……（15）　　村の農業の変化（16）

2　何が問題なのか　▶課題の抽出と分析フレーム …………… 17
　途上国農業の低生産性（17）　　小作制度（22）　　リスクへの対応（23）　　農業における新技術の採択（25）

3　問題の解決に向けて ………………………………… 27

CHAPTER 2　農村信用市場　31
多様化する農村経済とマイクロファイナンス

1　Story ……………………………………………… 32
　ムギさん一家のお金のやりくり（32）　　キビさんの養鶏ビジネスには秘密が……（34）

2　何が問題なのか　▶課題の抽出と分析フレーム …………… 36
　途上国農村金融の低発達（37）　　信用制約（39）　　将来へ

iii

のコミットメント（42）　家族内での交渉（43）　マイクロクレジットが機能した理由とその限界（45）

3　問題の解決に向けて ……………………………………… 47

CHAPTER 3　教育と健康　51
人づくりは国づくり

1　Story ……………………………………………………… 52
オニオンちゃんの留年（52）　村の子どもの健康（53）

2　何が問題なのか　課題の抽出と分析フレーム ………… 53
留年・退学・教育未普及の問題（55）　教育面での男女間格差の問題（56）　貧困層にとっての金銭的負担：信用制約（58）　公立と私立の学校の違いと教員のインセンティブ（60）　栄養失調や伝染病などの蔓延と診療所の不備（61）

3　問題の解決に向けて ……………………………………… 64

CHAPTER 4　労働移動　69
バラ色の新天地？

1　Story ……………………………………………………… 70
実家を出た後のライチさんとポメロさん（70）　駆け出し官僚の奮闘（71）

2　何が問題なのか　課題の抽出と分析フレーム ………… 72
移動理論の古典1：ルイスモデルの考え方（73）　移動理論の古典2：ハリス＝トダロモデルの考え方（76）　スラムやインフォーマル部門の現状（78）　新しい移動の経済学：ハリス＝トダロモデルを超えて（80）　国境を越える人たち：グローバル化した移動研究（81）

3　問題の解決に向けて ……………………………………… 84

CHAPTER 5 経済成長と工業化　　89
グローバル化した世界

1 Ｓｔｏｒｙ ……………………………………… 90
　　ボスのレクチャーととんでもない宿題（90）

2 何が問題なのか　▶課題の抽出と分析フレーム …………… 92
　　成長とは何か？：生産要素投入量の増加と生産性の改善（93）　　経済成長のメカニズム（94）　　東アジア発展の歴史：辺境の地から奇跡の地へ（98）　　東アジアの奇跡と危機（101）

3 問題の解決に向けて ……………………………………… 103

CHAPTER 6 技 術 移 転　　107
学びの道も一歩から

1 Ｓｔｏｒｙ ……………………………………… 108
　　アスー国とナカツ国の違い（108）

2 何が問題なのか　▶課題の抽出と分析フレーム …………… 110
　　技術の種類と習得時間（111）　　技術伝播とその学習（114）　　直接投資と技術の伝播（115）　　競争や刺激による技術向上（118）　　途上国企業のR&D投資（119）

3 問題の解決に向けて ……………………………………… 121

CHAPTER 7 開 発 金 融　　125
おらが村とグローバル金融システムのつながり

1 Ｓｔｏｒｙ ……………………………………… 126
　　マメさんとお父さんの昔の口論（126）　　ナカツ国からの経済ニュース（127）

目　次　● v

2 何が問題なのか ▶課題の抽出と分析フレーム ……………… 128
　産業発展のための長期資金をどう調達するか（129）　途上国における人為的低金利政策の失敗（132）　金融自由化からアジア通貨危機へ（134）　地域協力の推進と外国銀行の進出（136）

3 問題の解決に向けて ……………………………………… 139

CHAPTER 8　開発援助　143
がんばれニッポン

1 Story ……………………………………………………… 144
　文書庫でのマメさん（144）　ボスの開発援助懐疑論（145）　マメさんの開発援助現場訪問（146）

2 何が問題なのか ▶課題の抽出と分析フレーム ……………… 148
　マクロの資金不足（150）　援助の氾濫やファンジビリティの問題（153）　マクロの援助効果の測定（153）　ミクロの援助プロジェクト効果の測定（155）

3 問題の解決に向けて ……………………………………… 158

CHAPTER 9　持続可能な開発　163
環境と開発の対立を超えて

1 Story ……………………………………………………… 164
　肌で感じる首都の大気汚染（164）　持続可能な開発に向けたアスー国の取り組み（165）

2 何が問題なのか ▶課題の抽出と分析フレーム ……………… 166
　途上国における持続可能な発展（167）　環境クズネッツ曲線（168）　直接規制は有効か？（170）　経済的手法による対策（172）　エネルギー問題の深刻さ（175）　地球温暖化問題と途上国（176）　地球の未来を守るために：コモンズの悲劇を超えて（179）

3　問題の解決に向けて ……………………………… 180

エピローグ　途上国の希望　183

補論1　書を捨てよ，現場へ行こう！　191
フィールド調査の実際

　　1　なぜ，現場へ行くの？ ……………………………… 192
　　2　調査の準備 ………………………………………… 193
　　3　調査実施 …………………………………………… 196
　　4　貴重なオリジナルデータの分析 …………………… 197

補論2　書を捨てよ，現場へ行こう！　200
介入の効果を測る

　　1　なぜ，介入の効果を測るの？ ……………………… 201
　　2　印象論やナイーブな比較が持つ問題 ……………… 202
　　3　効果測定の手法 …………………………………… 205
　　4　RCTをやってみよう ………………………………… 207

さらなる学びのためのリーディング・ガイド ———————— 209
参考文献 ———————————————————————— 213
索　引 ———————————————————————— 217

Column 一覧

❶ マダガスカルの希望　29
❷ バングラデシュ再訪　50
❸ インドでインフルエンザ　68
❹ 人が移動をする理由　86
❺ スポーツ・ナショナリズムと経済発展　106
❻ 海外での飲みニケーションから伝わること　123
❼ インド亜大陸の切手と郵便　142
❽ カンボジアの持続的発展のために　161
❾ 多様性の先にある困難　181
❿ パキスタン辺境の村　199

本書のコピー，スキャン，デジタル化等の無断複製は著作権法上での例外を除き禁じられています．本書を代行業者等の第三者に依頼してスキャンやデジタル化することは，たとえ個人や家庭内での利用でも著作権法違反です．

CHAPTER

プロローグ

ある途上国のお話

「あなた，ごはんができたわよ。ドリアンも呼んでちょうだい」

「ああ，わかった……」

　ここはアスー国の農村。青々とした稲穂に朝露が光り，遠くの方でニワトリの鳴き声がこだまする午前6時半頃，ムギさん一家の朝食がいつものように始まります。定番メニューは，米粉を発酵させて薄くのばした生地を焼いたクレープのような食べ物（南インドでドーサと呼ばれる食べ物に近いでしょうか）に，小エビや小魚を発酵させて作った塩辛いカピという味噌と，野菜の漬け物を併せていただきます。飲み物は，ほのかな酸味と渋みがきいた野草茶です。ご主人のムギさんは，もう50年以上も，この変わらない朝食を食べ続けています。

　てきぱきと食事の準備をするキビさんは，毎朝5時に起きて朝食の準備をしています。煮炊きに使うのは，村近くの林で集めてきた薪や小枝です。家の裏には，自家消費用の野菜が所狭しと植えられています。スースーと呼ばれる空心菜に似た葉物で作る炒め物と，自家製の根菜で作った漬け物が得意料理で，夫のムギさんの好物でもあります。

　「今日も午後には一雨来そうだな……」とつぶやくムギさんの表情は心なしか曇りがちに見えますが，一体どうしたのでしょうか？

本書の目的

　この教科書は，開発途上国の問題に関心を持ってもらい，その関心が学問としての開発経済学（development economics）への興味につながって欲しいという思いを込めて作りました。

　テレビでアフリカの子どもがお腹を空かしている映像を見た，あるいはフィリピンに旅行に行ってスラムで働く子どもの汚れた姿にショックを受けたなど，日本人が途上国の貧困や開発の問題に関心を持つきっかけはいろいろあると思います。なぜそのような問題が途上国に存在するのでしょう？　それをどうすれば克服できるのでしょうか？

　これらの問いについて考える学問の1つに，開発経済学があります（ほかにも開発社会学，開発人類学などの学問があり，総称して開発学〔development studies〕と呼ぶこともあります）。開発経済学というのは，経済学のツールを，途上国の貧困や開発の問題に適用した応用経済学の一分野です。

経済学はおもしろく，役に立つ学問ですが，その役に立つ経路が特にはっきりしているのが開発経済学だと思います。目の前にお腹を空かしている人がいるとき，あるいは日本ならば問題とならない病気で簡単に命を落とそうとしている人がいるときに，私たちは何ができるでしょうか？　その場で食べ物を渡す，あるいは治療を施すという緊急，あるいは直接的な行為だけでなく，なぜそのような人が多数生じるのかを，論理立てて構造的に理解し，そのような人の数を減らすような政策を起案・実施するための基礎や処方箋を提供するのが，開発経済学の役割です。

　こうした途上国が抱えるさまざまな問題に取り組む上で，最近の開発経済学では，行動経済学，空間経済学などの新たな経済理論や革新的な実証分析ツールを活発に取り入れて急速に発達しており，本書では，こういった最先端の議論をたくさん紹介しています。その意味で本書は，単なる入門編の教科書ではなく，開発問題への先端的ガイドブックをめざしています。ただし，限られた字数で開発問題すべてを扱うことはできません。本書では特に，低所得国や下位中所得国がいかに絶対的貧困から脱出できるかに焦点を置きます。

　この本を手にとってくれた方が，開発援助の実務者あるいは研究者として，実際の途上国の発展に直接的に関わることにつながれば筆者としてはこれ以上ない幸せです。でもそのような直接的な関わりのある職業に就かなくても，グローバル化が進んでいる今の世の中では，実はいろいろな形で途上国の人々の生活に関わることが少なからずあります。その際に知っておいてほしいことや途上国の経済を眺める視点のようなものを伝えたいというのも，本書を企画した理由の1つです。

本書の特色

　本書の最大の特色は，冒頭に登場した，アスー国で暮らす人々が織りなす日々の物語を通じて開発経済学を学ぶというスタイルです。本書は9章構成となっていて，各章の冒頭では，アスー国で暮らす人々が抱える課題が，日々の生活を叙述するStoryの中で明らかにされます。その後に，Storyで明らかにされた課題に対して開発経済学がどのようにアプローチし，また政策提言や処方箋を導き出していくのかを解説するという流れで各章が構成されています。

各章は独立した読み物としても読めるようになっていますが，各章の織りなすStoryには連続性があるので，時間がある読者はぜひとも冒頭から読み進めていただけるとうれしいです。大学の講義で使うならば，やや中身の多い第1，2章と第9章を2回に分けるなどすると，12～14回程度の1学期週1コマの講義に対応するでしょう。

　また，Storyを補うものとして，われわれ筆者がこれまで研究対象としてきた国々での経験を基にしたColumnも作成しました（Columnの写真はすべて筆者撮影）。StoryとColumnを通じて，具体的な途上国のイメージが読者に伝わることを祈っています。

　開発経済学も経済学の一分野ですから，『開発経済学』と名前のついた本を開くと，数式や入り組んだ図や統計数字のたくさん入った表が目について，難しいという印象を持ったことがある方も多いのではないでしょうか。そこで本書では数式はできるだけ使わず，数理モデルが重要な場合にはその論理を言葉で紹介し，関心を持つ方が次のステップに進む際の橋渡しとして文献情報をつけることにしました。ややテクニカルな内容は補論にまとめました。なお，本書を教科書として用いる場合は，章扉に挙げたKEY WORDSを説明することと，章末にまとめたQUESTIONSの答えを考えることで，各章の中身が理解できたかどうか確認してください。

Storyの全体の流れ

　途上国の貧困者の大半は農村に住んでいます。そこで本書のStoryは，アスー国という途上国の農村に住む農民のムギさん一家の生活というミクロの話から始まります（第1章）。Storyが進んでいく中で，ムギさんの村にもさまざまな変化が訪れ，農業生産性の改善や，農村経済の多様化を通じて，農村の人々も徐々に貧困を脱却していきます（第2章）。

　その過程では，教育環境の改善（第3章）や農村から都市部への人口移動，農業から工業・サービス業への労働移動（第4章）が重要になります。人々が農村から都市に出て，工場で働くようになるという変化は，多くの途上国が経験してきたことです。工業やサービス業においても，企業家は日々，生産性改善の努力を進めています。それに成功した企業は成長し，そのような企業で働

く労働者の生活も向上していきます（第5章）。農業や工業やサービス業の生産性が向上していくことを産業発展と呼んでもいいでしょう。生産性向上には，技術移転や国際貿易が鍵になります（第6章）。

こうしてStoryは少しずつ，ミクロからマクロの話に変わっていきます。マクロの話になると，政府の役割も忘れてはいけません。そこで，マクロ編では，政府の駆け出し官僚であるマメさんを中心にストーリーが展開していきます。金融や開発援助，環境といった話もここで扱います（第7～9章）。

本書のエピローグでは，ミクロとマクロの登場人物が偶然出会い，アスー国の成長と貧困削減に関して思いを伝え合います。これが本書の大きな流れです。

Story の舞台

それでは，次にStoryの舞台となる国々や登場人物の紹介に移りたいと思います。Storyの舞台は，先ほどから何度か出てきましたが，アスー（ASU）国と呼ばれるこの世界のどこかにある架空の国です。人口は4000万人，1人当たりのGDPは750ドルと日本の50分の1程度。ただし，この10年間は景気もよく，経済成長率は5～8％となり10年間でおおよそ1人当たり所得を2倍程度にまで拡大しました。アスー国の国土の大部分は，熱帯モンスーン気候に属しています。年間降雨の大部分が雨期に降り，乾期にはほとんど降りません。乾期の気温は高く，とても乾燥します。

アスー国のGDPに占める農業の比率は25％，工業は25％，サービス業が50％です。しかし国民の7割もが農業生産に従事しています。このため主要輸出品目は，農産物（穀類とゴムと紅茶），繊維製品（軽工業品），となっています。近年では，外国に出稼ぎに出る女性が増加し，現在の海外送金総額はGDPの5％程度にまで上っています。為替はアメリカのドルに連動したドルペッグ制で，実質的に固定為替相場制度が採用されています。そこで本書のStoryでは，アスー国の通貨をドルで表記します（ほぼ米ドルに近い単位と理解してください）。

そんなアスー国の北部地域に位置するのがムギさんたちの暮らす村です。首都から車やバスで9時間もかかる辺鄙な村で，近郊の都市（国内で4番目の都市で人口30万人程度）には，乗り合いバスで2時間ほどかかります。雨期に降る

● 5

雨のみに頼った天水農業が伝統的な農業形態でしたが，数年前から海外の援助資金による灌漑施設建設が始まり，近隣の村では乾期の稲作，つまり米の二期作を始めるところが出てきました。また，5年前からマイクロクレジットのプロジェクトが村に展開しはじめています。小学校は1970年代後半に村にできましたが，現在50代後半のムギさんは小学校に通ったことがありません。その後2000年に中学校が建設されました。それまでは15 kmほど離れた村まで歩いて通う必要があったことを考えると大きな変化です。ただし最寄りの高校はバスで2時間かかる近郊都市にあります。

複数あるアスー国の隣国の中でも重要なのが，ナカツ国です。この国の1人当たりGDPはアスー国のほぼ10倍で，世界銀行の分類では上位中所得国に入ります。先進国の多国籍企業が多く集まる工業団地もいくつかあり，地域では所得水準が相対的に高い国です。ナカツ国の工業団地は，首都近郊だけでなく，アスー国との国境近くの経済特区にも広がっています。この国にはアスー国からも多くの労働者が働きに行きます。両国の言葉はよく似ているので，アスー国からナカツ国に短期の観光ビザなどで入国し，そのまま居座る不法労働者も近年増え，両国間での外交課題として取り上げられることが多くなりました。

Storyの登場人物

主にミクロ編に登場するムギさん一家は，もともとは6人家族です。現在は3人世帯で，昨年1年間の世帯所得は，農業自営所得（米を作るなどをして得られる所得）200ドル，非農業の自営業所得（食肉用の養鶏事業で得た所得など）が200ドル，日雇い労働賃金所得が200ドル（他の人の田んぼで収穫作業を手伝って支払われる所得や建設労働などで受け取る所得など），送金収入が国内200ドル，国外400ドルで，合計1200ドルです。国外からの送金がある分，世帯所得が村の平均よりやや多くなっています。

● 父親（ムギさん），56歳

国が独立に沸いた頃の記憶がおぼろげながら残っている。ムギさんの父親も祖父も代々この村で農業を行ってきた。現在まで伝統的な天水農業で一家を支えてきた。26歳の時に，9歳年下のキビさんと結婚する。学歴皆無で，読み書きもできない。

● 母親（キビさん），47歳

30 kmほど離れた村から嫁に来た。結婚してから10年の間に6人の子どもを出産するが，2番目の出産は死産，5番目に生まれた次女は生後半年で栄養不良と下痢のために死去したため，生き残った子どもは4人。夫のムギさんと同じくフォーマルな学歴はないが，生まれ育った村にあった寺子屋に2年ほど通っていたため，若干の読み書きは可能。

● 長女（マンゴーさん），31歳

同じ村のパクチーさんと18歳の時に結婚し，2人の子供（結婚1年後に生まれた娘のオニオンちゃん，その3年後に生まれの息子ポテト君）をもうけている。嫁ぎ先は零細な小作農家であり，十分な稼ぎとは言えず，11歳の長女オニオンちゃんが時折，農作業にも従事する。それゆえにオニオンちゃんは小学校を休みがちで，留年を経験している。マンゴーさん本人の学歴は小学校中退。

● 長男（ドリアンさん），28歳

農家の跡継ぎとして，父親と野良に出るが，近隣の村にある，近代的な灌漑水路にも触発され，高収量品種の導入や化学肥料，殺虫剤などの使用を巡って，父親との言い争いが絶えない。学歴は小学校卒。

● 次男（ライチさん），26歳

現在は首都で運転手をしている。同じ村から出てきた女性と恋仲であり，このまま結婚をして，都市に移り住むことを画策中。稼ぎの2割程度（年間200ドル）を実家に送金。学歴は中学校中退。

7

● 三女（ポメロさん），21歳

中学校を卒業した後，次男ライチさんと同様，首都に出稼ぎに出たが，その際にブローカーにスカウトされ，ナカツ国に住み込みのお手伝いさんとして働きに出た（現在渡航2年目）。送金は年間で400ドル程度。学歴は中学校卒。

マクロ編に登場するのは開発援助に関連した仕事に従事する3名のプロフェッショナルです。

● 経済開発省の駆け出し官僚（マメさん），23歳

アスー国のトップの大学で経済学士号を優秀な成績で取得。この国を豊かに発展させるという熱い思いを胸に，アスー国の開発計画を作成する経済開発省に入った青年。実は，ムギさん一家が住む村の隣町（バスで20分ほど離れている）の出身。マメさんのお父さんの名前はダイズ，お母さんの名前はアズキで，どちらも健在。ガールフレンドのコピさんとは，すでに婚約中。

● 世界銀行での勤務経験もあるマメさんのボス（ティーさん），43歳

現在次長クラス。30代の頃に海外の大学院で博士号（農業経済学）を取得し，その後帰国。2年ほど前に政府の資金で1年間，世界銀行に客員研究員として滞在。自国の現実と近代経済学の両方に精通した人物。

● 国際協力機構（JICA）の担当者（ヨネさん），28歳

日本の大学で開発学・国際協力論を学び，日本の援助機関である国際協力機構に就職。アスー国は初めての海外赴任地。大学卒業時には英語力に自信があったが，現場での交渉という点で国際的なコミュニケーションの難しさを実感中。

以上の登場人物が織りなす，アスー国の経済発展は，さてどうなるか。すぐにでもムギさん一家のお話に移りたいところですが，その前に途上国の現状を知るのに必要な最低限の知識を簡単に説明します。開発経済学は実践的な学問

であり，また日本ではなく他国の状況を分析する学問ですので，現実の途上国の状況を常に念頭に置いて本書を使うことが開発経済学の理解には重要です。アジー国がどのような国なのかを考えるためにも役に立つ知識です。

途上国の現状

途上国の経済開発に永年関与してきた世界銀行（世銀）は，途上国を1人当たり国民所得が低い順に，低所得国，下位中所得国，上位中所得国に分け，先進国を高所得国と呼んでいます。上位中所得国にほぼ対応した国々を指して，中進国と呼ぶこともあります。2014年度版の世銀『世界開発報告』では，低所得国に，ミャンマー，カンボジア，バングラデシュ，ハイチ，ウガンダなど32カ国，下位中所得国に，ベトナム，インド，パキスタン，ボリビア，ガーナ，コートジボワールなど33カ国，上位中所得国に，タイ，中国，ブラジル，南アフリカなど33カ国を挙げています。国際連合（国連）は，途上国の中でも特に貧しく脆弱な国を後発開発途上国（least developed countries: LDC）と定義し，48カ国を指定しています。世銀の低所得国のすべてがLDCです。

表0-1を見てください。低所得国には約8億5000万人，下位中所得国には約25億人の人口が含まれ，地球全体の人口の半分近くに達します。低所得国の1人当たり年間平均所得は584ドル，先進国3万7595ドルのわずか1.55%です。それで食べていけるわけがありません。途上国では物価が安いので，それを調整するのが表のPPP換算です（PPPとは「購買力平価」の略。詳しくは巻末リーディング・ガイドで紹介されている教科書を参照）。物価の調整をしても低所得国の1人当たり国民所得は年間1387ドルで，先進国の3.67%にしかなりません。世界の所得格差はこれほどの大きさなのです。下位中所得国では少しましになりますが，それでも物価調整済みの1人当たり国民所得は，先進国の10.4%にすぎません。中進国（上位中所得国）でなんとか所得水準が先進国の3割弱に達します。

地域別には，低所得国32カ国中24カ国，下位中所得国33カ国中11カ国がアフリカの国です。アフリカの国の大多数が人口で見ると小国なのに対し，南アジアにはバングラデシュ，インド，パキスタンという人口大国が3つもあり，それぞれ低所得国，下位中所得国，下位中所得国に属しています。国連の定義

CHART 表 0-1　開発途上国の年間平均所得と貧困者比率

	人口 (100万人) 〈2012年〉	1人当たり 国民所得 (米ドル) 〈2012年〉	1人当たり 国民所得 (PPP物価調整 米ドル) 〈2012年〉	高所得国を 100%とした比 率(%)	貧困者比率 (PPP換算で1 日2.5ドル以 下で生活して いる人口の比 率, %) 〈2010年〉
低所得国	846	584	1,387	3.67	83.2
下位中所得国	2,507	1,877	3,912	10.36	68.5
上位中所得国	2,391	6,987	10,741	28.45	26.8
高所得国	1,302	37,595	37,760	100	n.a.

出所：World Bank (2013a) のデータより筆者作成。

で見ると，LDC48カ国中34カ国がアフリカ，4カ国が南アジアです。つまり世界の貧困問題が特に集中しているのが，アフリカと南アジアです。アフリカでも北部の地中海沿岸地域は生活水準が比較的高いので，貧困問題に着目する場合は，サハラ以南のアフリカに絞って「サブサハラ・アフリカ」という地域区分を採用します。

　こうした定義に従ってアス―国の状況を見てみましょう。アス―国の1人当たりGDPは750ドル程度ですから，低所得国と下位中所得国の間に位置しています。アフリカのケニア，ガーナ，東アジアではカンボジア，ベトナムといった，今後の発展が有望視されつつも，国内には絶対的な貧困が広範に存在している途上国の状況に近いようです。

　なお先にも見たように，アス―国のGDPに占める農業の比率は25%，工業は25%，サービス業が50%です。しかし国民の7割もが農業生産に従事しています。全労働者の7割が生み出す価値は全体で生み出される価値の25%しかないわけですから，言い換えると，農業従事者1人が生み出す価値の総量（労働生産性）は平均で見て，工業・サービス業従事者よりも低いことになります。これらの特徴は，世銀の『世界開発報告』を見るとわかるように，低所得途上国によく見られるものです。

　以上は1人当たり国民所得の話でしたが，貧困やGDPの話をする際に，もう1つ忘れてはいけないポイントがあります。それが国内の所得や富の分配の状況がどのようになっているのか，という点です。わかりやすく言えば，不平

CHART 表 0-2　開発途上国の人間開発

	平均寿命 〈2013年〉	成人の平均就学年数[1] 〈2012年〉	児童の期待就学年数[2] 〈2012年〉	1人当たり国民所得（PPP物価調整米ドル） 〈2013年〉
世界全体	70.8	7.7	12.2	13,723
地域別				
アラブ諸国	70.2	6.3	11.8	15,817
東アジアおよび太平洋諸国	74.0	7.4	12.5	10,499
ヨーロッパおよび中央アジア	71.3	9.6	13.6	12,415
ラテンアメリカおよびカリブ海諸国	74.9	7.9	13.7	13,767
南アジア	67.2	4.7	11.2	5,195
サブサハラ・アフリカ	56.8	4.8	9.7	3,152
開発段階別				
後発開発途上国（LDC）	61.5	3.9	9.4	2,126
人間開発上位国	80.2	11.7	16.3	40,046

注1：「成人の平均就学年数」は，25歳以上人口の平均の教育水準を，教育段階別の人口分布と各段階の標準就業年数から推計したもの。
　2：「児童の期待就学年数」は，初等教育に入学する年齢の児童が，その国でのその時点での学年別就学率が続いたならば，生涯で何年間の教育を受けることになるかの期待値。
出所：UNDP（2014）のデータより筆者作成。

等の状況がどうなっているのかということになります。国内の不平等が大きい国と，小さい国とでは，同じ1人当たり国民所得でも生活水準が違います。たとえば国民の何％が貧困線以下の生活を送っているかを示す貧困者比率という指標を使うと，不平等の効果と平均の国の豊かさの両方が反映された姿がわかります。国際比較でよく使われる貧困線は，1日1人1.25ドルおよび2.5ドル（どちらも物価調整済み）です。1人当たり国民所得が年額1000ドルの国に，2.5ドルの貧困線を当てはめてみましょう。所得分配が平等で，全員がほぼ1000ドルの所得でしたら，その国の貧困者比率はゼロです。所得分配が不平等で，国民の5％が1万ドル，45％が1000ドル，50％が100ドルの所得だと，その国の貧困者比率は50％です。表 0-1 にあるように，世銀は2010年の低所得途上国の貧困者比率を83.2％と推計しています。

途上国は所得が低いだけでなく，教育や健康なども先進国の水準を大きく下回っています。表 0-2 には，国連開発計画（UNDP）が毎年作成する『人間開発報告書』から数字を拾ってみました。人々の生活水準を所得だけで測るのは不十分で，教育や健康なども取り入れた「人間開発」が重要だという見方に基

づいて作られているのが，『人間開発報告書』です。

　先進国（表では「人間開発上位国」）における平均寿命が80.2歳，成人平均就学年数が11.7年なのに対し，LDCではそれぞれ61.5歳，3.9年です。最も貧しい途上国に生まれたというだけで，人は平均で20年早死にし，学校に通う年数も8年近く短いのです。所得面で絶望的な格差が先進国との間にあり，十分な教育を受けることが国民全員に保証されず，先進国では問題にならないような病気で簡単に命を落としてしまうがゆえに平均の寿命が短い，これが，途上国が抱える絶対的貧困の問題です。

　なお，表0-2で東アジアと呼ばれる地域には，日本や中国，韓国など極東アジアの国々と，タイ，インドネシアなど東南アジアの国々が含まれています。極東アジアの国々のみを指して東アジアと呼ぶこともありますが，本書では，世銀や国連での近年の用法に倣い，東南アジアも含む地域として東アジアという用語を使います。

　さて，アスー国の物語を始める準備が整いましたね。それでは，まずはムギさんの沈んだ表情の理由を探りながら，アスー国の農村が抱える課題について考えてみましょう！

CHAPTER

第 1 章

農業

伝統的制度に秘められた知恵

KEY WORDS

- □ 緑の革命
- □ 分益小作制
- □ リスク回避
- □ インターリンケージ
- □ リスク・シェアリング
- □ リスク分散
- □ ハウスホールド・モデル

1 Story

ムギさん一家の農業

　ムギ「今年もなんとか実が入りはじめたか……さて，どうにかしのげればよいがね……」
　ドリアン「親父，今年の収穫がうまくいったら地主さんにお願いしてみようや。隣村で流行っている新品種のHR122っていうやつだよ。あれを来年の作付けのときに使えるように取りはからってもらおうや」
　ムギ「しかしなぁ，本当にうまくいくもんなんかね。うちは先祖代々使ってきたMakariokaと15年前に入れたJaponでなんとかやっとるし……」
　ドリアン「親父がそれじゃあ，うちの家はこれ以上なんともならんぞ。俺も一生小作のままじゃあ，お先真っ暗じゃ。いっそのことライチやポメロのように出稼ぎにでも出るわい！」

　雨期の後半，ムギさんの村を訪れると，周りには緑の田んぼが広がっています。田んぼからはカエルの鳴き声が聞こえ，日本と同じようにトンボが飛んでいます。
　人々の主食は米で，アスー国の農村居住者は平均で1人当たり年間120 kgほどを消費します。現在の日本では米の年間消費量は1人当たり60 kg以下ですが，ピークだった1960年代にはこのくらい消費されていました。
　ムギさんの田んぼは，全部で6枚あって合計の面積は0.5 haです。日本なら，一家の食い扶持を確保した後でも，かなりの量を販売することができる面積です。しかしムギさん一家の場合，そうはいきません。もう少し詳しく農業経営の中身を見てみましょう。
　田んぼで働く中心は，ムギさんとその息子のドリアンさんです。仕事が忙しい時には奥さんのキビさんも手伝いますし，近隣の家から応援に来てもらうこともあります（ムギさんたちもお返しにと村内の収穫などを手伝います）。雨期に雨

がきちんと降れば，0.5 ha の田んぼから 800 kg ほどの米が収穫できます。つまり 1 ha 当たりで換算すると約 1.6 t の米が収穫できます。これを 1.6 t/ha と表し，単位面積当たり収量（単収）と呼びます。この数字は，日本の 3 分の 1 以下という低い水準です。日本の米の作り方と比較すると，化学肥料や殺虫剤の使用量が少ないこと，灌漑設備がなく，稲が育つための水はすべて雨（＝天水）に頼っていること，除草があまりされておらず，田んぼに雑草が多いことなどが異なっています。これらの積み重ねが，単収の差になっているようです。

実は，ムギさんの田んぼは彼のものではありません。同じ村の地主から借りています。つまりムギさんは，自作農ではなくて，小作農なのです。毎年の収穫の 2 分の 1 をムギさんは小作料として地主に支払います。化学肥料や農薬を使う場合，町の商人から買うこともできますが，現金を準備することが難しいのでムギさんはたいてい地主から分けてもらい，その代金も収穫から返済します。これらを差し引くと，収穫のうち手元に残る米は 330 kg ほど。これでは家族 1 年の飯米のうち 10 カ月分くらいしか賄えず，足りない分は購入しています。また，家の納屋に長く蓄えておくと，ネズミに食われたりするので，不足するとわかっていても，収穫後に米の一部を売ることが多いムギさんです。

不作の年には……

しかも以上は，モンスーンの雨が順調に降った場合の話です。雨の降る量が少なかったり，降り方が不順だと，天水田の単収は激減します。過去 10 年の間には，地域全体が大干ばつで，収穫皆無という最悪の出来事も 1 度ありました。

その年はムギさん一家にとって本当に苦しい時期でした。小作料は収穫の 2 分の 1 ですから，収穫皆無の年には小作料もゼロになるのがせめてもの救いです。とはいえ村人全員が似たような不作に遭っていますので，いつもは頼りになる隣人にもムギさんを助ける余裕はありません。幸い地主は，立派な倉に米を蓄えるなど，いろいろな資産を持っていましたので，ムギさんを含む村人の多くが，地主からの借金で急をしのぎました。村人のそんなリクエストに応じるために，地主は，長い付き合いのある町の商人から借金をしたようです。

例年，天水稲作だけでは食べていけない分，ムギさんもドリアンさんもさま

ざまな日雇い労働に従事して，生活費を稼いできました。土木建築作業での労働が多いのですが，他の地主や大規模農家の田んぼでの農業労働などにも従事します。大干ばつの年には，日雇い労働で働く機会をがんばって増やそうとしましたが，働きたい人がどこでも増えていたので村の周辺では仕事にありつけず，普段よりも遠くまでの出稼ぎを余儀なくされました。

そこまでひどい干ばつでなければ，収穫はゼロにはなりません。ムギさんの田んぼ6枚は，村の中で別々の方角にあり，農作業には不便ですが，天候不順の年にもどこかの田んぼでは収穫があるというプラスの面もあります。ちょっとした不作ならば，村の中で被害の少ない人と多い人が出ますので，お互いさまと助け合って暮らしてきました。

村の農業の変化

このような風景は，もう何世代も変わっていないものに見えるかもしれません。しかしそうではありません。ムギさんが農業を始めた1970年代初めには，米はすべて伝統的に地域で作られていた品種で，化学肥料や農薬は全く使われていませんでした。1990年代初めになって，アスー国の農業試験場が開発した高収量品種がこの村にも出回るようになりました。ムギさんはその種を，地主を通じて農業高校卒の隣人から譲ってもらい，使いはじめました。村で最初に高収量品種を使ったその隣人の田んぼ，本当にすごい米の出来だったんだよと，ムギさんは今でも思い出して話します。ムギさんの家では，高収量品種を初めて使った際に，化学肥料も初めて使いました。

それから後，5年から10年おきに新しい品種が出てくるのですが，種子の値段が高いのでムギさん一家には手が出せません。豊かに実るようになった米をねらう害虫が増えたため，以前は不要だった殺虫剤を利用しないと，自分の田んぼが集中的に虫にねらわれるため，ムギさんも殺虫剤を使わざるをえなくなり，余計な出費が増えたと感じています。化学肥料の使用を増やせば単収が上がるのですが，化学肥料の値段も高いので，そうはいきません。農業高校卒の隣人との単収の差は，前よりも広がってしまいました。

また，天水田がからからに干上がって茶色の世界が広がる乾期のムギさんの村でも，気温は十分に高いので，実は水さえあれば，乾期でも稲作を行うこと

は可能です。実際，隣村では数年前から，外国からの援助資金による灌漑施設建設が始まり，米の二期作が見られるようになりました。乾期に灌漑によって，野菜や果物といった市場で高く売れる作物を作る農家も出てきました。ムギさんの村にはまだ灌漑施設は到達していませんので，ムギさん一家の農業生産は，あいかわらず雨期の天水稲作が中心です。しかし日雇い農業の仕事を通じて，ムギさんやドリアンさんは灌漑施設ができた村に生じた農業の変化を目にしています。特にドリアンさんは，その変化に触発され，自分の村で何か新しい農業ができないか，よく考えるようになりました。

何が問題なのか

▶ 課題の抽出と分析フレーム

以上，ムギさん一家の農業経営を例に，アスー国が抱える農業の諸問題を見てきました。まず，それをいくつか列挙し，経済学的な問題としてひもといてみましょう。

> **POINT**
> ❶ 土地生産性が低く，十分な食料を生産できない。
> ❷ 地主に高い小作料を取られる。
> ❸ 毎年の作物の出来，不出来で，生活が大きく揺れ動く。
> ❹ 新技術に関心はあるが，正確なやり方がわからないし，割高な投入財を使って成果が出なければ借金だけが残る。

それぞれがとても深刻な課題で，早急に解決策を見いだすことが必要です。以下では，それぞれについて順に，経済学の考え方でどう説明できるのか，考えることにしましょう。

途上国農業の低生産性

Story では，ムギさんの米の単収は，日本の3分の1以下でした。このような状況は途上国にほぼ共通します。図1-1に，米の生産が世界で多い順に20カ国を取り出し，左から生産量の多い順に並べ，日本の単収を100とした指数

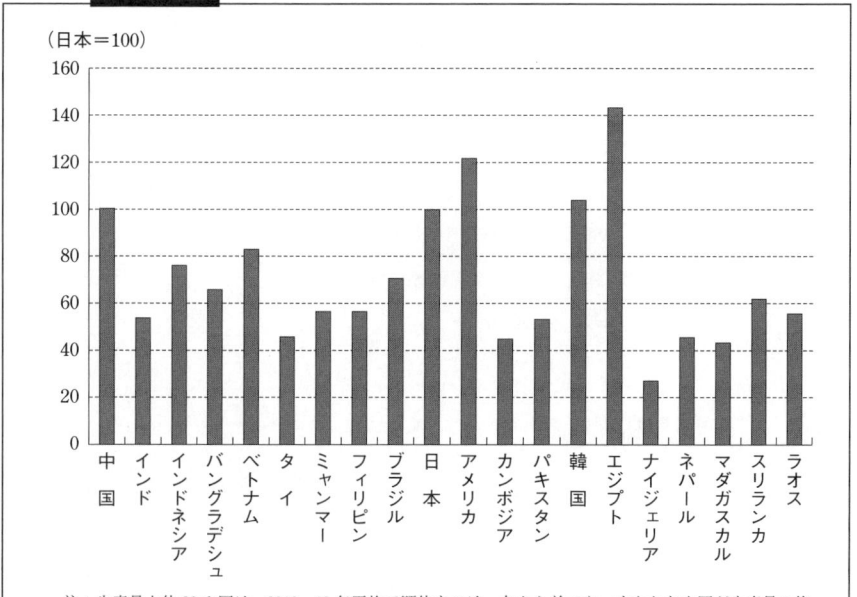

CHART 図 1-1 世界の米生産量上位 20 カ国における米の単収（2010～13 年平均）

注：生産量上位20カ国は，2010～13年平均で順位をつけ，左から並べた。すなわち中国が生産量2億108万tで第1位，ラオスが生産量323万tで第20位である。
出所：FAO Stat データベース（http://faostat.fao.org，2014年8月20日アクセス）をもとに筆者作成。

で各国の単収を比べてみました。日本を上回る単収の国は，アメリカ，韓国，エジプト，中国ですが，エジプトの場合はナイル河の灌漑の成果というやや特殊な事情があります。南アジアの貧しい国（インド，バングラデシュ，パキスタン）やサブサハラ・アフリカの米作りが盛んな国（ナイジェリア，マダガスカル）の単収は日本の3分の1から3分の2程度にすぎません。

次に農業・農村関連のマクロ経済統計を見てみましょう（表1-1）。表の数字からは，経済発展が進むにつれて，総人口に占める農村居住者の比率が緩やかに下がり，総雇用およびGDPに占める農業のシェアは急激に下がっていくことが見てとれます。雇用に占める農業比率が経済発展につれて低下し，代わって製造業などの第2次産業やサービス業などの第3次産業が伸びていくことを，ペティ＝クラークの法則と言います。農業の主たる生産物が食料であり，食料は人間が生存する上で欠かせないものである反面，所得が増大するほどには食料の需要が増えないことがこの法則の裏側にはあります。

表の数字でもう1つ重要なのは，世界のどの地域でも，総雇用に占める農業

CHART 表 1-1　経済発展と農業・農村部門

	総人口に占める農村居住人口の比率（%）〈2012年〉	総雇用に占める農業の比率（%）〈2010〜12年〉	GDPに占める農業の比率（%）〈2012年〉
低所得国	72	n.a.	27
バングラデシュ	71	48*	18
ウガンダ	84	66*	26
下位中所得国	61	43.1	17
パキスタン	63	45.1	24
インド	68	47.2	18
ガーナ	47	41.5	23
上位中所得国	39	29.5	8
高所得国	20	3.5	1
日　本	8	3.7	1
アメリカ	17	1.6	1

注：*バングラデシュの数字は最新で2005年，ウガンダの数字は最新で2009年。
出所：World Development Indicators 2014.（http://data.worldbank.org/data-catalog/world-development-indicators, 2014年8月20日アクセス）

の比率の方が，GDPに占める農業の比率よりも大きいことです。つまり国の平均で見て，農業就業者の所得水準は工業やサービス業に就業している場合よりも低いのです（ただし農業就業者の多くは，他の兼業収入もありますので，世帯所得で見ると，表が示すほどには差が大きくないのが普通です）。

　途上国において農業の生産性が低いとどんな問題が起きるでしょうか？　ミクロ面では，農村居住者の所得が低くなって貧困指標が大きくなり，世帯の食料確保が時折危機にさらされることでしょう。マクロ面では，農業部門従業者1人当たりの農業部門GDPが低く，伸び悩むという問題や，国民の食糧保障には輸入が不可欠になるという問題が生じます。なぜ食糧輸入に頼ることが問題かというと，国際穀物価格が変動したり，途上国の所有する外貨が不足すると輸入が困難になるからです。この負の関連性のために，アフリカの多くの国では，農業の低生産性とマクロ経済の不安定とが相互に悪影響を及ぼしあっています。

　この負の関連性を逆向きにして考えてみましょう。農業の生産性が向上すると，マクロ経済における持続的な成長と貧困削減が生じ，持続的成長は農業生産性をさらに向上させます。アジアはそのような正の関連性が働いた例とみな

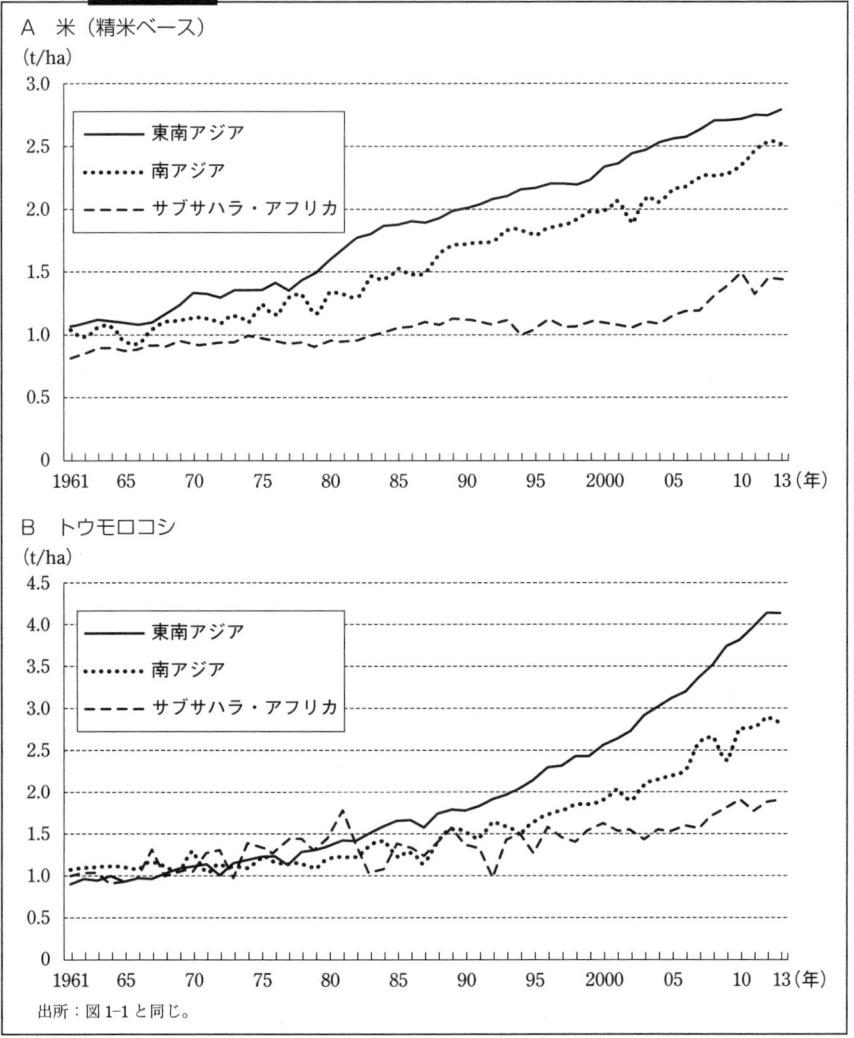

図 1-2 主要穀物の単収の推移

出所:図 1-1 と同じ。

すことができます。図 1-2 には，米とトウモロコシの単収の推移を，サブサハラ・アフリカ，東南アジア，南アジアで比較しました。トウモロコシはアフリカでは伝統的に米よりも重要な穀物でした。近年，米の消費はアフリカで急増しています。アジアの米は，1970 年代初頭以降，急激に単収が改善していますが，これは**緑の革命**の成果です。高収量品種の種子を用いて，化学肥料を多投する技術体系である「緑の革命」は，熱帯アジアの中でも特に灌漑条件のよ

かった地域から徐々に普及して，急速に農業の土地生産性を高め，熱帯アジア諸国が食糧危機に陥ることを防ぎました．やや遅れてトウモロコシでも同様の変化が生じました．「緑の革命」には作付品種の単一化や化学肥料・農薬の多投といった環境面でのマイナスの側面があったことも確かですが，熱帯アジアにおける食糧問題を解決し，穀物の国際価格を長期的に安定させたという貢献を忘れてはならないと思います（詳しくは大塚2014第4章を参照）．

　ではそのような技術体系があるにもかかわらず，サブサハラ・アフリカの多くの国で生産性が上昇しないのはなぜでしょうか？　また熱帯アジア諸国の農村内部において，生産性が低位のまま低所得に苦しむ農家が多く残存しているのはなぜでしょうか？　図1-2では，2000年代後半以降，アフリカでも米やトウモロコシの単収が右上がりに転じています．これは有望な変化ですが，単収の水準を見ると，どちらの作物でもアフリカは東南アジア，南アジアに大きく離されています．

　それには，農業技術の適応可能性，技術の普及制度，さらには農民の技術採択における種々の障壁，の3つを考えなければなりません．

　まず工業技術と異なり，農業技術の有効性は土地の条件や自然環境に左右されます．熱帯アジアの灌漑農業地域で効果的だったものでも，サブサハラ・アフリカやアジアの干ばつ常襲地域・洪水常襲地域に当てはめるには，適応的技術開発がしばしば必要になります．途上国自らがそのような技術開発を行うことが難しい場合，国際研究機関などがその役割を担う必要があります．

　次に，うまく適応的技術が開発されても，それを農民に適切に伝達するには農業技術を普及させるためのシステムが必要です．残念ながらアフリカの多くの諸国や熱帯アジアの天水農業地域では，政府の農業普及員は数も予算も非常に少なく，制度はほとんど機能していません．日本など温帯アジア諸国の農業開発では，政府による農業普及制度もかなり効率的でしたし，それと補完的な役割を，民間部門の化学肥料のディーラーが果たしました．

　最後に，いくらすばらしい技術があるといっても，農業生産は自然環境に影響されますから，たとえば，伝統的にその地域で使われてきた米の品種から新しく開発された品種に変えるには，勇気が必要です（リスクがあります）．あるいは，変えたいと思っても，家にお金がなく，また貸してくれる金融機関もな

ければ，いくら新しい品種を採用してみたいと思っても，それは実現できません。冒頭のStoryでムギさんが，新しい品種導入に乗り気ではなかったのも，新しい品種にして失敗してしまったらどうしよう，といった不安や金銭的な課題があったからなのだと思います。この点については，本章の後半部分と第2章で，もう少し詳しく議論します。

小作制度

ムギさんの場合，彼が最初に高収量品種を手にしたのは，地主を通じてでした。いわば地主が彼にとっての農業普及員だったわけです。とはいえこの地主，Storyの中では収穫の2分の1を小作料としてムギさんから取り上げていました。収穫の半分とは，とても高い小作料に見えることでしょう。伝統的農業において地主と小作制度はどのような役割を果たしてきたのでしょうか？（以下，本項についてより詳しくは，黒崎2001，第4～6章を参照）

ムギさんとその地主との土地賃貸契約のように，農地の賃借料を，現物の収穫物の一定比率として収穫後に支払う小作契約を，**分益小作制**（sharecropping）と呼びます。分益というのは，土地の恵みという便益を，地主と小作とで分けるという意味です。これを，みなさんもおなじみの通常の不動産賃貸契約と比較すると，その特徴がはっきりすると思います。賃借料は事前に現金で支払うのが普通で，農業の小作制度においても，そのような制度が見られます（現金定額小作制と呼びます）。小作料を払うタイミング（農地を利用する前か後か），小作料の形態（現金か現物か），小作料額（収穫にかかわらず一定か，収穫に比例して増えるのか）の3点において，分益小作制は特徴的な制度です。

一昔前の分析では，小作料額が収穫に比例して増えることの弊害に焦点が当てられていました。分益制の下では，小作ががんばって増やした生産量の一部が自動的に，地主のものになってしまいます。そのせいで小作があまり努力をしたくないと思うなら，土地の利用という点では非効率ですよね。

でも，Storyにも出てきたように，分益制には地主と小作が農業生産のリスクを分かちあう機能があります。この制度の下では，豊作も凶作も分益比率に応じて地主，小作両方の所得に影響を与えます。このようにリスクを分かちあうことで世帯は安定的な毎年の消費を達成することができます。安定的な消費

の方が望ましいと考える世帯の特性・性向を，経済学では**リスク回避**的嗜好と呼びます。また，分益小作制では，地代の支払いは収穫後でよいので，収穫前のお金のない時期に賃借料を工面しなくていいわけです。これは，小作に実質的に生産費（土地の貸借料）を貸すという機能だとも考えられます。さらには，地主にとっては，現物で食料を確実に手にすることができるので，食料の確保上有利です（実は地主と言っても，途上国には老齢で土地を耕す力がなくなった寡婦のような零細地主もいます）。地主・小作双方がそれぞれにない得意な能力を共有しあう効果に着目した分益小作制のミクロ経済学のモデルも提示されています。

また，ムギさんは，化学肥料や農薬を地主を通じて前借りで手に入れていることにも注目してください。ムギさんは小作農なので，金融機関などからお金を借りることが困難です。しかしそんなムギさんでも，農地を借りる契約の相手とならば，お金を借りるという信用契約を結ぶことができます。地主は小作料を取り立てるときに，一緒に借金も取り立てることができます。このように複数の契約を同時に行うというやり方で，信用力のない人にも融資を可能にするやり方を**インターリンケージ**（interlinkage）と呼びます。インターリンケージについてのミクロ経済学モデルとそれに基づく実証研究も多数存在します。

すなわち伝統的農業の分益小作制において，地主はさまざまなプラスの役割を果たしてきたのであり，一見搾取的だからという理由で，その存在を完全に否定的に捉えることは間違いなのです。

リスクへの対応

途上国のこうした地主と小作の関係は，パトロン・クライエント関係と呼ぶこともできます。地主は，平常年には高めの小作料を取りますが，不作の年には小作が餓死しないようにさまざまな助けを与える点で，一種のパトロン（保護者）です。ムギさんの村の地主も，大干ばつの年には町の商人から借金までして，村人を助けました。小作は，そのような助けに対し，単なる農地取引のパートナーである以上の忠誠をもって応えるという点で，一種のクライエント（依存者）です。

農業生産は天候に依存しますので，収量や価格のリスクは他の産業に比べて

深刻な問題です。農村の非農業活動も，農業生産との連関が強いので，天候リスクの影響を受けることがあります。このような環境において，パトロン・クライエント関係は，両者にとってプラスです。

またムギさんは，大干ばつ年ほどひどくはない不作の際には，隣人間で助けあって難をしのいでいました。農業の不作以外にも，途上国では，働き手が思いがけないけがや病気になるリスクが大きいことに注意してください。医療保険・失業保険も普及していませんので，そのようなことが生じたら大変です。しかし，けがや病気（地域によっては家畜の盗難なども）といったリスクは，村人に共通して生じるものではなく，各世帯にバラバラに生じる面があります。そのようなリスクに関しては，村人の間で分かちあうことで，実質的な保険の効果を得ることができます。具体的には，村人の誰かがけがをして働けなくなったら，その間の農作業を他の村人が代わる，あるいは足りなくなった賃金所得を補うべく共同でお金を工面するといった行為であり，それが互恵的に行われることをみなが暗黙のうちに承諾している状況です。

このような行動を**リスク・シェアリング**（risk sharing）と呼びます。長期的人間関係を持った住民同士ならば相互扶助が機能しやすいので，途上国農村においてはリスク・シェアリングがとても効果的であることが予想されます。開発経済学者は，途上国農村でこうしたリスク・シェアリングの状況が存在するのかを，世帯の収入や相互扶助関係について調査し，分析してきました。さてその分析結果はどうなっているのでしょうか？　近年の開発経済学での実証研究結果（詳しくは黒崎2001，第8章；黒崎2009，第9章を参照）を見ると，予想通りにリスク・シェアリングが効果的な地域もある一方で，社会的に孤立した階層は，村の中でもそのような恩恵を被ることが少ないこともわかってきました。

さて，それではリスク・シェアリングがあまり機能していない場合は，農民はどのような行動を取るのでしょうか？　こういった状況下では，途上国の農民は，さまざまな方法で**リスク分散**を試みます。ムギさんの田んぼ6枚が村の別々の方角にあるのは，こうした田んぼの配置を分散させることで，リスク分散の効果を持つことができるからです。北の田んぼがイナゴに襲われて大打撃を受けても，居住地区を挟んだ南の田んぼはイナゴに襲われないかもしれません。その他にも，農業以外の就業を増やして，所得源を多様化することも，同

じように，所得のリスクを分散する意味があります。

実は，ムギさんの田んぼ6枚が別々の方角に配置されているということそれ自体が，この村でのリスク・シェアリングの効果が最善のレベルではないことを意味しています。少々難しい議論になりますが，村人がリスクを完全に共有していれば，北の田んぼがイナゴの被害を受けて，南の田んぼがその被害を免れた場合，それぞれの田んぼの持ち主が誰であるかに関係なく，北と南の田んぼの平均の出来高を村人は享受できます。したがって，各農民は，自分の田んぼを1カ所に集めた方が，移動コストが下がって生産効率が上がるはずなのです。にもかかわらず実際にはムギさんは田んぼを分散させているのですから，村人間のリスクの共有は，残念ながら完全ではありません。

農業における新技術の採択

ここで再び，新技術の採択の話に戻りましょう。きちんと実施すれば平均の生産性は確実に上がる農業の新技術が利用可能であり，かつその技術の詳細が農民にきちんと伝えられている状況を考えます。ムギさんのケースで言うと，最新の改良種子を用い，今よりも数倍多い（それでも日本など先進国の水準よりは少ない）量の化学肥料を用い，雑草管理などをきちんと行うことで，平常年ならば米生産からの利潤が倍増し，そのことはムギさんの村では広く知られているとしましょう。

それでもムギさんがこの新技術を採用せずに，古くなった高収量品種の種子を使い続け，利潤最大化水準よりも少ない水準の化学肥料しか投入しないのはなぜでしょうか？

簡単な答えは，ムギさんは教育もない愚かな生産者であって，所得水準を引き上げる機会をみすみす失っているとみなすことです（市場メカニズムに反応しない非合理的農民像）。しかし，そのようにみなした途端に，似たような生産者が多いアスー国において農業開発をどう進めたらよいかの答えは出なくなります（もちろん，教育水準を引き上げるというのが長期的な解決策の1つにはなるでしょうが。この点については第3章で詳しく取り上げます）。実態としても，ムギさんの息子のドリアンさんは新しい農業技術に関心も知識もそれなりにありますから，ムギさん一家の農業に，非合理的農民像を適用することは，間違っていると思

います。

　ムギさんの技術採択のような事例を，農村市場の特徴と関連づけて，ミクロ経済学的に合理的な行動として分析する手法として，**ハウスホールド・モデル**(household models) が挙げられます（詳しくは黒崎 2001, 第 1～3 章参照）。「ハウスホールド」には，生計を共にする「世帯」という意味と，その世帯が営む経済活動（就労，消費，貯蓄など）という意味の 2 つがあり，後者の意味で使うときには「家計」と訳されます。経済学では生産者と消費者を別々に分析することが多いのですが，途上国の農家は，生産者であると同時に消費者です。ハウスホールド・モデルはこの性格に着目し，農家を取り巻く市場の不完全性をきちんと取り入れたうえで，一経営体内での生産と消費の相互作用を明らかにします。この一連のモデルから，農地の貸借や労働，信用・保険サービスなどの市場が整っていない場合には，農業生産の経済誘因への反応がかなり抑えられること，一見反応が鈍いような農民も経済誘因の変化に対して経営体内部で合理的に対応していることが，明確に分析されるようになりました。

　経営体内部での合理的対応と言っても何のことかよくわかりませんね。ムギさんの話で，具体的に説明しましょう。ムギさんの場合，仮に新技術を採用した場合，確かに米の利潤が平常年で倍増するとしても，不作年で大きな赤字になるならば，そのリスクを回避するために採用しないことが合理的かもしれません。この場合問題なのは，仮に赤字に陥ったときにその補塡や埋め合わせができるような保険機能が存在していないことです。つまりムギさんが万一の不作に備えて，毎年保険の積み立てのようなものができていたら，不作の年はその保険によって生活を送ることができるわけです。しかし，こうした保険会社も保険市場も途上国の農村には存在しないことが一般的です（保険市場の不完全性問題）。また，新技術での米の利潤が，平常年と不作年とで平均してなお旧技術を上回るにしても，新技術に必要な化学肥料と改良種子の購入代金を事前に準備することができないため，採用できないのかもしれません。ここで問題になるのは，お金を工面してくれる銀行や金融機関が存在していないという問題です（信用市場の不完全性問題）。さらには，新技術で必要となる細かい除草作業を工面する労働力が家族では足りない場合には人を雇う必要があり，その人件費がかなり割高なのかもしれません。これは，必要な労働力を確保できな

いという労働市場失敗の帰結です。
　こうして，さまざまな市場の不完全性，市場の失敗などが複合的に起きてしまうことで，せっかくの新技術があっても，農民はそれに飛びつかずに，伝統的な品種を使い続けたりするという，一見すると奇妙な（でも農民側から見るととても合理的な）行動を私たちは目にすることになるのです。
　こうしたハウスホールド・モデルの開発によって，ムギさんのような多くの途上国の農民が抱える問題を，経済学的に合理的な行動の結果として理解することが可能になりました。このモデルに基づいた実証モデルを駆使することで，市場の不完全性がもたらす非効率の大きさを定量的に推計し，そのような不完全性が軽減された場合のインパクトを予測することもできるのです。

3　問題の解決に向けて

　以上本章では，途上国農業の抱える問題点と，それを克服するにはどうしたらよいか，経済学的に考えてきました。途上国農業の最大の問題は，低生産性ゆえに農業従事者の所得が低く，国レベルでの食糧供給にも不安が生じることです。改良品種を用いて，化学肥料を多投する「緑の革命」は，熱帯アジアでの食糧危機を防ぐことに成功しましたが，アフリカを含んだ途上国全体での持続的な生産性向上にはつながっていません。
　その原因としては，適切かつ有効な技術の不足，それを普及させる制度の欠陥，農家を取り巻くさまざまな市場の不完全性などが挙げられます。特に市場の不完全性に関しては，分益小作制のモデルやハウスホールド・モデルというミクロ経済学の枠組みを用いて，労働や信用や保険の不足がもたらす非効率をうまく説明できることがわかりました。他方，伝統的な制度には，農業の不作に対応するための知恵が備わっていることも忘れてはなりません。
　アス―国に象徴される低所得途上国農業の諸問題を一言でまとめると，低い農業生産性がミクロ面からマクロ面まで，貧困の悪循環を形成しているということになります。この悪循環を断ち，熱帯アジア諸国の一部が「緑の革命」後に経験した好循環に変えるにはどうしたらよいでしょうか？

まず必要なのは，適切な技術の開発とその農村への普及でしょう。きちんとした水管理が可能な田んぼで生産される水稲であれば，アジアの技術がほぼそのまま，サブサハラ・アフリカの同様な環境の下で有効と考えられます。しかし他の作物や他の生産環境に関しては，より本格的な技術適応が必要になります。国際機関等の適切なリーダーシップのもとに適応的技術を開発・確定させ，農業技術普及制度を効率化することが大切です。

　緑の革命が成功した地域・事例での農業成長の鍵は，化学肥料の使用を増やしたことでした。ただし本章で見たように，たとえ平均で収益性が向上する場合でも，労働・信用・保険などの市場がよく機能していない場合，農民は経済学的に合理的な行動として新技術を採用しない可能性があります。新技術と肥料への需要が潜在的に生じても，それを現実のものに変えるには，これらの市場の効率性を高めることが重要です。

　これらのうち，保険サービスを改善させることに関しては，信用アクセスの改善によってかなり代替することができます。信用アクセスとは，必要なときに借金できる当てがあるという意味です。不作になって新技術の下で赤字になっても，その年を生き残るためのお金が有利な条件で借りられるのならば，信用が実質的な保険機能を持つことになるためです。すなわち，技術開発・技術普及を，信用アクセス供与政策によって補完することが，途上国の農業開発において重要ということになります。とはいえ収入が不安定な途上国の農民にお金を貸したら，そのお金は返ってこないのではないかと心配になりますね。この点について第**2**章で詳しく見ていきましょう。

QUESTIONS

1-1　途上国農業において，先進国農業に比べ同じ作物の土地生産性が低いのはなぜでしょうか？

1-2　途上国の農村内部において，同じ作物の土地生産性が高い農家と低い農家が共存し，その格差が先進国の農村内部よりも顕著なのはなぜでしょうか？

1-3　途上国の農村において，天候変動などに由来するリスクに対応するために，どのような伝統的な制度や農民の行動が見られるでしょうか？

Column ❶　マダガスカルの希望

　みなさんはマダガスカルと聞くとどのようなことを思い浮かべますか？　CGアニメの映画でしょうか？　あるいはキツネザルやバオバブの木という人もいるかもしれません。こうしたかわいらしいイメージが先行しがちなのですが，マダガスカルは，貧困者比率（1.25 米ドルの貧困線）が 80％近い世界最貧国の 1 つです。2009 年からの政変もあり，この数年間で貧困の状況はむしろ悪化したとも言われています。

　そんな貧しいマダガスカルと先進国日本の共通点があります。それは主食が米だということです。ただ，1 ha 当たりで取れる米の量は，日本の 4 割程度（図 1–1 参照）でしかありません。マダガスカルの稲作の現状は悲惨ですが，少し見方を変えれば，まだまだ収量増加の伸びしろがあるとも考えられます。では，もしマダガスカルが日本ほどの高収量とまではいかなくとも，これまでの倍ぐらいの米収量を得られたら，どんなことが起きるでしょうか？　実はマダガスカルは，現在米の 10％近くを輸入に頼っています。収量が倍になれば，もちろん米を輸入に頼らなくてもよくなりますし，余った米を輸出に回し外貨を稼ぐこともできるかもしれません。何より，80％の貧困者比率を大幅に改善する可能性が高いですよね。

　そこで日本の援助機関である国際協力機構（JICA）は，マダガスカルの稲作の現状に即した PAPRIZ という稲作総合技術パッケージを開発しました。この PAPRIZ を適切に用いれば大幅な収益増加が見込めます。また PAPRIZ には日本の稲作の伝統技術も用いられ，まさに日本の技術がマダガスカルの稲作や貧困の改善に活かされようとしているわけです。

　ただし，すばらしい技術があればすべてうまくいくというわけではありません。どのようにすれば効果的な普及が可能になるのか，農民が新しい技術に対してどのような反応を示すのか，PAPRIZ を導入する際の予算の問題をどのように緩和するのか，農村社会・経済のメカニズムをさまざまな視点から明らかにしていく必要があります。この点は農業技術を開発する農学や自然科学ではなく，経済学など社会科学の出番です。日本の伝統技術を携え，マダガスカル農村のありようを丁寧に解きほぐすことができたら，そこに貧困脱却の道筋を描くことができるでしょう。

　途上国との関わり方は本当にさまざまです。この本をきっかけに，日本からマダガスカルなどの途上国へ，さまざまな形で夢や希望を伝えられる人が出てきてくれたらと思っています。

筆者（栗田）がマダガスカル農村調査中の，ある日の昼食

CHAPTER

第 **2** 章

農村信用市場

多様化する農村経済とマイクロファイナンス

KEY WORDS

- □ 農村非農業就業
- □ マイクロファイナンス
- □ 信用制約
- □ 非対称情報
- □ コミットメント
- □ コレクティブ・ハウスホールド・モデル

1 Story

ムギさん一家のお金のやりくり

「コケコッコー！」

「よしよし，今朝の収穫はちょうど50個ね。ニワトリたち，がんばってくれてるわ。それと，今日の午後は確か，お隣に結婚式用に使うニワトリを3羽欲しいって言われたわねぇ。市場に行ってニワトリたちのエサも買ってこないと……ああ，忙しい，忙しい」

　ムギさん一家の生活は苦しいのですが，最近は，少し楽になってきました。首都に単身で働きに行っている次男のライチさんや，隣のナカツ国に出稼ぎに行っている三女のポメロさんが送金をしてくれるのです。表向きはムギさんが一家の大黒柱。でも実際に家の財布を握る陰の財務大臣は，奥さんのキビさんです。米や野菜などの売り上げや，子どもたちからの送金は，キビさんが管理しています。

　ムギさんとドリアンさんが日雇いの仕事で稼いでくるお金もできるだけ家に入れさせようというのが，キビさんの思い。でも，「2人ともしょっちゅう稼ぎを隠して，好き勝手なことに使おうとしているのよ！　まったく嫌になっちゃう！」と，キビさんの小言は絶えません。

　まだ独身のドリアンさんの結婚資金として，貯金をしたいとキビさんは思っています。毎月，10ドルくらいなら貯める余裕はありそうで，それを1年続ければ年間120ドルほど貯金できるはずです。しかし銀行は遠く，家にお金を置いておくと，ついつい使ってしまい，なかなか貯まりません。

　日々の生活資金の管理が主にキビさんの仕事なのに対し，種子や肥料の購入といった農業生産のための資金管理は，ムギさんの仕事です。新しい米の品種を導入したいと息子のドリアンさんは何年か前から言い続けているのですが，新しい種を買うにもお金がかかるし，それをうまく使うにはこれまでの倍以上

の化学肥料が必要です。こうした化学肥料を田んぼに投入する時期は、種まき（播種）の前になりますが、収穫まで4～5カ月ほどあります。もともと裕福ではないムギさんの家では、化学肥料用のお金を自らのお財布から捻出することはできません。そうなると、誰かからお金を借りて、化学肥料を購入することになります。ムギさんの地域にも政府の農業開発銀行があり、低い利子率でお金を貸してくれるのですが、他人から土地を借りて米作りを行っているムギさんのような小作農は、担保になる農地の所有者でないため、政府の農業開発銀行から運転資金を借りる資格がありません（仮に農業開発銀行から借りる資格があったとしても、乗り合いバスで2時間かかる町の支店に出かけ、複雑な契約書に署名することは、読み書きができないムギさんには非常に難しいことでしょう）。村にやってくる商人や村内の質屋などから、お金を借りることはできますが、利子率がとても高くなってしまいます。

　ここで利子の話を少し考えてみましょう。アスー国のような途上国では利子率はかなり高く、金融機関からお金を借りるとなると名目で年利10％から20％くらいになり、もっと高い利子率もしばしば見られます。それもあって、単利計算の月利で数字が示されることが多いので、以下は月利で説明しましょう。

　ムギさんの村では、農業開発銀行から借りることができれば利子率は月利1％なので、4カ月借りても利子はたいした額になりません。しかし化学肥料を取り扱っていて、村にも頻繁にやってくる商人から借りようとすると、月利10％に利子が跳ね上がります。仮にここでムギさんが1回の米作りに必要な化学肥料の代金が100ドルであったとしましょう。種まきの前に100ドルを借りて、収穫後に元金と利子分の支払いをまとめて行うと考えます。

　図2-1から明らかなように、種まきから4カ月後に、ムギさんは140ドルものお金を商人に返さなければなりません。4カ月で元金の40％にもなる利子を支払えるとは到底思えないので、新品種には手が出せない、というのがムギさんの考えです。その点、ムギさんの地主は、昔からの品種に使うための化学肥料や農薬に関しては、自分のストックを分けてくれるので、とてもありがたい存在なのです。収穫の際には、その化学肥料や農薬の費用相当分を収穫した米の現物で支払うことができますし、小作料も現物支払いなので、ムギさんは利

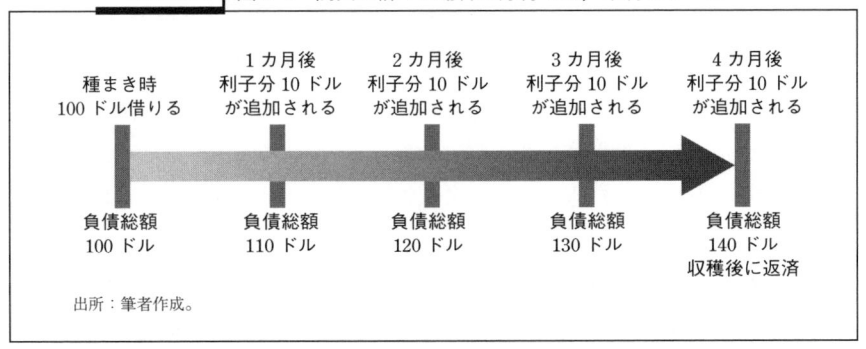

CHART 図2-1　商人に借りた場合の月利10%，単利のケース

```
種まき時          1カ月後           2カ月後           3カ月後           4カ月後
100ドル借りる     利子分10ドル      利子分10ドル      利子分10ドル      利子分10ドル
                 が追加される      が追加される      が追加される      が追加される

負債総額         負債総額         負債総額         負債総額         負債総額
100ドル          110ドル          120ドル          130ドル          140ドル
                                                                  収穫後に返済
```

出所：筆者作成。

子だのなんだのとあまり難しいことを考えなくても，とてもスムーズに肥料や農薬を手に入れることができています。

でも，ムギさんがこの取引で地主に渡している米の価値を計算してみると，実はかなりの金額になります。ですが，ムギさんはそのことを正確には理解していません。ムギさんが化学肥料代金等として上乗せした米を村の価格で金額換算すると，化学肥料の価値の1.33倍程度です。つまりムギさんは，4カ月で33%の利子分のお金を地主に支払っていることになります。商人から借りると40%の利子を支払うので，それは難しいと考えていたムギさんでしたが，実はそれとたいして変わらない金額を地主に支払っているのです！

キビさんの養鶏ビジネスには秘密が……

ムギさん一家の重要な所得源になっているのが，キビさんが行っている食肉用の養鶏事業です。現在，裏庭の立派な養鶏場で200羽の鶏の肥育をして，毎年，200ドルほどの利潤が出ます。今朝も卵が50個取れましたし，お隣においしい地鶏を3羽売ることができました。なかなかのやり手ビジネスウーマンです。

でもキビさんもビジネスを始めた当初はとても苦労しました。彼女の養鶏ビジネスは，結婚後すぐに，20羽ほどの小規模で始めたのですが，全く儲かりませんでした。20羽のひよこ購入資金とエサ代については商人から前借りしていたのですが，その商人に育った成鳥を売ると，前借り分を差し引かれ，結局，手元にはお金が全く残りませんでした。利子をどのくらい支払っているのかもわかっていませんでした。ほとんどが現物での精算なので，利子率を計算

して，自分がどの程度利子を支払っているのかを理解するのはかなりやっかいなことなのです。

彼女のビジネスに転機が訪れたのは，5年前でした。外国からの援助の一環としてマイクロクレジット（主に貧困層に向けた少額融資のことです）のプロジェクトが村で始まり，彼女は隣人の女性たちと連帯責任を負う5人組を作って，融資を受けました。毎週返済の50回払いがすぐに始まったので，成鳥の最初の売り上げのタイミングまでは返済が本当に大変でした。でも，同じ村の仲良し5人組で毎週村の集会場に集まって情報交換をしつつ返済するのは楽しくて，なんとかすべて返済することができました。

最初のマイクロクレジットで借りることができた金額は20羽分のひよことエサ代をちょうど賄うほどでしたが，商人から借金しなくなったので，成鳥を売る際にも一番高い価格を提示した商人に売ることができました。すると，同じ20羽の養鶏でも，月利3％のマイクロクレジットの金利を払ってなお，十分に利潤が残ったのです。そこでキビさんは，残った利潤を元手に10羽ずつ増やして，50羽まで養鶏事業の規模を増やしました。

事業規模が20羽のうちは，養鶏場なしでやりくりできましたが，50羽ともなると小さな養鶏場が必要になります。キビさんは，マイクロクレジットをそれまできちんと返済した実績が評価され，当初よりも大きな額を借りることができて，最初の養鶏場を建設しました。

その後，養鶏ビジネスが好調なので，さらに事業を拡大したいと思ったキビさんですが，マイクロクレジットの上限額ではもう資金が足りません。そこで彼女はマイクロクレジットの返済をきちんと行ったという実績をもとに，政府の零細企業特別融資の枠を得ることができました。こうして200羽規模の養鶏場への拡張に成功し，ムギさん一家の重要な所得源になったのです。キビさんは，本当にすごいやり手のビジネスウーマンなのです。

とはいえキビさんはこれ以上事業を拡張することは難しいと考えています。近隣の村の似たような養鶏事業者を合わせると，バスで2時間かかる町のマーケットの需要はすでに満たしており，さらなる拡張には新たなマーケットが必要です。そのためには，鶏肉や卵を低温保存，ないしは冷凍して輸送できる設備が必要となりますが，それらのインフラ設備がまだ整っていないのです。

また，キビさんの最初のマイクロクレジット・グループを見ると，他のメンバー全員が，キビさんのように成功したわけではありません。4人中，2人はメンバーを抜けてしまいました。1人は，農業収入だけしかない家の奥さんで，毎週の返済額を工面することがあまりに難しかったのがその理由です。もう1人は，借りたお金も毎日の生活に必要な消費にすぐに消えてしまい，有効な利用ができなかったのです。続けている2人も，キビさんのように零細自営業に使っているのは，村のよろず家を経営している友人だけで，もう1人は，家電製品購入などちょっとしたお金を工面する際の財源としてマイクロクレジットを使っています。「1人で貯金するのは大変でしょ。すぐ使っちゃうからね。でもね，みんなでやるからちょっとはできるようになるの。まとまったお金が必要になるときもあるから助かってるわ」というのが，その友人がマイクロクレジットを続ける理由です。

2　何が問題なのか

▶ 課題の抽出と分析フレーム

　このStoryの養鶏ビジネスに示されているように，現在，途上国農村の多くで，経済活動の多様化（**農村非農業就業**や非伝統的農業の伸長）が見られます。それを支えるのが農村金融，とりわけ信用の供与ですが，ムギさん一家はなかなか条件のよい融資を受けることができなかったり，望ましいと思う資金計画を実行できなかったりします。これまで多数の途上国では，政府が農業生産者向けに特別な金融機関を設置してお金を貸し出すという政策を行ってきました。このように特定の融資目的を持った金融機関を制度金融と呼びます。また民間の銀行でも農業向けローンの枠組みなどを提供しているところもあります。これらの金融機関が提供する金融サービスを総称してフォーマル金融と呼びますが，地主や商人，友人・親類など，金融機関以外が提供する金融サービスは，インフォーマル金融と呼びます。

　さて，Storyで見てきた問題を整理すると，以下のようになります。

> **POINT**
>
> ❶ 金融機関へのアクセスが悪い。
> ❷ 収益性の高い事業であっても、低い利子率で融資を受けるための信用アクセスが限られており、インフォーマルな信用は利子率が非常に高い。
> ❸ 将来を見据えた投資や貯金をしたいと思っても、独力ではお金を貯めることが難しい。
> ❹ 家族の間でも、お金のやりとりに関しては隠しごとが生じ、望ましいお金の利用の仕方について合意できないことがある。
> ❺ マイクロクレジットは、無資産世帯に信用アクセスを生み出したが、すべての利用者がそれを利用して生活改善できたわけではない。農村非農業ビジネスを拡張する上で、マイクロクレジットだけでは資金が足りず、またインフラの未整備も新たな制約となる。

それでは、順を追って経済学的視点からこれらの問題を考えていきましょう。

途上国農村金融の低発達

Story の前半は、途上国の家計であっても、日々の金融行動は結構複雑であることを示しています。最近の研究では、途上国の農民に日々のお金のやりとり（金融機関や商人との取引も含みます）を記入してもらい（家計簿のようなもの）、その情報をもとに分析を行うようなものが増えています（詳しくは Collins et al. 2009 を参照）。このような研究や **Story** からわかることは、家計が必要とする金融サービスは、つまるところ貯蓄、融資（信用）、保険、送金などであって、先進国も途上国もさほど変わらないということです。

となると、思っていた以上にかなり複雑なお金のやりくりが途上国でも行われていることになります。ただし、途上国と先進国が決定的に違うのは、金融機関を通じたフォーマルな取引の占める比重がとても小さいことです。地主とのインターリンケージ信用取引（第1章参照）や商人・金貸し業者からの借金などが、それを埋めるインフォーマル取引です。これらは未組織金融とも呼ばれます。貯金の場合、タンス預金というのが代表的なインフォーマル貯蓄手段になりますが、信頼できる隣人・知人に預けることもよく見られます。送金は、知人・親類に託したりします。

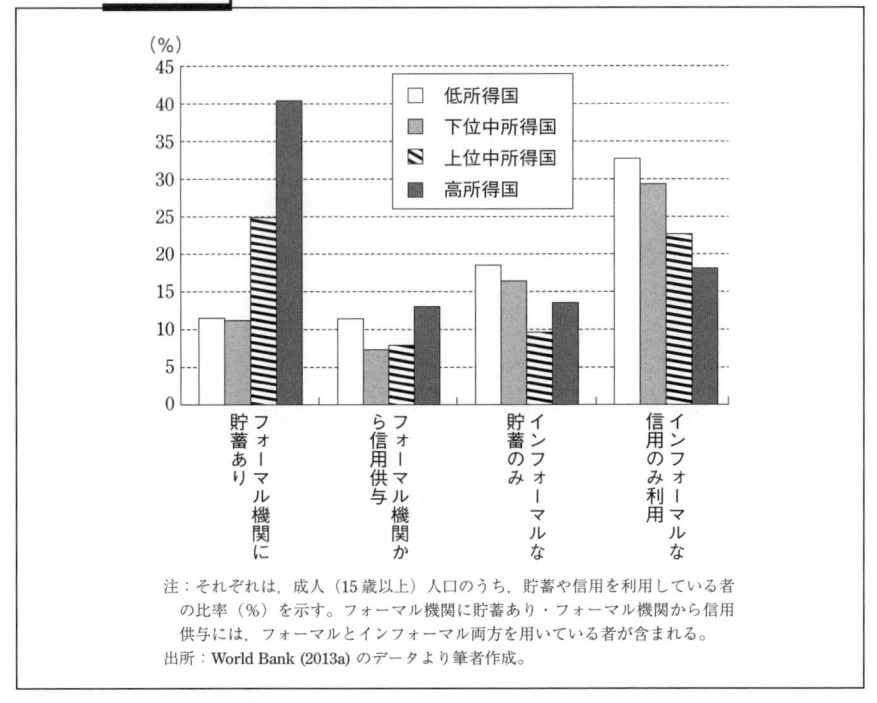

CHART 図2-2 貯蓄や融資機会と経済発展

(%)
低所得国
下位中所得国
上位中所得国
高所得国

フォーマル機関に貯蓄あり／フォーマル機関から信用供与／インフォーマルな貯蓄のみ／インフォーマルな信用のみ利用

注：それぞれは，成人（15歳以上）人口のうち，貯蓄や信用を利用している者の比率（％）を示す。フォーマル機関に貯蓄あり・フォーマル機関から信用供与には，フォーマルとインフォーマル両方を用いている者が含まれる。
出所：World Bank (2013a) のデータより筆者作成。

　マイクロクレジットを供与するマイクロファイナンス機関は，フォーマルな金融機関に分類されることもありますが，NGO などが非利潤ベースで運営している場合も多く，中間的な性格，すなわちセミフォーマル金融と呼ばれる組織もあります。ちなみに，マイクロクレジットというのは無担保の小口信用を指しますが，近年は，マイクロクレジットを中核にした低所得層向けの総合金融サービス（信用プラス貯蓄，保険，送金など）という意味で，**マイクロファイナンス**という表現が用いられることが多くなりました。2006年にノーベル平和賞を受けたバングラデシュのグラミン銀行は，代表的なマイクロファイナンス機関です。

　図2-2 に，金融機関に関連した統計を，先進国と途上国それぞれについて示しました。グラフからは，経済発展が進むにつれて，フォーマルな金融機関が浸透していくことがわかります。たとえば先進国（高所得国）では15歳以上人口の40％以上が金融機関に貯蓄しているのに対し，低所得国や下位中所得国ではこの比率は11％前後にすぎません。インフォーマルな信用や貯蓄を利用

している比率は，低所得国で最も高くなっていて，近代金融機関の役割をインフォーマルなものが代替していることもわかります。

　以上からは，途上国農村の貧困層が十分な金融サービスを受けられないのは，金融機関が十分に浸透していないためであり，したがって政策などを通じて農村部に金融機関を誘導すれば問題は解決するという印象を持つかもしれません。しかし，お金を借りたいという信用需要があって，その収益性が高いと判断されれば，民間部門の金融機関は自ら農村部に出ていくことでしょう。民間金融機関が自ら出店したがらないのには理由があり，その理由を理解しないままに，農村部への進出を強制する政策が成功するはずはありません。ではその理由とは何なのでしょうか？

信用制約

　民間銀行が融資をする利子率が仮に月利2％だったとしましょう。この利子率ならば，Storyに出てきたキビさんは養鶏事業の資金として信用供与を受けた場合に，十分返済して利潤を上げることができます。言い換えると彼女の事業の収益率は，この信用の利子率よりもはるかに高くなっています。ですので，彼女の事業に民間銀行の融資を回すことは，資源配分の効率上も望ましいことです。

キビさんの事業の収益率＞＞＞＞銀行の利子率

つまり，キビさんは事業を行えるし，銀行は資金を回収できる。
まさにWin-Winの関係！

　しかし彼女は，銀行融資を受けるための担保がないため，銀行は融資しないでしょう。似たような無資産層が途上国にはたくさんいます。また，以上は事業資金という文脈で説明しましたが，生活費の工面という文脈でも似たことが言えます。農業の不作等で生活資金に困っている農家があれば（第1章のStoryを思い出してください），まずは月利の利子率2％でお金を借りることで当面の危機を乗り越え，その翌年の収穫後に借金を返したいと思うでしょう。でも，キビさん，ムギさん一家同様に担保がなければ，銀行は融資しないでしょう。

　このように収益性の高い事業であっても，担保になるような資産を持たない

貧困層に対しては，低い利子率で融資を受けるための信用アクセスが限られてしまうという現象を，**信用制約**，あるいは流動性制約と呼びます。また，提示されている利子率で融資を受けたいにもかかわらず，融資を受けられないという非効率な状況が生じていることを「信用制約が効いている」と表現します。

キビさんがビジネスを始めた当初は，担保がないため信用制約が効いているというケースに当てはまることはわかっていただけたと思いますが，まだ疑問点が残ります。初期時点でキビさんが担保も何もないため，お金を借りられなかったことはよくわかります。でも，最初にマイクロクレジットから借りたひよこ20羽分とエサ代を返済し終わり，50羽まで拡張させ，さらにはこの成果を足がかりにより多くのお金をマイクロクレジットから借りるということを彼女は成し遂げました。見事な経営手腕です。だから，この事業拡大の途中で彼女は金融機関からお金を借りることもできたのではないでしょうか？ 彼女の事業収益が高そうなのはよくわかりますし，すでに事業成果もあります。そうなのであれば，銀行側の対応としてはキビさんにお金を貸してもよいと考えられますし，もっと言えば2％の利子率ではなく，利子率の設定を引き上げてもよかったはずです。仮に3％に利子率が上がってもキビさんのビジネスであれば，キビさんにとっても損はないでしょうし，銀行側にとってはより高い利子率でお金を貸せますから悪い話ではないはずです。でも，銀行側は利子率を上げることをしていませんし，キビさんにお金を貸すこともしていません。なぜこのようなことが起こるのか考えてみましょう。

まずは，銀行（貸し手）が，キビさん（借り手）がお金をきちっと返済できるかどうか（債務不履行）の可能性を事前には完全に把握できないと，どのようなことが起こるでしょうか？ もしキビさんが初めからお金を返すつもりはなく，踏み倒してやろうと考えていれば，利子率がいくらであっても借りようとします。なぜなら返済する意思がないので利子率がいくらであっても関係ないからです。一方で，まじめに返すつもりであれば，利子率が自分の事業収益を上回った段階で借りようとしなくなります。つまり利子率が高くても借りたいという人は，要注意人物なのです。この状況を少々難しい経済学の用語を使って説明すると，利子率を上げると，リスクの大きい借り手ばかり集まってしまうために，利子率は需給を一致させるための価格として機能しなくなるという

40 ● CHAPTER 2 農村信用市場

ことです。このような状況を，本来は価格が上がると品質も上がるのが自然なのに，価格が上がって逆に品質が落ちるという意味で，逆選択，ないしは逆淘汰（adverse selection）と呼びます。

　同様に，貸し手が借り手の投資行動を完全に監視できないというモラルハザード（moral hazard）という状況があれば，利子率を上げることにより，その高い利子を支払うために借り手がリスクの大きい事業に投資し，債務不履行の可能性が上昇してしまうために，やはり貸し手は利子率引き上げの提案を受け入れません。実は，キビさんは，最初の養鶏場（50羽分）を建てようとしたときに，利子率は3％でよいから，お金を貸して欲しいと銀行側に申し出たのです。でも，養鶏ビジネスの実績がまだ少ないことや，銀行からキビさんの村までの距離が遠く，どのようなビジネスを展開しているのかを銀行側が把握することが難しいとの理由で，融資を断られているのです。ちゃんと時間をかけて査定が行われれば，彼女のしっかりした人柄や経営手腕もわかってもらえたと思います。もちろん彼女の養鶏ビジネスが，それほどリスクの高くないものだということも理解してもらえたと思うのですが，そのときは銀行もそれほどの時間的余裕がなかったのでしょう。

　このように，利子率を上げることでは信用制約の問題を消滅させることができない理由を説明したミクロ経済学のモデルが，スティグリッツ゠ワイスの信用割当モデルです（Stiglitz and Weiss 1981，簡単な紹介は黒崎 2001，第6章参照）。取引相手の性格が事前には完全に把握できないことや，取引相手の行動を完全に監視できないことを，経済学では**非対称情報**が存在すると呼びます。逆淘汰もモラルハザードも，非対称情報が原因となっていることがよくわかります。高い利子率を受け入れる借り手がもっといるからといって，現状の利子率を引き上げて全員に信用を与えれば債務不履行が頻繁に起こってしまい，銀行の差し引きの利潤はむしろ減ってしまうわけです。

　他方，銀行と違い，商人や地主などのインフォーマルな信用の貸し手は，このような非対称情報の問題がほとんどありません。長年の付き合いのある村人であれば，リスクが大きい借り手かどうか，そのお金を適切に使っているかは一目瞭然です。インフォーマルな貸し手はこの情報の強みを生かして，高利子率で信用を供与し，しかも着実に返済させているわけです。

将来へのコミットメント

　貯蓄に関しても，途上国の貧困層に冷たいのが民間銀行です。キビさんが希望する毎月わずか10ドルの貯金を集めるために，銀行員が毎月ムギさん一家の村まで集金に行ったら，人件費がかかりすぎて銀行として全く儲からないでしょう。同様に，キビさんが毎月，銀行支店がある町まで足を運ぶ手間をかけることも非現実的です。

　そこで，それに代わるのがタンス預金ということになります。ただし，タンス預金は，利子が全くつかないだけでなく，目の前のお金を使いたいという誘惑にしばしば負けがちです。このためキビさんの友人は誘惑に負けないために，マイクロクレジットを利用しているとのことでした。

　将来を見越して投資したい，投資のための貯蓄をしたいという長期的な願望を達成するために求められるのは我慢強さですが，人間ですからついつい目の前の消費の誘惑に負けてしまう自分もいるわけです。同一人物内に存在する二面性の問題は，最近の行動経済学のホットな話題です（行動経済学の入門書としては，依田2010などを参照）。

　途上国の貧困層が貧困から抜け出すために必要なことは，キビさんのようにコツコツと貯金をしたり，マイクロクレジットの返済を滞らせないようにがんばる我慢強い行動です。では，このように長期的に我慢強い行動がとれれば生活水準が向上するとわかっている場合に，誘惑に負けないためにどのようなことが必要でしょうか？

　最近のミクロ経済学では，それを**コミットメント**という言葉で表現しています。コミットメントとは，前もってなんらかの約束・取り決めを設定することによって自分や取引相手を拘束し，それぞれが目の前の誘惑に引きずられて行動すること（機会主義的行動）を予防するという意味で使います。先進国の貯蓄の場合，銀行は毎月決まった日に自動振替で給与口座から半ば強制的に貯蓄口座へとお金を振り替えるようなプランを提供していますが，これを利用することで，顧客は毎月の貯金をさぼるという行動を予防できます。その意味で，これは貯蓄へのコミットメントの道具と考えられます。

　同様の仕組みは途上国のインフォーマルな金融取り決めにも見出すことがで

きます。「講」，開発経済学では通常，ROSCA（rotating savings and credit associations）と略称される制度です。毎月10ドルずつ独力で1年間貯蓄して，年間で120ドルの貯蓄を行うことができないキビさんでも，同じような状況にある親しい村人11人と組んで，12人の講を作れば，強制的に貯蓄できる可能性がとても高くなります。

　具体的なやり方を説明しましょう。12人は毎月1回，決まった日に10ドルずつ持って集まる約束をします。講のルールにはいろいろなバリエーションがありますが，くじ引きROSCAというタイプの場合，最初の月には12名全員がくじを引き，一番くじを引いた人が120ドルを持ち帰り，好きに使います。翌月はその人を除く11人でくじを引き，当たった人が120ドルを持ち帰ります。これを12カ月繰り返すと，12カ月目にはまだくじが当たっていない人は1人しかいませんので，その人がくじをすることなく120ドルを手にします。1番運が悪かった人でも，独力で毎月10ドルずつ貯金したのと同じ結果になります。1番運がよかった人は，11カ月前倒しで12カ月分の貯金相当額を手にしますから，経済学的に言うと，11カ月分の額を借金し，その後，毎月，無利子で1カ月分ずつ返済していくことと同じになります。

　これがうまくいくかどうかは，12人の講メンバーが互いに信頼でき，きちんと毎月，約束の額を持って集まることを強制できるかどうかにかかっています。くじが当たったら最後，その後は講をさぼって10ドルの提供を怠るという借金踏み倒しが防げない場合には，講は成立しません。そこで通常，途上国の講では，メンバー選出を慎重に行うだけでなく，毎回，供出額の一部を飲食費に当ててメンバー間の交友と情報交換の機会にするなど，借金踏み倒しが生じない仕組みをいろいろと採用しています。これが貯蓄コミットメントの道具となるわけです。

家族内での交渉

　Storyでは，夫や息子が稼ぎの全額を生活費として差し出さないことを，キビさんがぼやいています。家族の間でも，お金のやりとりに関しては隠しごとが生じ，望ましいお金の利用の仕方について合意できないことがあることは自然です。そもそもムギさんとキビさんが結婚したのは一緒になるプラスが大き

いと判断したからだと思うのですが，このようなことが続くと夫婦関係にもひびが入るかもしれません。

　開発経済学では，世帯内部での交渉ごとやルール決めなどといった現象を分析するために，第1章で紹介したハウスホールド・モデルを拡張します。ただし伝統的なハウスホールド・モデルでは，世帯内部には交渉ごとがなく，世帯とは呼びますが，世帯をまるで1人の個人のように取り扱うことが常でした。しかしその設定は非現実的です。世帯員それぞれは別々の個人であり，どんな消費をしたいか，どれくらいリスクを嫌うか，現在と将来のバランスをどう考えているかなど，好みや嗜好は同じ家族でも違うと考えるのが当然です。

　そこで，家計とは，異なる嗜好を持つ個人の集合体であり，消費や貯蓄の計画は世帯員間の交渉で決まると考えるモデルが登場しました。**コレクティブ・ハウスホールド・モデル**と呼ばれます。これに対する伝統的なモデルは，ユニタリー・ハウスホールド・モデルと呼ばれます。

　この違いは開発政策を考える上で大切です。たとえば，就学率を上げるために小学校にきちんと出席している子どもに奨学金をあげる政策を考えましょう（就学率や奨学金に関しては，次章でもっと詳しく検討します）。ムギさん一家に見られるように，一般的に，女性の方が男性よりも，将来を気にかける傾向が強いと言われています。教育というのは教育を受けてから働きはじめるまでに時間がかかりますから，より将来的なことを考えての行為（投資）だとわかります。子どもの教育に対しては母親の方がより積極的であるということが一般的に言われていますので，奨学金が父親に届くのか，母親に届くのかによって，将来的に大きな違いが生まれることになるわけです。

　さて，この場合，ユニタリー・ハウスホールド・モデルの下では，奨学金を父親に渡そうと，母親に渡そうと，同じ効果が家計に生じると考えることになります。なぜなら世帯の嗜好や好みは世帯内部で均一だと仮定しているので，父母のどちらに奨学金を渡そうとその効果に違いはないはずだからです。他方，コレクティブ・モデルの下では，母親に渡した方が，子どもへの教育投資にお金が使われる度合いが強くなる可能性が高くなるという結果が得られます。

　コレクティブ・モデルの場合，世帯員間でのコミットメントも問題になります。単に貯蓄した方がよいと夫と妻の両方が合意しても，1年たってお金が貯

まった段階で，貯蓄をどう使うかでけんかになって，お金の有効利用ができなくなるかもしれません。貯蓄の初期段階で利用方法を互いに話し合って，取り決めを結ぶことで，効率的な貯蓄が可能になることもあるのです。

マイクロクレジットが機能した理由とその限界

以上のような途上国の文脈で，マイクロクレジットがなぜ貧困層の，しかも女性の生活向上に有効に働いたのかを，経済学的に考えてみましょう（より詳しくは，黒崎 2007 や Armendariz and Morduch 2010 を参照）。

信用制約の項で見たように，金融機関にとって，抵当になる財産を持たない小口信用は，銀行のビジネスとしては成立しえないと考えられてきました。Story でも出てきたように，マイクロクレジットのグループ貸付制度においては，借り手は個別にお金を借りて，個別にそのお金を自営業などに利用しますが，返済の際には連帯責任制が課せられることが一般的でした。

連帯責任制によって，非対称情報に由来する逆淘汰やモラルハザードの問題を解決できます。村人同士でグループを作りますので，潜在的にリスクの大きい村人はグループに入れてもらえませんし，お金を借りた後でリスクの大きいお金の使い方をしないようにメンバー員相互でプレッシャーをかけることができます。返せるのに返さないというずるい行為（戦略的債務不履行）も非対称情報の下では深刻になりますが，連帯責任制の下ならば，グループメンバーはそのような行動を許さないでしょう。

連帯責任制以外にも，マイクロクレジットには貧困層の返済を助ける機能がちりばめられています。キビさんは，最初に少額を借りて，何度かそれをきちんと返済した後で，もっと大きな額を借りることができるようになりました。専門的には逐次的融資拡大による動学的誘因と呼びます。将来もっと大きなお金を利用できるとわかっていれば，今，きちんと返済した方が合理的です。つまり逐次的融資拡大が存在すると，ちゃんと返済しようとするインセンティブが強まるのです。

また，キビさんの返済は，返済猶予の期間がなく，1 回の返済金額は少ないものの，返済回数の多い週分割払いでした。この方法は，借り手がきちんと返済する訓練になるという教育効果があります。さらには，グループで集まって，

生活改善その他の情報交換をする会合の中で返済が行われますから，自分の評判を気にする借り手はきちんと返そうとしますし，会合に出ることで生活情報など他のプラスの効果も得られます。要するに，グループ会合での頻繁な返済という仕組みには，自分1人では貯蓄できない意志の弱さを克服するコミットメントの道具としての機能があるのです。

　これらのメカニズムのほとんどが，男性よりも女性に有効だというのも興味深い話です。その理由としては，子どもを産むだけではなく，育てるという行為も通常母親により大きな責務がかかるために長期的な視野を持ちやすいということ，ビジネスなどの投資失敗やそれに伴う政府融資の焦げ付き経験を持たないこと，マイクロクレジット以外にお金を借りることができる機会が少ないこと，頻繁な会合に出席することが男性に比べてより容易であること，といったものが挙げられます。初期のグラミン銀行のマイクロクレジットが高い返済率を誇り，女性に強く受け入れられたのは，このような経済学の論理で理解できるのです。なお，女性が融資を受けてそれを返済していくプロセスそれ自体も，開発の重要な側面です。女性の地位向上（エンパワーメント）として，信用供与が所得を増やすという金銭的な側面とは別に，評価されるべきでしょう。

　しかし初期のグラミン方式にはさまざまな問題がありました。マイクロファイナンス機関の補助金依存が減らせないこと，硬直的な融資・返済の仕組みが借り手に重い負担となること，貧困削減で最も優先すべき極貧層には自営業をうまく運営して利潤を上げる能力（企業家能力と呼ばれます）が不足しがちだということなどが，マイクロクレジットに固有の課題となります。また，農村非農業分野での零細自営業が中小企業に発展するには，そもそもマイクロクレジットの額では少額すぎること，インフラ整備，人的資本蓄積（人的資本とは教育や就労経験などによって人間に備わる知識や技能，熟練の度合いなどのことです。この考えを用いると，生産活動における人間の価値を，機械などの物理的な資本と同様に評価することができます）といった補完的政策も不可欠なことが指摘できます。中小企業への融資に関しては第**7**章で取り上げます。人的資本に関しては次章で扱いますが，一般的には，農業よりも非農業の方が，人的資本の蓄積によって生産性が高まる度合いが強いことが知られています。

3 問題の解決に向けて

アスー国同様，途上国の農村部には，いまだに近代的金融サービスを利用できない人々がたくさんいます。本章で見たように，金融サービスは資源配分の効率性，とりわけ現在と将来の間での資源配分の効率性を高めます。途上国に住むすべての人々に近代的金融サービスを届けることができれば，資源配分の効率性が上がり，人々の生活はもっと豊かになるはずです。筆者（黒崎）も加わっているこの点に関する国際研究ネットワーク FAI (2014) は，「金融サービスは貧困世帯生活向上の鍵を握るツールです。しかしどうすれば最も金融サービスを必要とする人々に最も効果的にサービスを届けられるのか，まだ答えは出ていません」と総括しています。

ただし，していけないことが何かは，かなりよくわかっています。これまでの経験からも，開発経済学の理論や実証研究からも，政府による公的信用供与や強制的な農村金融機関創設政策が機能しないことがわかっています。1950～60年代，多くの途上国で，化学肥料などの資金需要に対応するための農業開発銀行などが公共部門に設置され，低利で公的な信用供与が行われました。しかしこの政策の下では，零細自作農や小作農は依然として公的融資から除外され，一方，融資を受けた富裕農家は返済せず貸し倒れが一般化して，農業金融機関の経営が悪化しました。また，民間商業銀行に農村支店設置を義務づけたインドの政策は，貧困削減や農業成長に何ら貢献しませんでした（Burgess and Pande 2005 参照）。

この状況を説明するモデルとして一時脚光を浴びたのが，オハイオ州立大グループを中心とする農村金融市場論でした（泉田・万木 1990 参照）。これは，途上国の農村信用市場は，資源の機会費用の高さなどを適切に反映した効率的なものなので，政策による低利信用供与は逆効果で，金融自由化を通じて市場の調整力や農民の自発性・合理性を活用すべきだという考え方です。市場メカニズムを強調するこの主張は，1980年代に行われた構造調整政策（第 7，8 章参照）の下での農業金融再編に大きな影響を与えました。しかし，単なる農業金

融の自由化は，特にサブサハラ・アフリカ諸国などではあまり成功しませんでした。本章で取り上げた信用制約のモデルを見れば，信用市場においては単純な市場メカニズムが機能しない理由がわかると思います。すなわち，利潤指向の民間企業のみに任せた単純な自由化もダメだということです。

キビさんの生活向上に貢献したマイクロクレジットは，市場メカニズムを利用しつつも，村人の間の協調や情報共有の強みをうまく生かした中間的な戦略です。すでに指摘したマイクロクレジットが抱える問題を克服するために，以下のような努力が続けられています。

グラミン銀行は，借り手の負担を軽減するために，グループでの連帯責任制を廃止しました。他方，借り手グループをなくしたわけではなく，グループでの会合での返済といったやり方は維持しています。この改定にもかかわらず，返済率はそれほど悪化していませんので，グラミン方式で返済率が高位に維持された秘密は，連帯責任制よりもむしろグループ会合だったようです。つまりコミットメントの仕掛けが重要だったというのが，近年の研究者間の大まかな合意です。

他には，返済の頻度も，毎週でなく隔週や毎月に落としたり，農閑期には返済会合を休むという改革が試されています（詳しくは Shonchoy and Kurosaki 2014 参照）。さらには，貧困層の中でも特に貧しい層に注目し，彼らの企業家能力を支援するためのパッケージ型マイクロクレジットも施行されています。当初のグラミン方式から排除されていた極貧層を取り入れる試みとして，筆者（黒崎）もバングラデシュ北西部におけるこの研究に取り組んでいますが（詳しくは Takahashi et al. 2014 参照），今のところ返済率等に問題は生じていません。有利な仕組みを将来にわたって利用できることが明確になれば，支払いをさぼるという短期的な誘惑に打ち勝てるという印象を持っています。

さて，信用を得て投資する先として，農業や非農業のビジネスだけでなく，教育といった人間への投資も重要です。非農業部門が成長し，貧困が減少していく過程では，人々の労働力としての質が改善し，その働く場所もその能力が最も高く評価される所に移動していきます。教育や保健改善を通じて人的資本が高められていく過程について，続く第3章で詳しく見ていきましょう。人の移動については第4章で扱います。

QUESTIONS

2-1 信用制約はなぜ，資源配分を非効率にするのでしょうか？

2-2 貸し手が借り手のリスクをきちんと見極められない場合，あるいは借り手のリスク行動をきちんとコントロールできない場合に，なぜ利子率は信用サービスの需給を一致させる価格として機能しないのでしょうか？

2-3 マイクロクレジットを利用してお金を借り，返済猶予期間なしで回数の多い週分割払いで返済する行動を，コミットメントの道具という観点から説明してください。

Column ❷　バングラデシュ再訪

　バングラデシュという国は，筆者（黒崎）が大学生の頃には，経済発展の望みのない絶望的な途上国として，開発経済学の教科書に出てきました。1987年に初めて現地を訪れたときの印象もそのとおりでした。人々の着ている服は破れ，栄養状態の悪い子どもがあふれ，村の街路はゴミだらけでした。同じベンガル語を話す地域であるインドの西ベンガル州から陸路で国境を渡ってバングラデシュ入りしたことも，その印象を強烈にしたようです。

　しかしその後，バングラデシュは，グラミン銀行を筆頭とするマイクロファイナンスの成功，女性のミシン工を多数雇用する輸出向け縫製業の伸長，子ども，とりわけ女子の教育水準の急上昇などに特徴づけられる，有望な途上国に評価が変わりました。とはいえまだまだ所得水準は低く，世銀の分類では低所得国です。本当に有望なのでしょうか？　自分の目で確かめてみないと気がすまない筆者ですが，たまたま再訪する機会がないまま時が過ぎました。

　2011年，24年ぶりに足を下ろした首都ダカのイメージは微妙でした。確かに新しい商店が爆発的に増えていて活気はあるのですが，とにかくひどい交通渋滞と排ガスで汚れた空気。たまらず高級ホテルに逃げ込みました。

　他方，農村の改善は目を見張るものがありました。子どもの服と栄養状態はインド農村での平均水準を上回り，子どものほとんどが学校に行っているようでした。何よりも驚いたのは，村の街路がかなり掃除されていたことです。翌朝，散歩の途中で，村人が自分の家だけでなく家の周りも掃除しているのに出会いました。24年前には考えられなかった社会規範の変化です。

　つまり再訪したバングラデシュは，24年前からは見違えて，活気に満ちた途上国でした。バングラデシュ発の開発戦略として，グラミン銀行は特筆に値します。輸出向け縫製品が伸長して経済成長が途上国で起きるという話は，バングラデシュに限ったことではありませんが，それがマイクロファイナンス普及と併行して生じて，農村の生活を大きく変えつつある点はユニークです。信用アクセスの改善，人的資本蓄積，女性雇用の増加，社会規範の変化は，相互にプラスの影響を及ぼしながら，この国を変えつつあるのです。貧困削減の新しい開発モデルが最貧国バングラデシュから生まれつつあることに，開発経済学者として興奮を覚えます。

バングラデシュ北西部のマイクロファイナンスのためのグループ会合（2011年）

CHAPTER

第 **3** 章

教育と健康

人づくりは国づくり

KEY WORDS

- 人間開発
- 人的資本
- 人的投資
- 信用制約
- 教育の収益率
- 条件つき給付

1 Story

オニオンちゃんの留年

「それじゃあ，この〔　〕＋2＝5の〔　〕の中の答えがわかる人は手を挙げてください」

「ハイ，ハ～イ，わたしわかります！」

と元気よく手を挙げているかわいらしい女の子はオニオンちゃんです。

ムギさんの村では，ムギさんの長女マンゴーさんが，嫁ぎ先で農業に従事しています。マンゴーさんには2人の子どもがいます。11歳の長女オニオンちゃんと9歳の長男ポテト君です。アスー国の教育制度は6・3・3制をとっているので，本来であれば，11歳のオニオンちゃんは小学校の5年生，ポテト君は3年生になるのですが，オニオンちゃんの現在の学年は小学校3年生で，ポテト君と同じ公立小学校の同じ教室で勉強をしています。

アスー国の初等教育就学率は70％に近く，この10年で10ポイントほどの大きな改善を見せてきましたが，男女別に見ると男子78％，女子62％となり，残念ながら大きな男女格差が存在しています。とりわけ問題になっているのは，オニオンちゃんのように留年をしてしまう子，あるいは学校をやめてしまう子が多数いるという現実です。

一方，アスー国の学費は法律で無料化がうたわれています。ただし，その学費には，制服代金，教材費，交通費などが含まれていないため，結局，毎月平均すると3ドルほどのお金がかかってしまいます。この金額は，総世帯所得が700ドルほどのマンゴーさん一家にとって，大きな負担となっています。

マンゴーさんの夫のパクチーさんは，ムギさん同様，地主から農地を借りている小作農です。田んぼを借りている地主の家にも11歳の女の子と9歳の男の子がいます。7 haの田んぼを所有するこの地主は，先祖代々，村で一番大きな地主でした。子どもたちは6年前にできた私立の小学校へ通っています。

私立の小学校では，授業の半分が英語で行われています。学費は高いですが，

質の高い教員や英語での授業が人気を呼び，去年は入学希望の子どもが定員の倍以上にもなりました。他方，公立の小学校では，教員の欠勤行動や禁じられているはずの副業などが目立ちます。また私立の学校に比べると，教員の質の問題もたびたび取りざたされています。ただ，教員の給与が安く，それだけで生活していくことが難しいという現実もあります。

村の子どもの健康

第1章のStoryにも出てきたように，オニオンちゃんが学校へ入学する1年前は，地域全体が大干ばつでした。マンゴーさんの実家のムギさん一家では米の収穫量ゼロ，マンゴーさんの家も平年の4分の1ほどでした。食べるものにも困り，子どもたちはいつもおなかをすかせていました。そのせいなのか，オニオンちゃんの身長や体重は，世界保健機構（WHO）の提示する標準身長や体重に比べると，かなり低い数値になっています。

また，当時オニオンちゃんは十分な栄養がとれずに，幾度か下痢やそれに伴う発熱といった症状に苦しみました。空腹や病気は学校を休みがちな理由にもなっていました。この大干ばつの際には，村で，5人の子どもたち（みな5歳以下）が，下痢や結核といった疾病で亡くなっています。

隣村には政府の診療所がありますが，常駐する医師はおらず，常備されている薬などにも限りがあります。いまだ電化が進んでいない隣村では，冷温で管理しなければならないワクチンなどを保管することができません。巡回してくれる医師も，月曜日に来るはずだったのが水曜日になったりと，訪問スケジュールがまちまちです。隣村の診療所までは，徒歩でおおよそ1時間程度かかるため，医師が来ていると思って下痢で苦しむ子どもを連れていったのに診療所の扉は閉まっていた，などの不満の声もよく聞かれます。

2 何が問題なのか

▶ 課題の抽出と分析フレーム

オニオンちゃんの留年に象徴されるように，ムギさんの村は深刻な教育と健

康の諸問題を抱えています。まず，それらを整理しましょう。

POINT

❶ 留年や退学の問題が深刻で教育が国民に普及していない。
❷ 就学率には大きな男女間格差が存在。
❸ 貧しい家計にとって教育費の金銭的負担が大きい。
❹ 公立と私立の学校の格差と公立学校教員の問題。
❺ 栄養不良や伝染病などの蔓延と診療所の不備。

　オニオンちゃんの村やアスー国の将来を考える上で，子どもの教育と健康の問題を考えることは大変重要であり，またそれら2つは密接に結びついています。教育を普及させ，健康面を改善していくことを，**人間開発**と呼びます。人間開発についてさらに経済学的に考えてみましょう。

　経済学では，教育を投資活動の一種と考えます。**人的資本**論の考え方です（詳しくは大塚・黒崎 2003 を参照）。学齢期に適切な教育を受けることによって（教育投資），知識や技能を備えた能力の高い人材へと成長し（人的資本を豊富に有した人材），労働市場へと参入した後（つまりは社会人になった後）に，より高い所得（収益）が得られるということです。収益が得られるまでには，かなりの時間がかかりますので，教育は，将来見込める収益率を意識した投資活動と呼べるのです。

　学校教育は，2つの意味で質の高い労働力を作り出します（神門 2012）。第1が，行動規範や規律の内面化で，これは特に経済が農耕社会段階から初期工業化段階へと移っていく段階において重要です。第2が，認知能力や科学知識，要は学力の獲得で，経済が初期工業化段階から高度工業化段階へ移っていく段階や，それを超えた脱工業化社会の段階で重要になります。

　世界中のさまざまな場所で報告されていることですが，栄養状態の改善は学校への出席率を改善させますし，試験の成績も上昇させます。つまり健康な子どもたちは，不健康な子どもたちよりも学校での修学意欲や達成される学業成績などにおいてよりレベルの高い成果を生んでいます。また，大人になってからの健康は，労働力の質を左右します。子どものときの健康状態が悪いと，大人になってからの健康状態をよくすることは困難なので，子どもの健康状態の改善は，より質の高い労働力を生み出すために（よりよい成績をとって，よい高

校や大学で学業を修め，よりよい会社へ就職するために），とても重要な要因と考えることができます。

このように，教育や健康は，単に人々が豊かに生きる上で必要なだけではなく，経済学的な知見からも**人的投資**として重要です。それでは，次に，上記5つの問題それぞれについて，議論を深めていきましょう。

留年・退学・教育未普及の問題

UNESCO（2015）によれば，2012年時点で学校に通っていない児童（小学校に通う年齢の子ども）の数は，世界全体で約5800万人，そのうち1300万人ほどが，小学校に通っていたもののなんらかの理由で退学を余儀なくされています。また，同じ資料で学校に通っていない児童の家庭環境を見ると，農村に住んでいる世帯や所得の低い世帯ほど学校へ通っていない傾向が明らかになります。

他方，国際労働機関（ILO）の推計では，2012年に世界中で労働に従事していた子どもの数は1億6800万人で，全世界の子どもの10.6％になります（ILO 2013）。しかも，これら働いていた子どもの半数以上が，健康や安全上問題のある危険な仕事に従事していました。

このような留年・退学・未就学の問題は，成人の教育未普及につながります。図3-1は，国レベルの教育達成水準に関する代表的な推計値（Barro and Lee 2010）を用いて，成人平均教育年数を地域別に示したものです。先進国ではすでに1960年に平均教育年数が初等教育相当の6年を上回っていましたが，途上国，とりわけ南アジアやサブサハラ・アフリカでは2010年になっても6年に満たない状況です。1960年からの30年の間に，途上国の教育水準は著しく改善していますが，なお，先進国との格差は顕著です。

子どもたちがみな学校へ通えるようにするために，どのようなことを考えるべきでしょうか？　教育にかかるコストを無料にして，義務教育化を徹底することでしょうか？　あるいは，学校に行けなくなってしまった子どもたちが働きに出ないように，児童労働の完全撲滅をめざすべきでしょうか？

もちろん，教育を受ける権利は基本的な人権の1つですので，司法面での強制を否定するつもりはありません。ただ，経済学では，子どもが学校に通わないことにも合理的な理由があると考えます。たとえば，児童労働をさせている

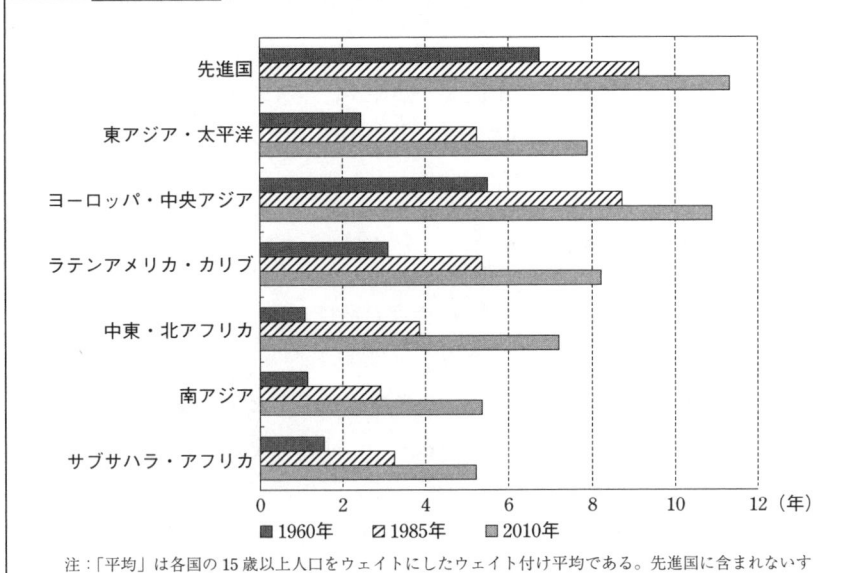

CHART 図 3-1 地域別 15 歳以上人口の平均教育年数の推移

地域	1960年	1985年	2010年
先進国			
東アジア・太平洋			
ヨーロッパ・中央アジア			
ラテンアメリカ・カリブ			
中東・北アフリカ			
南アジア			
サブサハラ・アフリカ			

（単位：年、横軸0〜12）

注：「平均」は各国の 15 歳以上人口をウェイトにしたウェイト付け平均である。先進国に含まれないすべての国を，先進国（2010 年時点）以外の 6 地域に分けて示した。
出所：Barro and Lee（2010）の教育年数データ（http://www.barrolee.com/ より 2014 年 5 月 15 日ダウンロード）を用いて，筆者作成。

のは，その仕事がなくなることによって子どもが十分に食べるお金が足りなくなって栄養状態がひどく悪化してしまうことがあるから，あるいは児童労働が存在しないと家計全体の生存が危ぶまれるような事態に陥ってしまうからなのかもしれません。

このように考えると，問題となるのは児童労働そのものというよりも，労働市場環境やオニオンちゃんの家のように十分な稼ぎのない世帯，つまりは貧困であることかもしれません。ただし所得が低くても，信用へのアクセスがあれば収益性の高い人的投資が可能になるはずです。信用については**第 2 章**で詳しく見たとおりですが，教育の視点から後ほど，さらに詳しく分析します。

教育面での男女間格差の問題

教育未普及の問題は，低所得途上国で特に深刻です。先ほどのグラフの 2010 年の数字を，今度は男女別に分けて作図してみましょう（図 3-2）。学校に行くことができない子どもに女子が多いことが，このような男女間格差につ

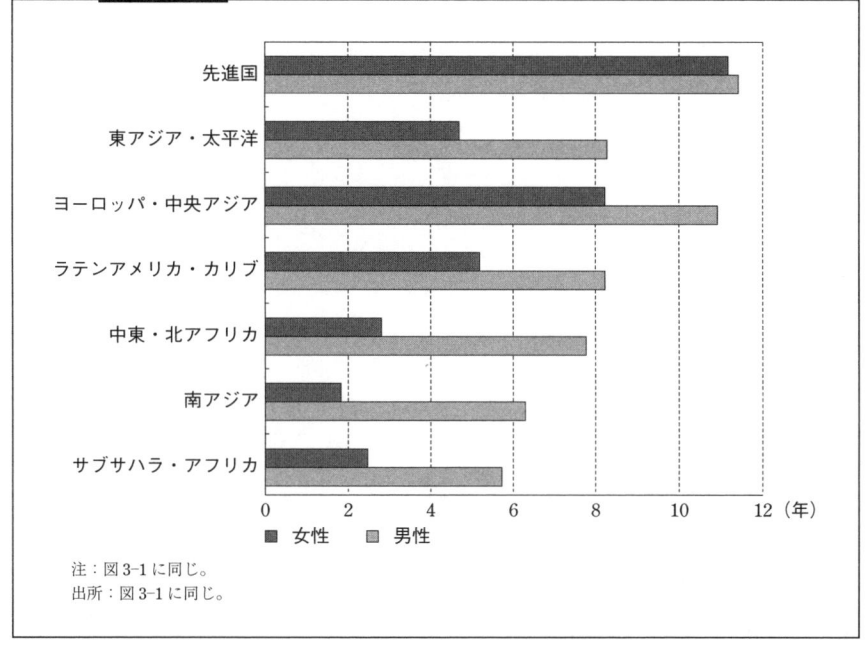

| CHART | 図 3-2　地域別 15 歳以上人口の平均教育年数の男女差（2010 年）

ながっています。

　教育の男女間格差は居住地域別に見るとはっきりします。図 3-2 を図 3-1 と比べてください。男女平均ではサブサハラ・アフリカの教育年数が世界最低なのに，女性だけで見ると南アジアが世界最低となることがわかります。

　ではなぜ女子の方が男子よりも教育投資を受けられないのでしょうか？　澤田（2003a）では，以下の 5 つの理由を挙げています。

① 娘への教育投資から生じる収益は結婚後，家計の所得から分離される（結婚後は他の家のメンバーとして就労することになるため）
② 娘の結婚に当たって持参金（ダウリ）が必要なので，その分を貯蓄しておく必要がある（国や地域によってまちまちではあるものの貧困層の生活水準で考えるとかなりの高額になることが多い）
③ 労働市場において，女性に不利な賃金格差，差別が存在する（途上国に限らず先進諸国においてもこうした問題は指摘されているが，とりわけ途上国では女性蔑視の風潮がある国も多いので問題はより深刻）

2　何が問題なのか　● 57

④ 息子の存在が老後の保険機能提供という点でより重要と考えられている
（農家家業を継ぐことや息子夫婦が老後の親の面倒を見ることが多いため）
⑤ 家計が貧しいので資金制約に直面しており，相対的に収益性の低い女子への教育投資が家計内の資源配分において後回しにされる

つまり，教育を投資の一種として見なせば，コストがかかるのに，収益が低いことが，女子教育が進まない理由となるわけです。

貧困層にとっての金銭的負担：信用制約

オニオンちゃんの母親のマンゴーさんは，自分自身が小学校を中退してしまったため，せめて自分の子どもたちには中学校，高校とよい教育を受けさせたいと考えています。村の有力者たちは，みな，中学校，高校とより高いレベルの教育を受けていることもわかっています。そして高い教育を受けることが，将来，高い所得を得ることにつながることも感じています。その意味では，マンゴーさんは，教育の投資としての意味を理解しているわけです。

仮に子どもへの教育が将来的に高い収益を生むことが確実なのであれば，親は子どもへの教育投資を惜しまないでしょう。それなのに教育を受けさせることができないのは，世帯にとっての金銭的負担が大きいからにほかなりません。しかしそのお金を，必ずしも両親が出さなければいけないとは限りません。金融機関から借りて，子どもたちが成人して稼ぐようになったら返却すればよいはずです。先進国にはどこにでもあるローン型の奨学金というのは，まさにこれに当たります。

つまり資金的な制約のある世帯の子どもたちが教育を受けられないことの本質は，**信用制約**（第 **2** 章）なのです。実は教育投資に関しては信用制約が効きやすくなります。なぜなら，その収益が得られるまでに時間がかかり，投資金額も大きなものになり，中途半端に投資を行っても（たとえば小学校に 2 年だけ行かせるなど），あまり投資としての効果は大きくないからです。

このため，投資としての**教育の収益率**が高いとわかっていても，オニオンちゃんの家のような貧しい世帯は，その投資を継続的に行うことができないのです。逆にオニオンちゃんの父親パクチーさんが土地を借りている地主の家は，

CHART 図 3-3　インド農村部における子ども（5〜14歳）の１週間の時間配分と信用制約（2005 年）

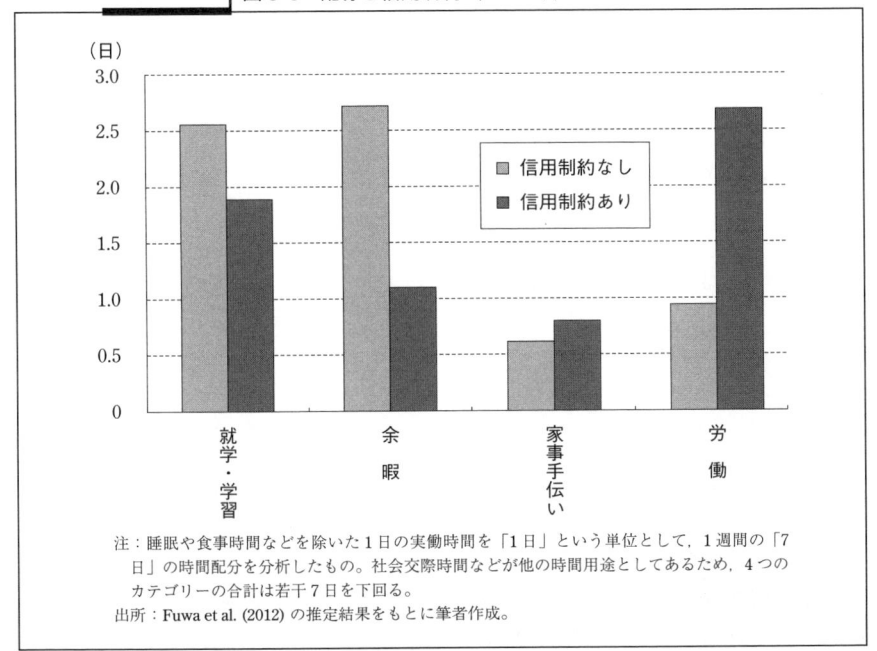

(日)

就学・学習／余暇／家事手伝い／労働　の4カテゴリー別に、信用制約なし／信用制約ありの棒グラフ。おおよその値：
- 就学・学習：信用制約なし 2.55、信用制約あり 1.90
- 余暇：信用制約なし 2.70、信用制約あり 1.10
- 家事手伝い：信用制約なし 0.65、信用制約あり 0.80
- 労働：信用制約なし 0.95、信用制約あり 2.70

注：睡眠や食事時間などを除いた１日の実働時間を「１日」という単位として，１週間の「７日」の時間配分を分析したもの。社会交際時間などが他の時間用途としてあるため，４つのカテゴリーの合計は若干７日を下回る。
出所：Fuwa et al. (2012) の推定結果をもとに筆者作成。

お金を借りるための資産等にも恵まれていますし，世帯の収入も多いため，子どもたちは学校へと何不自由なく通うことができます。

　図3-3は，筆者らが関わってきた南インドでの研究結果に基づいて，信用制約の悪影響を試算した結果です。信用制約がある家計とない家計で子ども（5〜14歳）の１週間の生活がどう異なるかを推計しました。その結果，子どもの生活時間のうち就学・学習時間は，信用制約によって，１週間の総時間のうち約0.6日も減ることがわかりました。学校の授業時間が先進諸国よりも少なく，教材なども不足しがちな途上国で0.6日の減少が持つ意味は大きいでしょう。また信用制約による減少が顕著なのは余暇時間で，1.5日程度減少することもわかりました。余暇時間も，子どもの健やかな成長を促す意味で広義の教育投資に含めることができますが，こうして余暇や学習の時間が少ない分，収入につながる労働に子どもが従事していることもわかりました。図3-3からもわかるように，信用制約は子どもに週2日ほど余計な労働を強いていたことになります。

　こうして，信用制約ゆえに学校へ通えなかった子どもたちは，将来，よい賃

金を得られません。すると，大人になった彼らの子どもに対しても十分な教育を与えるための所得がないという結果につながります。結局のところ，その子ども世代，孫世代にまで，この影響が及ぶという悪循環が生じてしまうのです。

公立と私立の学校の違いと教員のインセンティブ

　日本でもそうですが，途上国の多くで，公立の学校と私立の学校が併存しています。一般的に，私立の学校の方が学費やその他諸々の費用が高いため，貧しい家計には私立の学校へと子どもたちを通わせる余裕がありません。また途上国のように，そもそも学校に通えない子どもたちがまだまだ多い国や地域では，まずは学校に子どもたちが通えるような環境作りが必要となるでしょう。そのため，多くの国で学費の無料化や無料の給食導入などが行われ，就学率の低かったサブサハラ・アフリカのいくつかの国々（ウガンダ，ガーナ，アンゴラなど）や，南アジアの国々（インド，バングラデシュ，パキスタン）では，就学率が大幅に改善しました。ただしインドやパキスタンでは，公立学校よりも私立学校の方が顕著に子どもの数を増やしていて，両者の間で生徒の学力差は開く一方です。

　しかしなぜ，まだ学校に通えない子どもたちがいるような国で，学費の高い私立学校の方が受け入れ児童・生徒を多く獲得するといった逆説的なことが起きるのでしょうか？　1つの答えは，公立学校の質がひどく，教育そのものがまともに行われていないことです。つまり，無償化政策をいくら行っても，それに見合うだけの学校教育がなされなければ，親は子どもを公立学校には通わせず，コストが高くても私立の学校へと子どもを送り出します。またインドやパキスタンの場合，低料私立学校と言って，学費が格段に安い私立学校が急増しています（黒崎2015）。

　実際に，多くの途上国で，給料が安いために，公立学校の教員が無断欠席や副業を行う事例などが報告されています。加えて，たとえばカンボジアでは，内戦のために教師をはじめとする知識層が多く殺害されてしまいました。このため，現在のカンボジアで教師として働く多くの人々が，きちんとした学校教育を受けていないままに教師となっている現実があります（第8章 Column ❽も参照）。またアフリカの国々では，無償化政策を行うことで大量の子どもた

ちが小学校へ押し寄せてしまい，1クラス当たりの児童数が倍増するなどの事態も生じました。途上国政府，あるいは地方政府には，こうした劇的な変化に耐えうるだけの財政的余裕がないために，事態の改善にはとても時間がかかります。このようなカンボジアやアフリカ諸国の事例から言えることは，就学率改善の一方で，教育の質が低下してしまうという現象が，多くの途上国で生じているということです。

仮に，貧困家庭に生まれた子どもは教育機関として機能していない公立小学校へ通い，裕福な家庭に生まれた子どもは私立の小学校に通うような状況が続けば，彼らが労働市場へと参入するときに，それは職業選択の幅の違いや賃金の格差として現れてくるでしょう。

栄養不良や伝染病などの蔓延と診療所の不備

日本のような先進諸国で暮らしていると，栄養不良や伝染病は，あまり身近な話ではありませんが，途上国では，とても一般的に生じている健康課題です。とりわけ，子どもの健康問題は深刻です。

それを端的に示すのは，乳幼児死亡率です。これは，生まれた子ども1000人中，何人が5歳の誕生日を迎えることなく亡くなってしまうかという率（パーミル）で表します。せっかく授かった幼き命を失う両親の悲しさを思うと，この数字を低くすることは重要な政策課題です。図3-4を見てください（死因については後で触れますので，まずは全体の棒の長さだけを見てください）。世界全体ではなんと1000人中46人が5歳未満で亡くなります。しかし先進国と途上国との差は深刻で，先進国ではわずか6人，途上国では50人です。実は先進国でも以前は，今の途上国並みの高さでした（詳しくはDeaton 2013などを参照）。途上国の中でもサブサハラ・アフリカ地域は乳幼児死亡率が高く，1000人の赤ちゃんのうち90人以上が5歳の誕生日を迎えることができません。

運よく5歳の誕生日を迎えることができても，途上国の多くの子どもはさまざまな健康面の危険にさらされています。Storyで出てきたように，オニオンちゃんは，身長・体重ともに，健康な子どもの平均を下回っています。子どもの身長が年齢相応よりも低いことは，その子どもが長期にわたって栄養状態が悪かったことを示します。また体重が平均を下回ることは，その子どもが短期

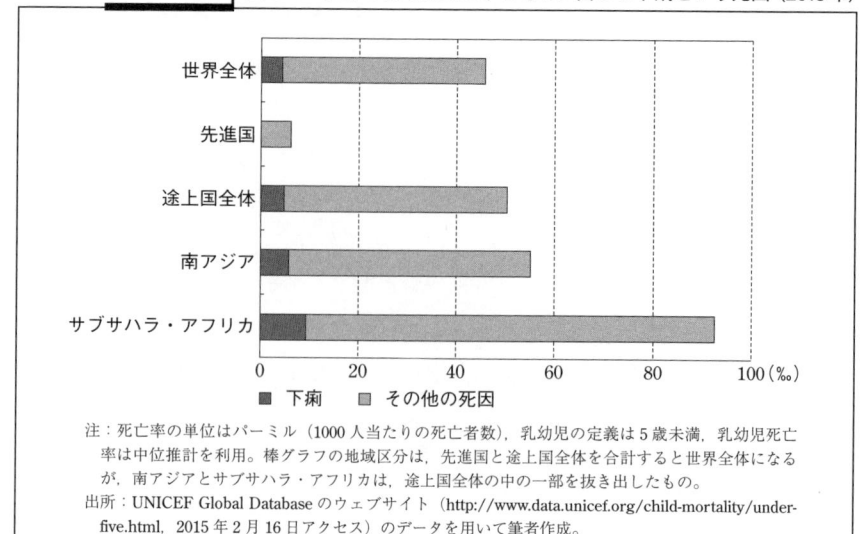

CHART 図3-4 世界の乳幼児死亡率とそれに占める下痢という死因（2013年）

世界全体	
先進国	
途上国全体	
南アジア	
サブサハラ・アフリカ	

0　　20　　40　　60　　80　　100（‰）
■ 下痢　□ その他の死因

注：死亡率の単位はパーミル（1000人当たりの死者数），乳幼児の定義は5歳未満，乳幼児死亡率は中位推計を利用。棒グラフの地域区分は，先進国と途上国全体を合計すると世界全体になるが，南アジアとサブサハラ・アフリカは，途上国全体の中の一部を抜き出したもの。
出所：UNICEF Global Database のウェブサイト（http://www.data.unicef.org/child-mortality/under-five.html，2015年2月16日アクセス）のデータを用いて筆者作成。

的に栄養状態のストレスにさらされていることを示します。すでに説明したように，健康状態が悪いと，学校教育で学ぶ効率が落ち，長期的な貧困につながります。中でも年少時の健康状態，とりわけ胎児期の影響がその後の人生に対して重大であることが，最近の研究で判明しつつあります。

かわいそうなことにオニオンちゃんには，栄養不良の症状が見られます。栄養不良はそれ自体が問題というだけではなく，免疫力が弱くなり，他の疾患にかかりやすくなります。たとえば，結核の死者は現在でも世界で年間200万人弱もいますが，その大半は途上国の人々で，その70％程度が5歳未満の子どもです。栄養状態が悪く免疫力の低い栄養不良状態の子どもは，こうした結核などの伝染病にかかりやすく，命を落としてしまいます。また，乳幼児・少年期における栄養不良状況は，成年期における健康状態やひいては労働生産性に悪影響を及ぼすことが複数の研究で指摘されています。

栄養不良は世帯の所得状況と非常に密接な関係があることがわかっています。こうした栄養不良の問題は低所得層において顕著です。オニオンちゃんの家も，小さな田んぼとお父さんの出稼ぎ収入だけでは，なかなか満足な栄養を取ることができません。子どもが成長するにつれて，さまざまな栄養素が必要となりますが，途上国で暮らす多くの子どもたちが，こうした栄養素が1つ以上欠乏

している状況にあると言われています。

　それでは，世帯所得の改善が問題解決の近道になるのでしょうか？　複数の研究が指摘するところによると，途上国における経済成長が子どもの栄養不良にもたらす影響はプラスの効果はあるが，きわめて小さいものである可能性が高いのです。つまりは，低所得にあえぐ世帯の所得が少々増えても，栄養不良改善の程度はそれほど大きくない（所得弾力性が小さい），という少々困った分析結果が報告されています。先進諸国において栄養不良に陥る子どもが少ないという事実を考えれば，中長期的には経済成長が栄養不良の改善に与える影響は大きなものになるはずです。しかし貧しい途上国においては，短期的にはその影響力はそれほど大きなものではなく，何か別の方策が必要となります。

　さらに奇妙なことがあります。もう1度図3-4を見てください。グラフでは乳幼児死亡率を，下痢による死亡とその他の死因に分けています。「下痢で子供が死ぬの？」とみなさんは思うかもしれません。確かに，先進国での下痢による乳幼児死亡はわずか0.07パーミル（1000人中0.07人，すなわち10万人中7人）と稀なため，グラフでは狭くて見えません。しかし途上国では，とりわけ新生児期間を生き延びた1カ月児から5歳までに亡くなる死因の上位が下痢なのです。オニオンちゃんの祖父母ムギさんキビさんの次女は，わずか生後半年で，栄養不良と下痢のために亡くなったことを思い起こしてください。グラフでは，途上国全体の場合，4.7パーミルの死亡が下痢によるものだとわかります。南アジアではその値は5.6パーミルとさらに高くなり，サブサハラ・アフリカでは9.1パーミルにも達します。死因を問わない先進国の乳幼児死亡率合計と同じか，それ以上の死亡率が，最貧国の世界では，下痢だけが理由で生じてしまうのです。下痢で亡くなった子どもたちの多くは，脱水症状を起こして死に至っています。

　このどこが奇妙なのでしょう？　実は，こうした下痢になった時の脱水症状を防ぐためにすばらしい予防効果のある経口補水液が，WHOやUNICEFといった国際機関によって途上国に無償，ないしは非常に安価な価格で配布されています。また，下痢にかからないようにするには，衛生的な飲み水を確保すればよいわけですが，飲み水の消毒用塩素はどこの途上国でも非常に安価に手に入ります。にもかかわらず，下痢が原因で亡くなる子どもが後をたたないこ

と，それが奇妙なのです。途上国で暮らす母親も当然のことながら子どもの健康に気を使います。それなのに，安価で十分に効果のある予防方法が使われていないのはなぜでしょうか？

経口補水液を処方する医療施設の普及が立ち後れているからかもしれません。確かに，途上国の医療施設の普及は大幅に立ち後れています。こうした不備によって，損なわれてしまう命や健康は少なくないでしょう。このような現状であるにもかかわらず，今ある診療所や病院でさえも，有効に使われているとは言いがたい状況があります。学校の教員の場合と同様に，医師や看護婦が出勤してこなかったり，診療所が決められた時間に開かれていなかったりという医師や看護婦のインセンティブ欠如問題が挙げられます（Chaudhury et al. 2006）。

3 問題の解決に向けて

これまでの議論を簡単にまとめておきましょう。❶～❸の問題に共通して言えることは，教育の重要性を仮に親が理解したとしても，つまり退学や留年をさせずに男女を問わずすべての子に教育を受けさせたいと考えていても，信用制約ゆえにその教育投資ができないということです。また，❹と❺に共通して言えることは，教員や医師の労働意欲を高めるためのインセンティブが欠如しているということです。

こうした問題に対処するためには，どのような解決策を打ち出していくべきでしょうか？　たとえば，❶～❸の貧困と教育の課題に対しては，信用制約を緩和する方策や，教育の重要性を人々にさらに正確に理解させる方策がとられるべきでしょう。❹と❺のインセンティブの課題に関しては，当然のことながら教員や医師の出勤意欲がわく，あるいは欠勤行動をとらせないような制度設計が必要となるわけです。それでは，これらのことを分析したいくつかの研究について紹介してみます。その多くが，最新の研究手法であるRCT（補論2参照）を使って，厳密に効果を測った研究です。

信用制約を緩和する方策については，第**2**章で詳しく議論したとおりです。ただし資金制約の緩和，つまりは利用ができるお金が増えても，必ずしもその

お金が子どもの教育資金として使われるわけではありません。そこで，就学率の改善と貧困緩和を同時に達成するために，教育に絞ったさまざまな取り組みが世界中で行われていますが，その代表的なものが，子どもを学校へ通わせるという条件の下で，食糧や給食，奨学金などを支給するというシステムです。これらを総称して，**条件つき給付**や条件つき所得移転などと呼びます。

　条件つき所得移転の代表的なものに，1993年にバングラデシュで始まったFood for Education（FFE）Program があります。FFE プログラムに参加した家計は，学齢期の子どもを学校へと通わせることによって，一定量の小麦か米を毎月受け取ることができるという仕組みでした。FFE は，就学率，退学率の改善に大きな貢献をしたことが明らかになっています（Ravallion and Wodon 2000）。似た取り組みは世界各地にあり，メキシコの PROGRESA，ブラジルの Bolsa Eschola Program，コロンビアのスクールバウチャー制度 Programa de Ampliación de Cobertura de la Educación Secundaria（PACES），ニカラグアの Red de Protección Social（RPS）などがあります。PROGRESA については，黒崎（2009）の紹介も参照してください。

　親も本人も，ぼんやりとは教育が将来の所得上昇につながるイメージを持っていますが，あまり正確なものではありません。そこで，正確に教育の収益率を伝えるという情報面での政策介入が，途上国の教育普及に貢献することがわかってきました。インド農村部の女子中高校生にターゲットを絞り，IT関連の就職情報をランダムに提供するという社会実験からは，そのような情報を受けた女子中高校生は，結婚年齢が遅くなり，進学率が上昇し，卒業後に就業する率が上がるという結果が得られています（Jensen 2012）。このことは，それまで女子が十分な教育を受けずにすぐに結婚していた理由の1つに，教育を受けることによってどのような仕事を得ることが可能になるのかに関して，親や女子生徒が正確に理解せず，教育の経済的価値を過小評価していたことがあることを示しています。ドミニカ共和国でも似た結果が得られています（Jensen 2010）。

　では次に，インセンティブの問題に対して解決策となりそうな取り組みを紹介しましょう。インドのラージャスターン州では，教員欠勤行動改善のために，1日出勤するごとに給与が積み上がってゆく賃金体系（インセンティブ賃金）を

導入しました。この実験（RCTで行われています）のおもしろいところは，教員が本当にちゃんと出勤しているのかを監視するために授業風景をカメラで撮影させた点です。これらの取り組みによって，教師の欠勤行動は21％も少なくなり，子どもたちの学業成績（テストの点数）も改善しました（Duflo et al. 2012）。

　パキスタン農村部で行われた実験では，通学圏内にある地域の全学校（公立学校だけでなく多数の低料私立学校も含む）の学業成績を学校別・クラス別に校長，教員，親に伝える実験が行われました（詳しくは黒崎2015を参照）。この実験によって，たとえば親は今まで知らなかった隣の学校の学業成績を知ることになり，自分の子どもが通う学校との比較が可能になります。この実験の結果，生徒の成績が平均で顕著に上昇し，その上昇は，初期時点で成績が悪かった私立学校で最も顕著で，公立学校でもある程度改善が見られました。また，初期時点で成績がよかった私立学校には影響がありませんでした。こうした情報開示を行うと，校長は自分の学校の成績が悪いと親が子どもを別の学校に転校させるようになることを恐れて自校の成績改善努力を行います。また，各教員は自分のクラスの成績が悪いと校長からプレッシャーをかけられますので，自分のクラスの成績改善に取り組むでしょう。こうして，それぞれが教育の質を上げる努力をしたために生徒の成績が改善されたと考えられます。

　そのほかにも，エルサルバドルにおけるコミュニティ主導型公立小学校EDUCO（澤田2003b参照）や日本のJICAが取り組んでいる「みんなの学校」プロジェクトでは，学校の質を改善するために，学校の運営委員会に住民や子どもの親を加えて，住民参加型の学校運営のモデルを提示しています。これらの取り組みによって，子どもの学業成績，出席，進学率などが改善しています。つまり，よりよい教育の成果をあげるために，学校の統治構造（ガバナンス）のあり方が重要である，という指摘です。

　オニオンちゃんの村では，マイクロクレジットで貧困層の信用アクセスはやや改善したようですが，FFEのような制度はまだ入っていませんし，公立学校のモニタリングやガバナンスはまだ問題を抱えているようです。これでは，次にまた大干ばつが来たら，オニオンちゃんは，再び留年，あるいは退学することになってしまうかもしれません。そうならないために，オニオンちゃんの父親，パクチーさんは，遠い町に出稼ぎに行くことを考えるかもしれません。

農村から都市への出稼ぎについて考えるのが，次章の話です。

QUESTIONS

3-1 教育はどうして「投資」とみなすことができるのでしょうか？

3-2 貧困層の子どもの教育水準が低くなる理由について，教育投資と信用制約というキーワードを用いて，経済学的に説明してみましょう。

3-3 途上国農村部において，公立学校の教員，公立診療所の医師が，しばしば欠勤し，学校や医療機関が機能不全に陥りやすいのはなぜでしょうか？

Column ❸ インドでインフルエンザ

　筆者（黒崎）は毎年のように，12月にインドのデリーで開かれる開発経済学の国際会議に参加してきました。2014年の会議にも参加したのですが，この年は12月18日から20日と例年よりもやや遅めの開催でしたし，それに引き続いてデリーの零細企業経営者調査の準備作業を行ったので，日本への帰路についたのは12月23日夜になりました。

　帰国の日は朝から体がだるく，発熱を感じました。日本に着くとかなりの高熱となっており，病院にてインフルエンザA型との診断。幸い大事に至らず，年末には仕事に復帰できました。

　このデリー出張，これまでにない寒さでした。当地のマスコミも，平年よりも5度から10度ほど低い寒気が，急激にデリーを襲ったと報じていました。最低気温摂氏4度前後，最高気温10度ほどなのですが，気温以上に，冬のデリーの風物詩，分厚い霧・スモッグでまったく太陽がのぞかず，暗い陽気だったことが寒さを増幅したように思います。

　そもそもデリーは，12月後半から1月の限られた時期を除くと，かなり暑いので，住居やホテルは猛暑への対処のみを意識して作られています。このため，天井の高い部屋で電気ストーブをつけても空気は全く暖まりません。寒さで弱った体が，デリーメトロ（地下鉄）の混雑する車内あたりで拾ったインフルエンザのウィルスに耐えきれなかったのだと思います。メトロの車内では誰もマスクをせずに，多くの乗客がゴホンゴホンと咳をしていました。

　日本で療養中に目に入ったのがデリー発のインターネット・ニュース。「デリーで今年1人目のインフルエンザの死者出る！」。あの寒さだと，体力のない貧困層や高齢者などは，ひとたびインフルエンザに罹ったらひとたまりもありません。ニュースは，あくまで通院してインフルエンザと診断された死亡例の話ですから，病院に行くことができずに亡くなった人がその裏にたくさんいるはずです。インフルエンザに罹ったらきちんとそう判断され，よほど運が悪くない限り，近代医療を享受して回復できる階層と，医者に診てもらう機会がないまま，かなりの確率で命を落としてしまう階層とが併存しているのが多くの途上国の現状なのです。

インドのアーンドラ・プラデーシュ州の一次保健センター支部。乳幼児保健に関する啓蒙資料はあるが，医薬品はほとんどなく，診察時間のはずが外国人の訪問で初めて扉を開けてくれた（2014年）

CHAPTER

第 **4** 章

労働移動

バラ色の新天地？

KEY WORDS

- □ 出稼ぎ者送金
- □ 限界生産性
- □ 偽装失業
- □ ルイスの転換点
- □ ハリス＝トダロモデル
- □ インフォーマル部門
- □ スラム
- □ 帰還移動
- □ ネットワーク
- □ 経済統合
- □ 頭脳流出

1 Story

実家を出たあとのライチさんとポメロさん

「はぁ，どうすればいいんだろう……」
とため息をついているのは2010年に首都へ出稼ぎに出てきたムギ家次男のライチさんです。首都へ出てきてもう6年になります。彼の住んでいる地域はいわゆるスラムと呼ばれる地域です。村の親類をたどっての移動で，当初は，三女のポメロさんと同郷の移住者あわせて5名，8畳程度の部屋と台所がついた小屋で暮らしていました。現在も住まいは変わっていませんが，当初一緒に住んでいた5名のうち残っているのは2名だけで，新たに近隣の村からやってきた人たちが加わって合計6名で暮らしています。

ライチさんは，ゴミ拾いの仕事などを転々とし，2年前からは首都でトゥクシャーと呼ばれるオート三輪の運転手をして生計を立てています。同じ村から出稼ぎに出てきたガールフレンドの妊娠が先日判明したということもあり，このまま結婚をしてずっと首都で住み続けたいと考えるようになりました。生まれ故郷の村を出てきたときは一時的な出稼ぎのつもりでしたが，村では，家族を養っていくだけの仕事を見つけることは容易ではなさそうです。ただ，トゥクシャーの仕事も収入が安定しているとは言いがたく，生まれてくる子どもの将来を考えると不安を感じています。また，結婚して住む場所をどうするのか，田舎への送金をこれまで通りすることができるのかどうか，妊娠がわかったときは，小躍りして喜んだライチさんですが，将来のことを考えるあまり，最近ではふさぎ込むことも多くなりました。

「お母さん，お父さん，今頃何をしてるかしら……」
ライチさんと一緒に首都へ出てきた三女のポメロさんは，去年からアスー国と国境を接するナカツ国の地方都市で住み込みの家政婦をしています。首都の縫製工場で働いていたときよりも給料は上がり，今年は田舎への送金をこれまでの1.5倍ぐらい送ることができそうです。

最近では，アスー国からナカツ国へと職を求めて移動する人が増加し，この10年間で送金金額が3倍近くにも増加したそうです。この急激な増加の背景には，2000年前後から，両国を含む地域全体で地域経済統合の動きが活発化したことが挙げられます。ナカツ国のアスー国との国境に近い地域には，先進国の多国籍企業が多く集まる工業団地が作られ，現在ではその団地で働く労働者を集めにアスー国の村までキャラバン隊が来たり，工場で働く労働者募集のコマーシャルがラジオやテレビで流れるようになりました。そもそもアスー国とナカツ国の言葉は，文法構造や言葉の発音がよく似ているため，ポメロさんが最初に国境を越えたときにはそれほどのカルチャーショックはありませんでした。しかし渡航後2年目に入ったポメロさんは最近，外国人としての居心地の悪さばかり感じるようになっています。

　2人の子どもを送り出したムギさんの村では近年，米の収穫などの農繁期に村全体の人手が不足気味。収穫作業を手伝いに帰ってくる若者もいるようですが，近年では帰省しない若者も多く見られるようになりました。ライチさんとポメロさんもそのうちの1人です。

　「あいつらの顔，しばらく見てないもんなぁ……」
と，ため息をつくムギさんです。

駆け出し官僚の奮闘

　「よし，今日も一日がんばるか！」

　マメさんは，アスー国を豊かに発展させるという理想に燃える駆け出しの経済官僚です。出身は，ムギさんの村のそばの地方都市で，その町では初めての一流大学卒で国家官僚になったのがマメさん。となると当然，地元の期待も大きいのです。

　マメさんが配属となったのは，経済開発省の経済産業政策局・調査課です。最初の仕事は，近年増加している海外への労働移動についてレポートをまとめるというものでした。アスー国では，先に述べた地域経済統合の影響で隣のナカツ国への労働者移動が急増しただけではなく，アメリカなどの先進諸国に職を求めて旅立つ人々が多いようです。その中には看護師や医者，IT技術者などアスー国で不足している人材も含まれています。アスー国は以前，イギリス

の植民地だったこともあり，高校を卒業した人々はおおむね英語を話すことができるため，アメリカ，オーストラリアなどの先進諸国へ移住する人も多く，こうした人材流出による影響が懸念されています。

「いいレポートを書いて早くボスに認められないと！」と意気込むマメさんです。

2 何が問題なのか
▶ 課題の抽出と分析フレーム

国内の移動から外国への移動まで，ライチさんやポメロさんの経験，そしてマメさんのレポート執筆を通じて浮かび上がってきた課題や論点は以下のようになります。

POINT
❶ 農村地域には仕事が少なく生計を維持するのが困難。
❷ 人が出て行く農村地域での，労働者不足。
❸ スラムにおける住居・衛生面等の生活環境問題。
❹ 移動先の都市で安定的収入が得られないリスク。
❺ 国際労働移動がもたらす人材の流出。

世界銀行の『2008年世界開発報告――開発のための農業』には，貧困から脱却するために必要な3つの経路として，農業生産性の向上，職業選択の多様性，そして「移動」が挙げられています（World Bank 2008）。移動した人は移動先で職を見つけ，その稼ぎの一部を送金として，農村で暮らす家族や親族に届けます。このことによって，農村部で滞留していれば働き口もなかった移動者は移動先で職にありつき，その稼ぎの一部が農村で暮らす家族をも潤すので，移動は出て行った人と残った人の双方に貧困から脱却する道を提供できるというシナリオです。

また，このシナリオは国内だけではなく，海外を想定しても成立します。世界銀行のレポートを見ると，世界全体での送金金額はこの20年間で10倍以上にものぼり，金額的にも政府開発援助の金額や伸びをはるかにしのぎます（図

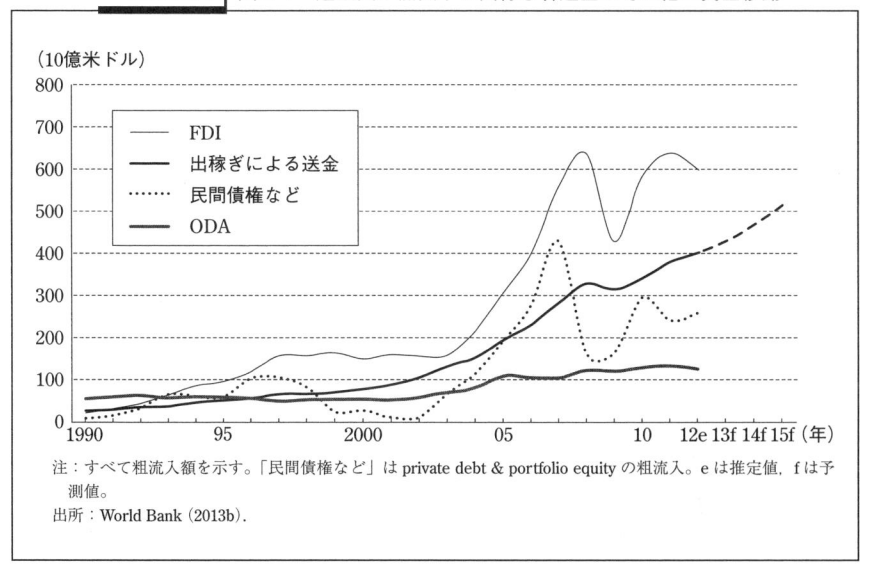

CHART 図 4-1　途上国に流入する出稼ぎ者送金とその他の資金移動

注：すべて粗流入額を示す。「民間債権など」は private debt & portfolio equity の粗流入。e は推定値、f は予測値。
出所：World Bank (2013b)。

4-1)。しかもこの送金金額は公式に把握できる金額のみであり，こうした統計に反映されない送金までを含むと，外国直接投資（Foreign Direct Investment：FDI；第 **6** 章参照）や政府開発援助（Official Development Assistance：ODA；第 **8** 章参照）なども含めた途上国へと流入する資金のどれよりも大きな金額になるだろうと言われています。

出稼ぎ者送金が貧困脱却の処方箋になるというだけではなく，労働移動が一国の経済発展にもたらす影響はとても大きく，古くからその分析が進められてきました。そこでまずは，古典的な理論を振り返り人口移動理論の変遷を学びながら，移動をめぐる諸問題へのアプローチを考えてみましょう。

移動理論の古典 1：ルイスモデルの考え方

　まずは，経済発展の初期段階，つまり，国内の大半の人たちが農村で農業に従事し，都市で工場労働など近代的な生産・勤労活動に従事している人たちはかなり少ないような状況を考えましょう。近代経済成長以前の農業生産は，機械や化学肥料といった資本や中間投入材はほとんど使わず，もっぱら労働力だけに頼っているため，生産性はとても低い状態と言えるでしょう。このとき，図 4-2 にあるように，1 ha の土地を 1 人で耕している状況を考えてみましょう。

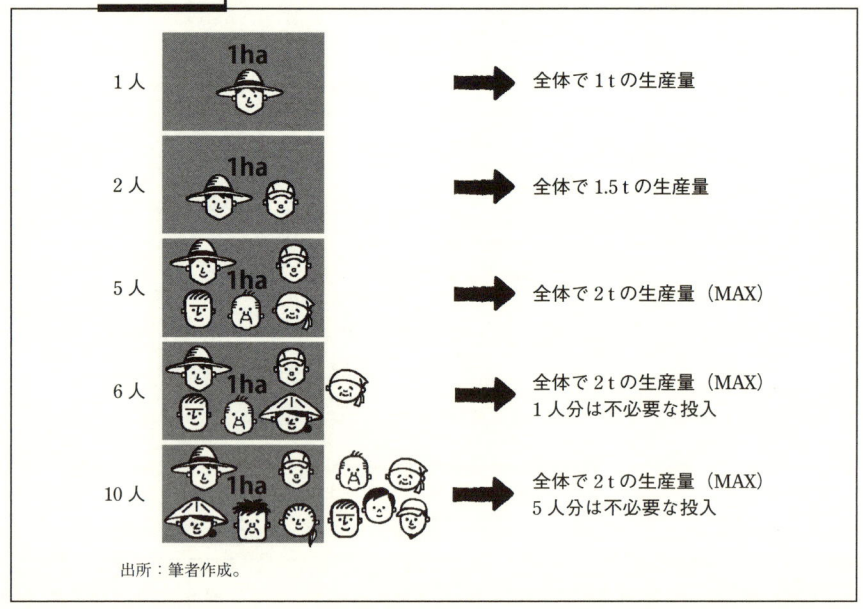

CHART 図4-2　ルイスモデルによる農業生産における偽装失業

人数	土地	生産量
1人	1ha	→ 全体で1tの生産量
2人	1ha	→ 全体で1.5tの生産量
5人	1ha	→ 全体で2tの生産量（MAX）
6人	1ha	→ 全体で2tの生産量（MAX） 1人分は不必要な投入
10人	1ha	→ 全体で2tの生産量（MAX） 5人分は不必要な投入

出所：筆者作成。

1 ha は 100 m × 100 m の土地ですから，さすがに1人で耕すのは骨が折れます。田植えの作業も大変ですし，雑草取りなどもまんべんなく行うことは難しくなります。この状況では，1人が1 ha を耕して合計1 t の米が収穫できます。次に1 ha の土地を2人で耕している状況を考えます。2人で耕せば，たとえば雑草取りもきちんとできるようになるため，収穫できる米も増えて合計1.5 t の米が収穫できるようになります。1人追加で働く人間を増やしたら，0.5 t 分の収穫の増加があったというわけです。こうした追加的な労働投入に対して，どれだけ生産量が増えたのかを**限界生産性**と呼びます。以下に紹介するルイスモデル（Lewis 1954）のおもしろいところは，この限界生産性が0になってしまっている状況が農村だと考えたところです。それはどういうことでしょうか？

　図4-2の5人が1 ha を耕している状況に注目してください。合計2 t の米が収穫できています。これは，雑草取りも収穫もすべての作業をこれ以上きちんとできないという上限まで効率的に5人で生産している状況だと考えましょう。それでは，この状況にさらにもう1人の労働者を投入したら全体の生産量はどうなるでしょうか？　5人で，十分すぎるほどの状態だったので，6人目を投

入しても全体の生産量はほとんど増えず，必要な仕事を6人で分担して行うことになることでしょう。7人目や8人目を投入しても同様のことが生じると考えられます。つまり，5人目までを投入して2tまで全体の生産量を増やしましたが，その後はどれほど労働者を投入しても生産量が増えない状況になると考えられます。つまり追加的に労働者を増やしても生産量が増えないため，この状況は限界生産性が0の状態といえます。

本来であれば5人で耕せばよいところを10人で耕しているような状況が，経済発展段階初期の農村である，とルイスは考えました。5人でよいところに10人がいますから，残りの5人はいてもいなくてもある意味では同じです。こうした，いてもいなくても農業生産には不要な労働者のことを，ルイスは**偽装失業**の状態にあると呼びました。他方都市では，農村で滞留している偽装失業の労働者が存在する限り，農村の賃金よりも少しばかり高い賃金を設定すれば，工場で大量に労働者を確保し続けることができます。つまり農村から都市への移動が生じることになるのです。

なお，農村での賃金は，労働者全体の10人が飢え死にしないような生存水準で決まっているとルイスは考えました。労働者1人が生存ギリギリの水準で生活できるために必要な米の総量を200 kgと仮定しましょう（この200 kgのうちいくらかを市場に売って，その他の生活必需品などを購入しています）。このとき，10人がこの村で生きていくためには，総量2t（200 kg×10人）の米が必要です。図4-2で示している村で生産できる米の総量は2tですから，10人がなんとかギリギリ生きていくことはできそうです。このように，農村の生活はみなで助け合いながら生存ギリギリのところで営まれていることになります。

経済発展の初期段階にあるような途上国では，ルイスが偽装失業と呼ぶような労働者が一定数存在することも確かでしょう。そのような労働者が都市部での製造業部門等に吸収されれば，一国全体の生産性が向上し，経済全体が成長します。「❶ 農村地域には仕事が少なく生計を維持するのが困難」という問題は，農村から都市への労働移動によって解決する可能性があるということが，これでわかってもらえたと思います。

ただし農村から都市への移動が進むと，そのうち農村で農業生産に従事する人間の不足が生じるでしょう。これが**ルイスの転換点**と呼ばれ，この転換が経

済発展の過程において，いつ生じたかについて多くの研究がなされてきました（たとえば日本についての古典的実証研究が Minami 1968 です）。

一国の経済がルイスの転換点に達したにもかかわらず，農業生産技術になんの変化も生じなければ，それまで農業生産を担っていた人々も都市の給料の方が高いので都市へと移動してしまい，人不足のため全体の農業生産が減少してしまいます。第1章で説明した緑の革命は，まさにそのような事態を防ぐ技術革新だったのです。また，緑の革命のような農業の近代化に伴い，農村の経済活動はより活発化するかもしれません。たとえば，それまで米を作っているだけだった農村に果樹や商品作物を栽培する農家が増え，それに伴って農産物の仲買人や町までの乗り合いトラック運転手といった非農業職業に就く人々も増えていくでしょう。第2章で見たような農村経済の多様化は，このように「❶ 農村地域には仕事が少なく生計を維持するのが困難」あるいは「❷ 人が出て行く農村地域での，労働者不足」といった問題解決にもつながるのです。

移動理論の古典２：ハリス＝トダロモデルの考え方

ただし，このルイスモデルと呼ばれる考え方には，さまざまな批判が加えられました。中でも，ルイスモデルでは都市に移動した人たちが工場などの近代生産部門（フォーマル部門）に必ず雇用されることを仮定しているのですが，途上国の現状を調べてみると，移動者が都市部でフォーマル部門での仕事を得られずに失業したり，ライチさんのようなゴミ拾いやトゥクシャー運転手などの仕事のほか，露天商などの零細自営業のような仕事に従事している人々が多くいることがわかります。こうした都市の雑業部門のことを，近代生産部門であるフォーマル部門との対比でインフォーマル部門と呼びます。こうしたインフォーマル部門や失業の可能性をルイスモデルでは考慮に入れていません。

図4-3を見てみましょう。あなたは，都市へ移動をしようかどうか，今まさに迷っている農村の青年だとします。農村で1年間農業生産活動や日雇い労働に従事すれば300ドルほどの収入が保証されています。第1章で見たように，農業生産には天候に由来するリスクがありますが，それを補う伝統的な相互扶助の制度もありますので，農村に残ったときの所得変動は小さいものとして，ここでは無視します。他方，伝え聞いた話だと都市の縫製工場で働くことがで

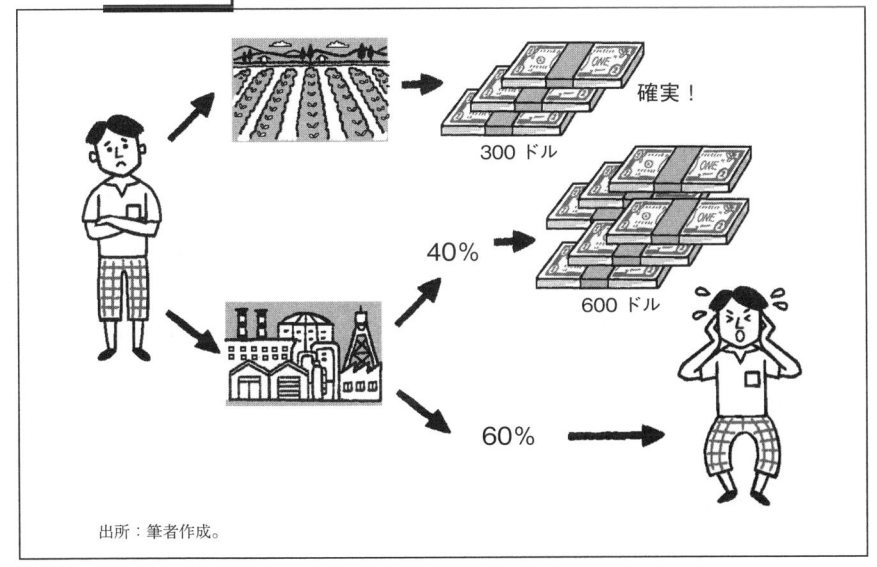

CHART 図4-3　農村・都市労働移動と失業リスク，期待賃金

出所：筆者作成。

きれば，年に600ドルの収入が得られるそうです。ただし，問題は工場の欠員補充があるかどうかで，この数年間の動向を見てみると，今年行われる確率は40％程度だと思われます。相互扶助に頼れない都市部では，移動して工場の仕事が得られなかった場合に，収入はほとんどなくなると仮定します。簡単な期待値の計算をすれば，あなたが都市に移住したときに期待できそうな所得は，

$$\text{期待所得} = 600 \text{ドル} \times 40\% = 240 \text{ドル} \tag{4-1}$$

と計算できます。すると，この240ドルという金額は，農村でいれば得られるであろう300ドルを下回ってしまいます。このような状況下では，たとえ工場労働で得られる所得が600ドルでも，雇用確率のことをしっかり考えれば，移動をするのがためらわれます。

では，今度は雇用確率が60％程度の場合はどうでしょうか。(4-1) 式の確率を変えて再計算すると，期待所得が360ドルになることがわかります。この額は農村での所得300ドルを上回るため，移動をしたほうがよいでしょう。

このように，都市部での失業を前提として，雇用確率などをふまえて移動のメカニズムをモデル化したのがジョン・ハリスとマイケル・トダロの2人です (Harris and Todaro 1970)。都市での雇用確率を考えた**ハリス＝トダロモデル**は，

2　何が問題なのか　● 77

時間軸をより長期なものとして考えても，物価上昇などの影響を考慮しても成立します。このモデルの新しい点は，都市部での失業の存在を明示的に考えているところです。単に都市の賃金が高いと言うことではなく，その職業に就くことができる確率，期待まで考えたわけです。

ハリス＝トダロモデルのさらにおもしろい点は，きわめて逆説的なのですが，都市部での雇用状況をよくしようという政策が，逆に都市部の失業率を高くしてしまうというパラドクスを説明できることです。政府が都市部において新規の雇用創出政策や，都市での生活環境整備や社会福祉改善政策を実施したとしましょう。この政策は農村部の人から見ると，都市部の賃金が上昇し，都市部の雇用確率が上昇したことを意味します。よって，この変化に反応して，農村から都市への移動が増えるでしょう。しかし，新規に都市部で創出された雇用の何倍何十倍もの人々が農村から移動してしまったらどうでしょうか？　政策の当初の意図とは裏腹に，都市部での失業率が上昇し，都市部での雇用状況，生活環境が悪化してしまうのです。

こうして人々の期待や失業の可能性という視点をモデルに取り込んだハリス＝トダロモデルは，仮に都市部で就業できない（失業の）可能性があっても，都市で期待できる賃金が農村で得られる賃金よりも高ければ，農村から都市への移動が生じることを説明できるようになりました。

スラムやインフォーマル部門の現状

農村から都市に移住してきた労働者の多くは，ライチさんのように**インフォーマル部門**での職業に従事します。職を選り好みしなければ，途上国のインフォーマル部門では一般的におおむね数日から数週間程度で職が見つかると言われています。ハリス＝トダロモデルでの雇用確率として，フォーマル部門のみを見るのではなくインフォーマル部門までを労働市場として考えれば，雇用される確率はかなり高いといえるでしょう。しかしながら，「❹ 移動先の都市で安定的収入が得られないリスク」という問題，つまり突然の解雇や疾病に対して，社会保障や保険等に入ることのできないインフォーマル部門従事者の生活は脆弱だという問題があります。さらにスラムでの生活環境の悪さまで考慮すれば，一概に都市での生活がよいとは限らないでしょう。

CHART 図4-4 地域別に見た途上国におけるスラム居住人口の推移

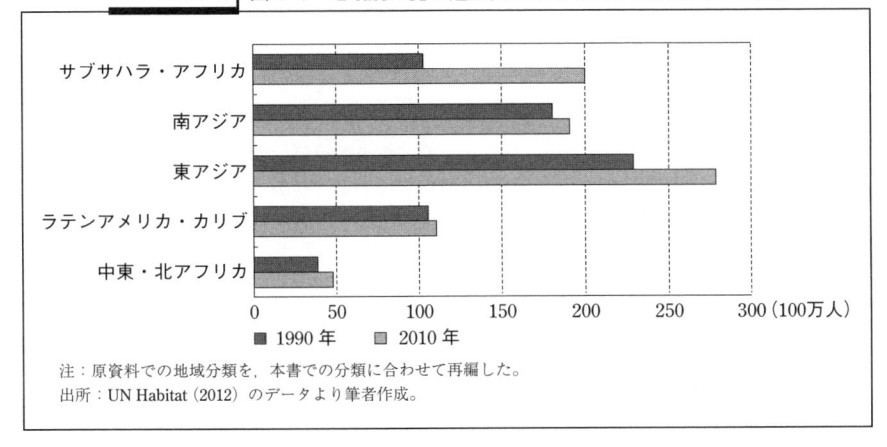

地域	1990年	2010年
サブサハラ・アフリカ	約100	約200
南アジア	約180	約190
東アジア	約230	約275
ラテンアメリカ・カリブ	約105	約115
中東・北アフリカ	約30	約45

(単位：100万人)

注：原資料での地域分類を，本書での分類に合わせて再編した。
出所：UN Habitat (2012) のデータより筆者作成。

　農村から都市部に移動した人々は，しばしば滞留して**スラム**を形成します。工場などの正規・近代部門での職業に従事できなければ，スラムから別の居住地に移ることは難しくなりますが，農村での収入と，都市インフォーマル部門での収入を比較すると，通常は都市部のインフォーマル部門での所得の方が高いため，都市への移動誘因は絶えず存在していることになります。インドの都市インフォーマル部門を代表するサイクルリキシャの運転手に従事する出稼ぎ者の場合，非熟練工場労働者に匹敵する稼ぎがあり，農村にかなりの送金をしています（黒崎 2013）。かくして，多くの途上国では，経済の発展に伴い，都市部に大規模なスラムやインフォーマル部門が発生することになるのです。

　2010年時点で，途上国の都市人口のおおよそ3割近くがスラムに居住していると言われています。その数は約8億2800万人で（UN Habitat 2012），日本人口の7倍程度の膨大な数になります。また，サブサハラ・アフリカのほとんどの国では都市人口の70％以上の人々がスラム暮らしを強いられています。図4-4はそれぞれの地域でスラム人口が1990年から2010年にかけてどの程度増加したのかを表していますが，サブサハラ・アフリカの伸びが急激なことがわかります。

　こうしたスラム地域は，土地や家屋所有の法的根拠がなく，トイレや下水排水などの公衆衛生管理などが不十分なことがほとんどです。不十分な衛生状態は深刻な健康被害や伝染病の蔓延などを引き起こします。法的根拠の欠如は土地や家屋の不法占拠を意味しますので，政府などによる強制立ち退きなどで，

住居等を失う人々も少なくありません。「❸ スラムにおける住居・衛生面等の生活環境問題」の問題が深刻になるのも当然と言えます。なお，スラム人口は2030年までに新たに14億人近くの増加が見込まれています（UN Habitat 2012）。衛生環境面の改善を進めながら，新たに数億もの住居を確保していくという難題が立ちはだかっていると言えるでしょう。

　それにもかかわらず，農村から都市への大規模な人口流入は途上国の大都市で必ず観察される現象です。スラムから脱出することができればよいのかもしれませんが，たとえばインフォーマル部門からフォーマル部門へと転職していくことは容易ではないことが多くの研究で指摘されています（労働市場の二重構造）。他方では，大きな都市・農村間賃金格差が存在しているにもかかわらず，都市から農村へと戻ってくる**帰還移動**と呼ばれる現象も少なからず観察されています。残念ながら，単純なハリス＝トダロモデルでは，これらの疑問に十分には答えてはくれません。

新しい移動の経済学：ハリス＝トダロモデルを超えて

　そこで人口移動の理論は，1980年代後半ぐらいから，都市部での失業や都市・農村間の賃金・所得格差以外のさまざまな側面について，より構造的な理解をめざすようになりました。どのような人や家族が移動をしやすいのか，個人や家計の特徴を定量的に分析するミクロレベルの検証が行われるようになりました。

　たとえば，結婚による女性の遠方への移住は，家計にとって万が一の際の保険を買うことと同じような効果があることがわかりました（Rosenzweig and Stark 1989）。農村地域で暮らす人々にとって，干ばつや洪水といった気候変動は時に大きな所得減をもたらしてしまいます。しかし，こうした天災は，おおむね地域限定的なものであることが多いため，もし娘が遠方の地方へと嫁いでいけば，その天災の影響は嫁ぎ先までは届かないでしょう。逆に娘の嫁ぎ先に干ばつなどが起きても，その影響は故郷にまでは届かないわけです。つまり，どちらか一方の地域や家計がピンチに陥っても，遠くの親戚がその窮状をサポートできるようになっているわけです。

　他方，移動先の労働市場・就業の状況について異なる側面から分析を試みる

研究も出てくるようになりました。たとえば，移動先に同郷の人々がどの程度存在するのかといった**ネットワーク**の有無が移動の意思決定にどのような影響を及ぼしているのかといった分析があります（Munshi 2003）。これは，移動先に同郷出身者がいれば仕事探しが容易になるというだけではなく，たとえばライチさんのように同郷の人と一緒に家屋を借りるのは，失業したときに，彼らのつてで再就職先を探しやすいからかもしれません。あるいは病気になったときに看病してくれる同郷の人々がいてくれた方がより心強いでしょう。こう考えると，ライチさんにとっては「❹ 移動先の都市で安定的収入が得られないリスク」という状況を緩和するためのリスク分散戦略として，ネットワークの存在が極めて重要であるといえます。あるいは，都市の工場経営者がはるばる農村からやってきた移動者の能力を正確に把握できないために，工場が求める人材像と実際の移動者の能力がかみ合わず需給の不一致が起こることも十分考えられます。こうした状況下で需給のマッチングがどのように労働市場で行われているのかを，情報の経済学の知見をもとに分析する論文などもあります。

このように，ミクロ経済学の理論的発展と軌を一にして，人口移動の研究は1980年代後半以降新たな進化を遂げることになりました。

国境を越える人たち：グローバル化した移動研究

近年，移動の研究がより脚光を浴びることになったもう1つの理由は，1990年代以降国境をまたいだ人の移動が増加し，国際送金の重要性が世界的に高まったことです。90年代初頭から，ヒト・モノ・カネがより自由に往き来できる経済のグローバル化が進んできました。こうしたグローバル化の趨勢は，途上国の発展に際してこれまで考えられてこなかったメリットとデメリットを同時にもたらすことになります。たとえば，途上国の発展を担う質のよい労働者の育成，確保は常に重要な政策課題ですが，アス一国のように，より豊かな隣国との国境を自由に往き来できるようになれば，ナカツ国との賃金水準には大きな格差があるため，国内の移動よりも国境を越えた国際移動を人々は選ぶことになります。すると，国内の移動による送金よりも，より大きな金額の送金が可能となり，貧困脱却をはじめとした家計の厚生改善がより早く行えるようになるでしょう。こうした隣国間の移動は，地域内の統合が進むとよりいっ

CHART 図 4-5　工場の立地と地域経済，国境を越えた移動

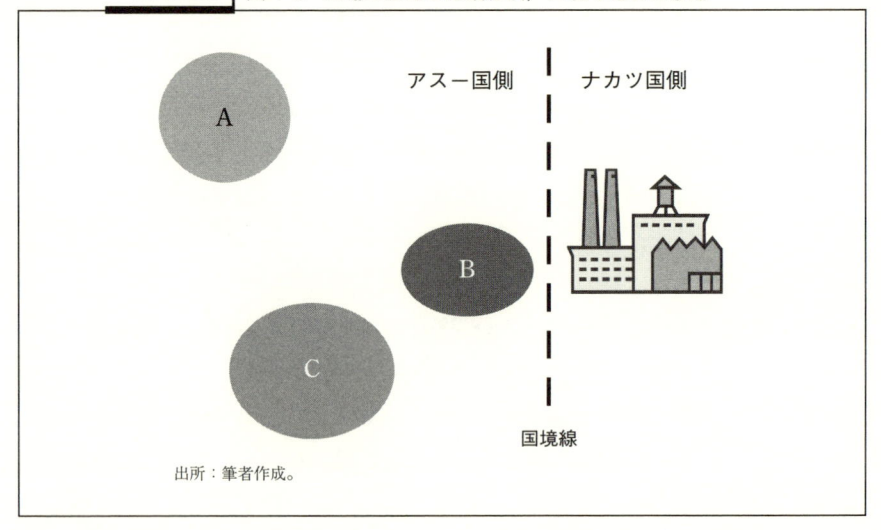

アスー国側　｜　ナカツ国側

A

B

C

国境線

出所：筆者作成。

そう増加します。たとえばナカツ国のアスー国国境付近には，多国籍企業が多く集う大規模な工業団地が建っています。また工業団地ができたおかげで近隣都市の人口も増加し，活況に沸いています。このような都市の発展もあり，最近では道路工事などの建設工の需要もあるようです。こうした地域統合と経済活動，人口移動の関係について，経済活動の空間的な分布や集積の視点から分析を行うのが空間経済学です。

図 4-5 を用いて，単純な例を考えてみましょう。アスー国側にはA，B，Cという3つの地域があります。Bがナカツ国との国境に最も近く，Aが最も遠い地域です。このとき国境付近にあるナカツ国の工業団地が開設するのと同時にそれまであった関税がすべて撤廃され，人の移動も自由になったとしましょう（地域経済統合の推進）。このとき国境に最も近いB地域の労働者は比較的容易に工業団地へとアクセスできるので，多くの人々が工場労働者として働こうと移動するのに対し，A地域の人々は工業団地の場所が遠すぎるために移動をする人は多くないでしょう。結果としてB地域の人は**経済統合**によるメリット（労働者として働けること，送金などによってB地域の経済が改善するなど）を相対的に多く受け取るのに対して，A地域の人々はそれほど大きなメリットを享受することはないのかもしれません。

このように空間経済学では，経済統合による影響が，市場や工場立地の近接

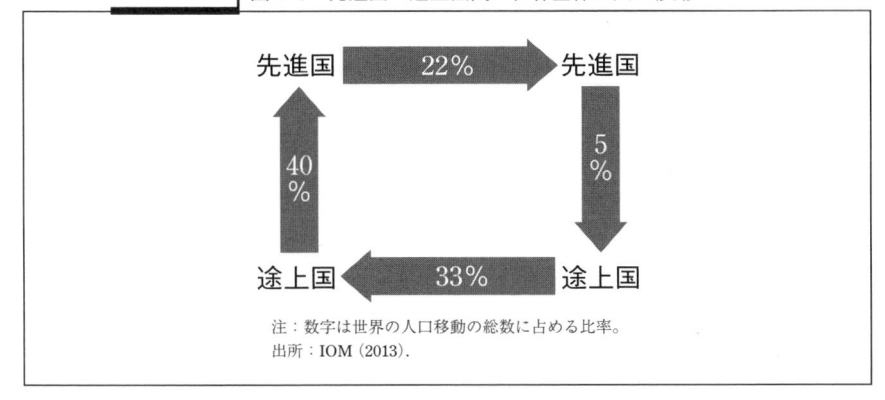

| CHART | 図 4-6　先進国・途上国間の世界全体の人口移動

```
先進国  ──22%──▶  先進国
  ▲                    │
 40%                   5%
  │                    ▼
途上国  ◀──33%──  途上国
```

注：数字は世界の人口移動の総数に占める比率。
出所：IOM (2013).

性などによって異なることを明らかにすることで，経済活動の空間分布や集積が経済の発展に重要な役割を示すことを明らかにしてきました（佐藤 2014 や中島 2012，佐藤ほか 2011 などを参照）。たとえば，ナカツ国のケースでは，国境付近の工業団地に人々が移り住むことで近隣都市の経済活動も活発化しました。こうした経済活動の活発化は道路整備などの公共財の提供，建設工の需要増などを生み出し，さらなる経済活動の活発化を生み出します（産業集積による外部経済）。

さて，海外への労働移動レポートを執筆中のマメさんは，非熟練労働者の隣国への移動に関する分析だけではなく，イギリスやアメリカといった先進諸国へと移動を行った人々の分析もしなければなりません。「❺ 国際労働移動がもたらす人材の流出」という問題です。一般的に，先進諸国へと移動をする人々は相対的により高度な技術や学歴を持った人々であることが知られています。

図 4-6 は，現在の人口移動のパターンを先進国と途上国に分けて推計したものです。これによれば，やはり途上国から先進国へと動く人々が最も多いことがわかります（40%）。しかし，次いで多いのは途上国間の移動です。これは，アスー国と隣のナカツ国の間の移動と同様の動きです。途上国間では，先進国・途上国間ほどの経済格差はありませんが，近くに自国よりもより豊かな経済で，文化・慣習の似た国があれば，そこへの出稼ぎなどの移動が多く観察されます。たとえば，ネパールからインドへの移動，カンボジアからタイへの移動，アフリカで言えば，ブルキナファソからコートジボワールへの移動（植民地期に仏領だった国同士），ウガンダやケニア，ジンバブエから南アフリカへの

2　何が問題なのか　●　83

移動（英領だった国同士）などが，それらの主だった事例です。

　先進国へと移動する最大の誘因は，なんと言ってもその経済格差にあります。高度な専門技能を持つ移動者の場合，とりわけ収入増加の絶対額は大きいでしょう。加えて先進国には，移民プログラムなどを活用して特定の職務用件（とりわけ介護，保健，あるいは情報技術分野など）を満たす技術者を積極的に受け入れようとする要因もあります。

　ただし，一方でこうした技能を持った人材の流出が多くなれば，専門技能の不足が著しい途上国では自国産業の育成が遅れる可能性もあるかもしれません。このように**頭脳流出**と呼ばれる現象のメリットとデメリットのどちらが大きいのか，現在さまざまな議論が行われています（詳しくは Gibson and McKenzie 2011 に挙げられた文献を参照）。たとえば，専門技能を持つ移住者の大多数は5年程度で半分ぐらいが帰国するので，そうした帰国者たちがもたらす技術移転のメリットを指摘する研究や，高い所得を稼得する海外移動者へのあこがれがより上級の学校へと進学しようとするインセンティブを高め，途上国内においても人的資本の蓄積が進むことを指摘する研究もあります。また，一国内で人口移動の議論をしていたときには大きな論点になることはなかったのですが，送金が複数国間で行われるとなると，たとえば為替レートの変動やそれぞれの国の景気動向なども，移動の意思決定に大きな影響を与えることになります。しかし，こうした研究は理論的な研究が多く，実際のデータを用いて理論の検証をしている論文は残念ながら少ないのが現状です。

3　問題の解決に向けて

　「ふぅ～，あらためて調べてみるとアスー国には問題が山積みだなぁ……」とため息をついているマメさん。しかし実はマメさんは，超がつくほどの前向き人間です。「まあ，こういった課題を解決していくために自分は経済開発省に入ったんだよな。逆になんかやる気が出てきたぞ！」と次の瞬間には前向きスイッチが入ったようです。

　さて，これまでの議論を簡潔にまとめておきましょう。❶～❹までの課題に

は，農村地域独自の問題（農業生産性の低さ，生計をたてることができる職業が少ないなど）と都市独自の問題（スラムの住環境の悪さ，雇用の不安定性など）があります。

　農村地域独自の問題については，農業の近代化と農村経済の多様化をキーワードに，第1章と第2章のまとめをもう一度復習してください。都市独自の問題については，農村から都市に出てきた人々の雇用の受け皿を整備し，農業から製造業，サービス業などへ産業構造の高度化を推進していく必要があるでしょう。このためには工場を建設するだけではなく，そこで働くことのできる熟練工や高度人材の育成も必要です。もちろんそのためには，教育や健康といった人的資本の蓄積が前提となるわけで，これについては第3章で見たとおりです。

　生産設備を増強することによって産業構造を高度化するには，多額のお金がかかります。残念ながら途上国のほとんどが，こうした資金を自国だけで十分に確保することは困難です。そこで考えられたのが，海外の企業を呼び寄せ自国で生産活動を行ってもらうことで，多数の働き口を創出し，それだけではなく海外の進んだ技術などを学ぶ機会も同時に得ようとする成長戦略でした。こうした工業化については次章以降で詳しく検討していきます。

　「とりあえず，近いうちに村に帰って，親父や母さんに相談してみるか……」と，つぶやいているのはライチさんです。生まれてくる子どもの将来はどうなるのでしょうか。

QUESTIONS

4-1 都市での賃金が高いにもかかわらず，途上国では，農村にずっととどまる人や，都市から農村への移動（帰還移動）も一定数観察されます。その理由はどのようなものが考えられますか？

4-2 あなたがマメさんの立場で，「近年増加する海外への労働移動」のレポートを書くとしたら，レポートの章立てはどのようになりますか？

4-3 ライチさんは，都市に住んで仕事を続けるべきでしょうか？　それとも農村に戻って暮らすべきでしょうか？　どのようなことが考えられるかを想像して，あなたなりの結論を導き出してください。

Column ❹　人が移動をする理由

「怖くて，以前住んでいた村には住み続けることはできなかった，だから残った家族と相談して，このキアンバー村に移り住んできました」。2013年の8月中旬，ケニアのリフトバレー州，キアンバー村で聞いた話です。ケニアでは07年に国政選挙が行われましたが，その直後から翌年にかけて「選挙後暴力」と呼ばれる暴動が各地で生じました。この選挙後暴力については紙面の関係上詳しくは述べませんが，ケニアにいまだ根強く残る民族間対立がその原因となっています。その中でも，キアンバー村で起きた教会焼き討ち事件では，教会に逃げ隠れていた人々が焼き討ちに遭い，36名もの人々が命を落とす大惨事となり，「選挙後暴力」の悲惨さとキアンバー村の名前を全世界に知らしめることとなってしまいました。世界銀行が毎年出版する世界開発報告の2011年度版タイトルは『紛争，安全保障と開発』です。その報告によれば，全世界の難民や国内避難民の数は過去30年間で3倍に増加しているようです。

　冒頭の女性は，その悲惨な選挙後暴力があったキアンバー村に選挙後に移り住んできたのです。そんな危険な場所になぜ彼女は移り住んできたのでしょうか？　実は，彼女もまた，悲惨な選挙後暴力の犠牲者であったことがインタビューの中で明らかになりました。「彼女は押さえつけられ，目の前で夫が，ナタで首をはねられた，とのことです」と通訳が訳してくれた英語を聞いていた筆者（栗田）は，何か自分が英語を聞き間違えたのではないか，と思いましたし，そうあってほしいと願ったのですが，通訳の顔が沈痛な面持ちであるのを確認してから，「本当に申し訳ない，そんな辛い経験をうかがってしまってすみませんでした」と謝りました。謝ることぐらいしか頭に浮かびませんでした。でも，「なぜ，あなたはキアンバー村に来たのですか？　キアンバー村にも悲惨な選挙

後暴力があったのに」と聞かずにはいられませんでした。彼女はこう答えました。「あの村でなければよかった。キアンバー村は平和そうに見えたし，それでよかった」と。彼女とその子どもたちは，国際移住機関（IOM）と日本の支援によって，写真にある家を建てることができました。でも，現在3人いる子どもたちも各地で住み込みの仕事をしており，彼女自身も隣村で住み込みの家政婦の仕事をしています。キアンバー村には時々戻ってきて，家の前にある小さな野菜畑を耕すだけのようで，一家そろって，キアンバー村で暮らすのが難しいのは，その状況を聞けば明らかでした。どうにもやるせない思いを抱き，キアンバー村を後にしました。

キアンバー村のトウモロコシ畑

キアンバー村でインタビューを行った女性と筆者

CHAPTER

第 5 章

経済成長と工業化

グローバル化した世界

KEY WORDS

- □ 生産性
- □ 資本蓄積
- □ 生産関数
- □ キャッチアップ
- □ 雁行型発展
- □ 東アジアの奇跡
- □ アジア通貨危機
- □ 中進国の罠

1 Story

ボスのレクチャーととんでもない宿題

　今日は，経済開発省でボスのティーさんによる「グローバル化した世界における途上国経済の成長戦略と工業化」と題したレクチャーが行われる日です。無事に労働移動のレポートを提出して一安心のマメさんと，他に10名ばかりの若い官僚が参加しての講義となりました。

　ティーさんは最初に，第2次世界大戦が終結してまもない1950年代から現在に至る成長戦略の歴史的な流れを提示しました。植民地から脱却したばかりの途上国は，国内の生産活動が特定の一次産品や天然資源の輸出に偏っているモノカルチャー経済であり，そうした経済構造から脱却するために，それまで旧宗主国や先進諸国からの輸入に頼っていた工業品などを自国内で生産できるように工業化を図った，と話をしていました。マメさんは，「これは大学のときに習った輸入代替工業化戦略のことだな」とピンときました。

　次にティーさんは，1960年代に早くも生じた輸入代替工業化の行き詰まりとそこからいち早く脱却をした東アジア諸国の話に移りました。70年代の世界経済の変動後にラテンアメリカなど他地域の新興国が軒並み経済成長を鈍化させる中，アジアNIEs（四小龍と呼ばれた韓国，台湾，シンガポール，香港）のみが新興工業国として台頭しはじめます。それらの国々は，海外からの投資や企業を積極的に呼び込み，外資系企業が製造した製品を輸出することで工業化を図りました。これは輸出指向型工業化戦略と呼ばれ，80年代ぐらいからはタイやマレーシアといったASEAN諸国でも採用され，その後の東アジア高度成長を支える基本的なスタンスとなったと話しました（輸入代替工業化と輸出指向型工業化については第7章でもう少し詳しく議論します）。

　ティーさんの流れるような説明に聞き惚れていたマメさんですが，「東アジアが成功したのであれば，なぜアフリカはそれを見習って発展できなかったのだろう？」という素朴な問いがふと浮かんできました。また，確かに東アジア

地域はすばらしい発展を遂げたお手本のような地域だけど，東アジアが日本をお手本に発展できたのであれば，たとえば，アメリカという大国に近いラテンアメリカの途上国だって十分に発展できる素地があったはずだし，アフリカの国々だって，ヨーロッパ諸国からいろいろと学べたはずなのに，なぜ東アジアだけうまくいったのか，マメさんの疑問は深まっていきました。

最後にティーさんは，近年の東アジア諸国の発展戦略は，外資の利用や輸出志向型の発展戦略をベースに経済統合を進め，さらに域内での貿易・投資の相互依存関係をより高めることで，地域統合のネットワークを活かした発展戦略へと移行しつつあることを述べました。ここでもマメさんには疑問がわきました。「たとえば，アジアでそのネットワーク型発展の中心にいるタイのような国は1980年代から30年近く高い経済成長を遂げていると聞いたけど，まだ中進国の一員で，一部地域には貧困層も存在するらしい。教育水準なども上昇した割には企業の研究開発投資などの金額は極めて少ないとも何かのレポートで読んだぞ……とすると，ネットワークというと聞こえがいいけど自国の発展を海外の企業にまかせた成長戦略じゃないのか？　だから外資系企業にとってはどうでもいい貧しい人々もいまだに残っているんじゃないのか？　だいたい東アジアの成長戦略が正しかった，あるいは今も正しいとすれば，じゃあなぜタイはいつまでも中進国のままなんだ!?」

たまらず，マメさんは，ボスのティーさんに上記の質問をしてみました。ボスは少々驚いた顔をしましたが，すぐにニコリとほほえむと次のようにいいました。

「こういった会でそんな刺激的な質問をもらったのはいつ以来だろうねぇ。うむ，君の質問はもっともだと思うよ。私の見解をここで述べてもよいのだけれど，実は私は現在わが国の中期的な発展戦略を策定する委員会のメンバーでね。君の疑問に答えられるような，わが国工業化のための指針になるバックグラウンドペーパーがあると非常に助かるんだ。どうかな，ひとつ自分自身の勉強と思ってその報告書を書いてもらえないだろうか？」

マメさんは，しまったと思いましたが後の祭りです。周りの出席者はニヤニヤしています。当然ですがボスから出された指令をできないとは言えません。「しょうがない，必ずボスをうならせる出来の報告書を提出してやる」と頭を

切り換えました。
「わかりました。ご期待に添えるよう全力でがんばります！」
ティーさんは終始にこにこ顔でした。

2 何が問題なのか
▶ 課題の抽出と分析フレーム

先のマメさんの3つの質問から抽出できる論点をあらためて書き出してみると，以下のようになります。

POINT

❶ 東アジアの成功は，なぜ同様に貧しい地域であったはずのアフリカに波及していかなかったのか？
❷ 同じ1970年代の新興国でもアジアNIEsが中進国から抜け出して先進国入りすることに成功したのに，ラテンアメリカなどでうまくいかなかったのは，なぜか？
❸ これまでの東アジアの成長戦略が正しかったとすれば，高度成長を続けてきたタイやマレーシアといったASEANの中核諸国はなぜいつまでも中進国から脱出できないのか？
❹ アスー国がお手本とすべき工業化戦略とは一体どのようなものか？

マメさんの問いかけは，実はかなりやっかいなものです。たとえば❶の問いは，突き詰めると経済成長がなぜ生じるのか，あるいはなぜそうした成長の経路が国によって違うのかといった大きな問いかけそのものだからです。そこでこの章では，まずこれまで経済学で議論されてきた経済成長という現象について理解を深めていきたいと思います。そしてその後に工業化の成功例として取り上げられる東アジア諸国の工業化の歴史をひもとくことで，まずは上記4つの問いかけに答えるための足場作りを固めていきましょう。続く第**6〜8**章では，マメさんのレポート作成に不可欠な要素，すなわち，技術移転，開発金融，開発援助のそれぞれの視点から議論を深めていきます。果たしてマメさんは，アスー国に有効な工業化戦略を打ち出すことができるのでしょうか？

CHART 図5-1 成長とその要因

2015年 100 t → 成長 → 2016年 110 t

投入量増加
生産性改善

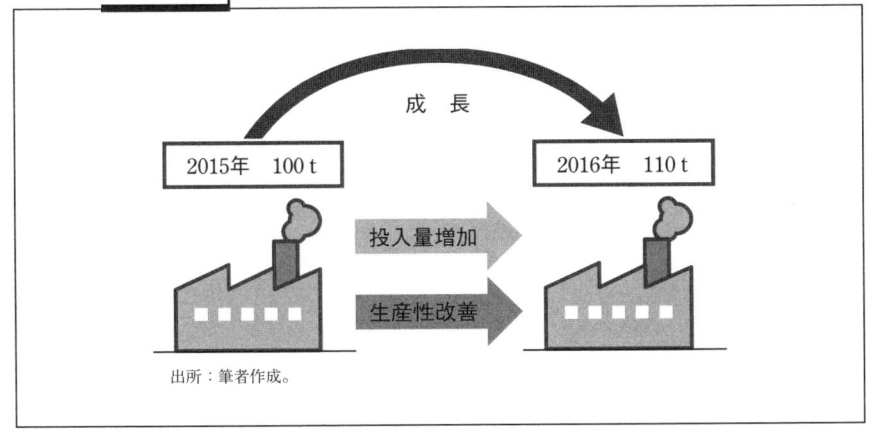

出所：筆者作成。

成長とは何か？：生産要素投入量の増加と生産性の改善

まずは基本的なところから議論を始めてみましょう。たとえば2015年に100 t の衣類を生産していた工場があります。この工場が16年に110 t の衣類を生産することができたならば，生産量が10％増加した，ないしは10％の成長を遂げたと呼びます（図5-1参照）。

では，この工場はどうして100 t から110 t へと生産量を増加，成長させることができたのでしょうか？　考えられる説明はいくつかあるかと思いますが，ここでは，大きく２つの側面に注目したいと思います。それは投入量増加と**生産性**の改善です。

投入量増加の例から始めましょう。たとえば，この工場は2016年には雇っている労働者を数名増やしたから生産量が増えたのかもしれませんし，それに伴い，ミシンも増加させたから生産量が増えたのかもしれません。このように労働者やミシン（物的資本）といった生産要素を増加，蓄積させることで生産量を増加させることができます。また，同じ労働者でも，その熟練度合いや教育水準（人的資本）が高ければ，それらが低い労働者に比べて，同じ１人の労働者でも生産量には違いが出るでしょう。もちろん，古い足踏みミシンと，最新型のコンピューターを搭載したミシンとでも，生産できる衣類の量は異なります。このように同じミシンや労働者でも，その質の違いも考えなければなりません。

| CHART | 図 5-2　生産性の比較

A 工場：100 枚／日　　　　B 工場：120 枚／日

ミシン 10 台　　　　　　　　ミシン 10 台
労働者 10 人　　　　　　　　労働者 10 人

出所：筆者作成。

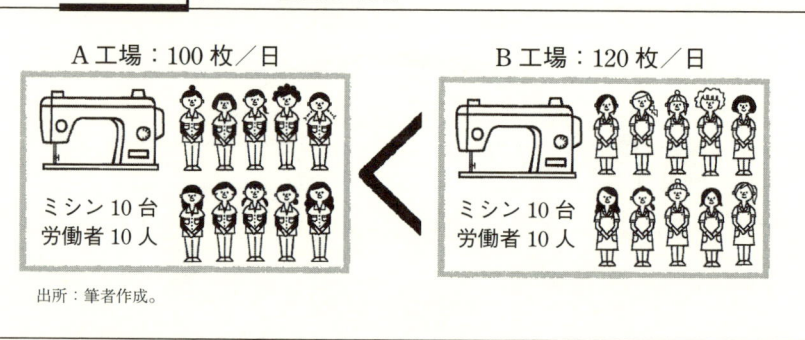

　次に生産性の改善について図 5-2 を見ながら考えてみましょう。A 工場も B 工場も同じ品質の 10 台のミシンを使い，10 人の労働者が働いていますが，1 日に生産できる衣類の枚数は B 工場の方が多くなっています。B 工場の方が，生産要素（労働，ミシンなど）から生産物（衣類）を生み出す変換効率が高いので，このことを，B 工場の方が A 工場よりも生産性が高いと表現します。

　では，なぜ B 工場の生産性が高いのでしょうか？　実は B 工場は，先進諸国のアドバイザーに依頼して，工場内部のミシンの配置を効率的なものに変更しました。この変更によって以前よりもより多くの衣類を生産することができるようになったと考えられます。このように新しい情報や技術がもたらされ，それが生産に応用されると，変換効率が改善することになります。このように，科学技術の進歩や情報の普及が進めば，生産性が改善され，成長が生じるというわけです。

経済成長のメカニズム

　図 5-1，図 5-2 は工場を例にしましたが，一国経済についても同じように，国全体の生産量と生産要素を考えることができ，生産量が伸びていることを「経済成長」と呼びます。経済成長の要因は，工場の場合と同様に，生産要素投入量の増大と，同じ投入量でより多くが生産できるようになるという生産性の向上です。一国レベルの生産量を測るのが GDP です。GDP を計算する際には，工場の例で使った生産量そのものではなく，生産に用いられた中間投入財費用（衣類工場ならば布の費用など）を差し引いた額（付加価値と呼びます）を，企業や農家など生産者すべてについて足し上げていきます。なぜそのようにす

| CHART | 図 5-3　付加価値の積み上げの事例

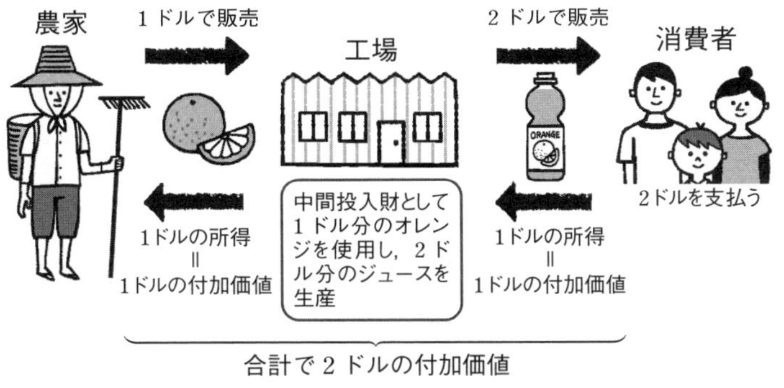

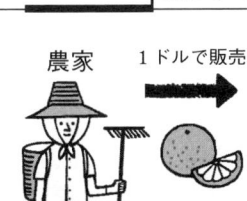

農家　1ドルで販売　→　工場　2ドルで販売　→　消費者
　　　←　1ドルの所得＝1ドルの付加価値　　中間投入財として1ドル分のオレンジを使用し，2ドル分のジュースを生産　←　1ドルの所得＝1ドルの付加価値　　2ドルを支払う

合計で 2 ドルの付加価値

注：単純化のために，農家がオレンジを作る際には中間投入財を用いていないと仮定。
出所：筆者作成。

るかと言えば，付加価値をダブって勘定してしまうのを防ぐためです。具体的には図 5-3 のようなオレンジを作っている農家とオレンジジュースを生産しているジュース工場の例を考えてみればわかりやすいでしょう。

　さて，物的資本の投入量という点で，途上国は先進国にかないません。先進国の労働者は機械，コンピューターといった物的資本を途上国の労働者よりも相対的に豊富に用いることができます。貧しい国が先進国に追いつこうと機械やコンピューターに投資しようとしても，そのための貯蓄や資金を自前で確保することは難しいでしょう。一方で，豊かな国は，すでにある機械やコンピューターを用いて，よりたくさんの財を生産することができるだけでなく，さらなる資本の蓄積も容易です。このために，**資本蓄積**が進んだ国（先進国）と資本蓄積が低い国（途上国）の格差はなかなか縮まりません。

　それでは，生産性の違いについてはどうでしょうか？　こちらも先進諸国に軍配が上がりそうです。国のレベルで生産性に関する各国間の差異を議論する際に重要なのは，先に述べた情報や技術の違いに加えて，個人や家計，企業をとりまく制度の問題です。たとえば，1970 年代以前の中国では，集団的農業が行われ，それぞれの農家が生産した米のほとんどが政府に召し上げられ，その後に決まった量の米（食糧）が政府から配給される仕組みになっていました。この仕組みのもとでは，個々の農家がどれほどがんばって生産を増やしても，自分のもとへと配給される米の量は変わりません。そのために，たとえ新技術

や情報が目の前にあったとしても，それらを用いて生産量を増やそうというインセンティブは生じないでしょう。このように，個人や家計，企業をとりまく環境や制度がもたらす影響も考えなければなりません。こうした環境や制度が個々の経済主体の生産インセンティブを高め，生産がより効率的に行われるような経済社会とそうではない経済社会では，たとえ同じだけの資本と技術を用いても，生産される付加価値には大きな差が生まれるでしょう。一般的に，先進諸国の方がこうした経済制度環境が整っていると考えられますから，たとえ同じだけのお金や資本や技術を用いても生産環境や制度の整った先進諸国の方がより多くの生産が可能ということになります。

このように，生産性を改善する要因は，図5-2のところで説明した技術の部分と生産活動に関わるさまざまな環境・制度の存在との2つに大別することができます。また，生産要素の投入量（資本の蓄積）の点を考えると，生産活動というのは以下のような**生産関数**という関数で表現することができます。

生産量 = f{<u>資本蓄積</u>(労働者，機械などの資本)，<u>生産性</u>(技術，環境・制度)} (5-1)

このように，資本蓄積（労働者，機械など），生産性（技術，環境・制度）という2つの側面から経済成長を考えることで，マメさんの❶の問いに少しは答えることができるかもしれません。つまり，アフリカ諸国は，相対的に東アジア諸国よりも資本蓄積が進まず，技術や情報の普及にも遅れが生じ，それらをうまく活かすための経済制度が効率的に働いていないからなのかもしれません。

それでは，ここまで説明してきたことを，実際の数値データを使って考えてみましょう。そのためには，実際の生産量や資本蓄積のデータも必要ですが，(5-1)式の生産関数を実際に計算可能な形に変更する必要があります。こうした具体的な関数形として，経済学ではさまざまな「形」が使われていますが，ここでは最も代表的な関数形であるコブ・ダグラス型の関数形を考えてみましょう。このコブ・ダグラス型の関数は，資本蓄積や生産性の各要素がすべて掛け合わさった形をしており，資本蓄積の各要素（物的資本と人的資本）にはべき乗の形で何らかの数値が付加されています（足し合わせると1になるのが特徴です）。(5-1)式をコブ・ダグラス型で表した例は，次の(5-2)式のようになります。

CHART 表 5-1　国別に見た生産性の格差

国	労働者1人当たりの生産量, y	労働者1人当たりの物的資本, k	労働者1人当たりの人的資本, h	生産要素の合計, $k^{1/3}h^{2/3}$	生産性, A
アメリカ	1.00	1.00	1.00	1.00	1.00
ノルウェー	1.12	1.32	0.98	1.08	1.04
日　本	0.73	1.16	0.98	1.04	0.70
韓　国	0.62	0.92	0.98	0.96	0.64
メキシコ	0.35	0.33	0.84	0.61	0.56
ブラジル	0.20	0.19	0.78	0.48	0.42
インド	0.10	0.089	0.66	0.34	0.31
ケニア	0.032	0.022	0.73	0.23	0.14
マラウイ	0.018	0.029	0.57	0.21	0.087

注：この表に挙げられた数字はすべて，アメリカの値を1に基準化したもの。
出所：Weil (2012).

$$y = A \cdot k^{1/3} \cdot h^{2/3} \quad (5-2)$$

　ここで，y は労働者1人当たりで見た生産量です。このように1人当たりの単位に直すことによって，人口が違う国同士でも比較が容易になります。k は労働者1人当たりの物的資本を表し資本蓄積の機械の部分になります。h は労働者1人当たりの人的資本を表します。また A が技術や環境・制度の影響をまとめた生産性の部分です。これを以下のような式に変形します。

$$A = \frac{y}{k^{1/3} \cdot h^{2/3}} \quad (5-3)$$

　表5-1 を見てください。ここで，第1列の y が労働者1人当たりの生産量，第2列の k は労働者1人当たりの物的資本，第3列の h は労働者1人当たりの人的資本になり，そして第4列が機械（第2列の k）と労働者（第3列の h）の部分をまとめたものになります。すなわちこの第4列が資本蓄積全体を表しています。

　表5-1 と (5-3) 式を対応させると，(5-3) 式の分母が表5-1 の第4列，分子が第1列になりますから，各国の生産性を計算することができます。それを計算したのが，第5列になるわけです。ただし，各国間の比較を容易にするために，表5-1 ではアメリカの水準をそれぞれ1として，そこからの生産性乖離

がどの程度あるのかを見ています。

　さて，この表からも，生産要素や生産性には各国間で大きなばらつきがあることがわかります。たとえば，もし日本とマラウイが労働者1人当たりで同じだけの物的資本と人的資本を保有しているならば，日本はマラウイの8倍ほど（0.087〔マラウイの生産性〕× 8倍 = 0.696 となり日本の生産性0.7とほぼ同値となる）の生産が可能になることがわかります。

　マメさんは，大学で受けた経済成長論の授業ノートを引っ張り出し，あらためてアス一国の生産性を計算してみました。すると0.15という数値がはじき出されました。これはケニアとほぼ同じ数値で，アジアの新興国家には遠く及ばない数字でした。「アメリカは同じ資本の量でわが国の7倍近くも生産できるということか……」と少々落胆はしましたが，そこは根の明るいマメさんです。では先進諸国に追いつくために，まずアス一国がすべきこととは何なのか，それを考えようと頭を切り換えます。まさにこの問題は，ボスから与えられた報告書の問いかけそのものです。

　以上の経済成長論の議論を踏まえて，先進諸国に追いつくために，まずアス一国がすべきことは何でしょうか？　この問題について考える上で示唆に富むのが，東アジアの成功の軌跡です。

東アジア発展の歴史：辺境の地から奇跡の地へ

　今でこそ21世紀はアジアの世紀などと呼ばれることの多くなったアジア地域ですが，意外なことにアジア地域全体として世界の注目を浴びるようになったのは，1980年代初頭ぐらいからです。50年代から始まった日本の高度経済成長は世界の注目を集めましたが，それはあくまで日本という国に注目が集まっただけで，アジアはまだまだ辺境の地でした。しかし，79年に出版されたOECDのレポート『新興工業国の挑戦』で，成長著しい新興諸国（NIEs）として東アジアの4カ国・地域（韓国，台湾，シンガポール，香港）と南欧やラテンアメリカの国々が取り上げられた中で，唯一，東アジアの4カ国・地域だけが80年代以降も高度成長を遂げることができました。なぜ辺境の東アジア地域だけが成長を遂げることができたのか，その頃から，アジア地域への注目度が高まってきたと考えられています。その後，ASEAN中核諸国（タイ，マ

CHART 表 5-2　国別に見た 1 人当たり GDP の変化（米ドル名目値）

国・地域名	1960 年	1970 年	1980 年	1990 年	2000 年	2010 年	1960～80 年の変化	1990～2010 年の変化	1960～2010 年の変化
中　　国	88.7	111.8	193.0	314.4	949.2	4433.3	2.2 倍	14.1 倍	50.0 倍
香　　港	429.4	960.0	5700.4	13485.5	25756.7	32550.0	13.3 倍	2.4 倍	75.8 倍
インドネシア	−	84.7	536.2	640.6	789.8	2946.7	−	4.6 倍	−
イ ン ド	83.8	114.4	271.2	375.9	457.3	1417.1	3.2 倍	3.8 倍	16.9 倍
日　　本	479.0	2003.6	9307.8	25123.6	37291.7	43117.8	19.4 倍	1.7 倍	90.0 倍
カンボジア	111.4	102.3	77.8*	251.4*	299.0	782.6	0.7 倍	3.1 倍	7.0 倍
韓　　国	155.6	291.9	1778.5	6642.5	11947.6	22151.2	11.4 倍	3.3 倍	142.4 倍
マレーシア	299.1	392.0	1802.6	2417.4	4004.5	8754.2	6.0 倍	3.6 倍	29.3 倍
パキスタン	81.4	169.4	296.2	360.2	514.2	1023.2	3.6 倍	2.8 倍	12.6 倍
フィリピン	254.4	186.8	684.6	715.3	1043.5	2135.9	2.7 倍	3.0 倍	8.4 倍
シンガポール	427.9	925.3	5003.9	12766.2	23793.0	46569.7	11.7 倍	3.6 倍	108.8 倍
タ　　イ	100.9	192.2	683.0	1508.3	1968.5	4802.7	6.8 倍	3.2 倍	47.6 倍
ベトナム	−	−	−	98.0	433.3	1333.6	−	13.6 倍	−

注：＊カンボジアのデータは 1975～92 年まで収集できないため，80 年の値に 74 年の値，90 年の値に 93 年の値を入力。
出所：World Development Indicators 2014．

レーシア，インドネシアなど）も 80 年代の後半以降から軒並み高い経済成長率を達成し，90 年代に入ると中国やベトナムなどの台頭が目立ってきました。

表 5-2 は，アジア諸国のここおよそ 50 年の 1 人当たり GDP の推移を示したものです。途上国の 1 人当たり GDP が，徐々に先進国の水準に近づいていくことを**キャッチアップ**と呼びます。この表は，アジアでのキャッチアップがまず日本で生じ，続いて香港や韓国に波及し，さらには ASEAN などに広がっていったことも示しています。

この 50 年間の伸び率を見たときに 1 位が韓国，2 位はシンガポール，3 位が日本となりますが，これらの伸び率を時代区分ごとに見てみると興味深いことがわかります。たとえば 1960～80 年の伸び率を見たときには，1 人当たり GDP の伸びが最も高かったのは日本で，2 位が香港，3 位がシンガポールです。一方 90～2010 年の伸び率を見てみると，60 年代・70 年代に高い成長率を誇った国々ではなく，中国が 1 位，2 位がベトナム，3 位がインドネシアとなります。このように，アジア地域の発展は，まず日本が 60 年代に飛躍的な高度経済成長を遂げ，それを追うようにアジア NIEs（韓国，台湾，シンガポール，香港）が 70 年代から，次に ASEAN 中核諸国が 80 年代から，さらにその後は中

| CHART | 図 5-4　先進国へのキャッチアップと雁行型発展（テレビの進化・分業の例）

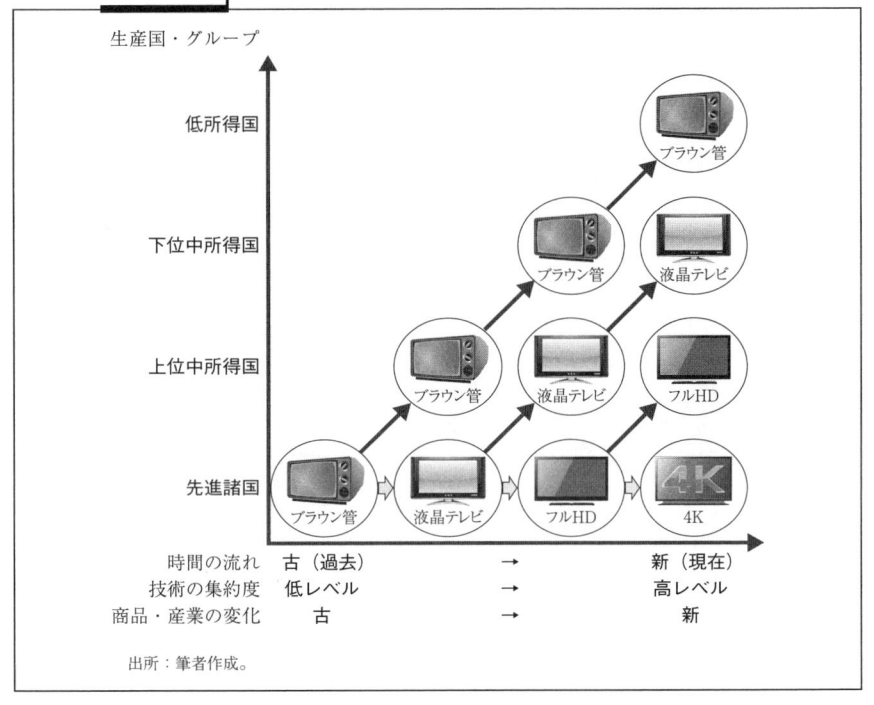

```
生産国・グループ
　↑
低所得国　　　　　　　　　　　　　　　　　　ブラウン管
下位中所得国　　　　　　　　　　　ブラウン管　液晶テレビ
上位中所得国　　　　　　ブラウン管　液晶テレビ　フルHD
先進諸国　　ブラウン管　液晶テレビ　フルHD　4K　　→

時間の流れ　　　古（過去）　　→　　新（現在）
技術の集約度　　低レベル　　　→　　高レベル
商品・産業の変化　古　　　　　→　　新
```

出所：筆者作成。

国，インド，ベトナムといった国々が経済成長を遂げていきます。表に載せた国では，インドとパキスタンが南アジアの国で，それ以外はすべて東アジアの国です。この発展の構図は，前にいく先発の先進諸国や中進国を，後から発展した後発国が追いかけていくような形に見えるため，**雁行型発展**（鳥の雁が先頭の鳥に連なって群れをなして飛んでいく様に似ているから）などと呼ばれています（図 5-4）。

図 5-4 のように，先進諸国では研究開発や技術革新によって新たな商品や産業が生まれますが，その結果，先進諸国ですでにあった商品・産業の中には，やや時代遅れになったものが出てきます。時代遅れになった商品・産業が，より労働力が安価で技術水準の低い後発の国に移転することによって，生産拠点が後発の国々に次々と移り，後発国に技術の伝播と改善がもたらされます。これこそ経済成長論のところで議論した，生産要素蓄積と技術移転が同時に起きている好例です。

東アジアの奇跡と危機

しかし，マメさんの疑問にもあったように，アジア NIEs だけがうまくいき，ラテンアメリカがうまくいかなかったことはどう説明すればよいのでしょうか？　日本のような先行するお手本になる先進国が存在し，キャッチアップがしやすかったからだという要因，あるいは先進国からの援助（詳しくは第 8 章参照）や直接投資（詳しくは第 6 章参照）によって，開発に必要な費用や技術が途上国にもたらされたという要因は，ラテンアメリカやアフリカにおいてもあてはまります。にもかかわらず東アジアだけが中長期的な高度成長を遂げました。多くの東アジア諸国が石油ショックの影響から脱却し，軒並み高い経済成長率を誇った 1980 年代は，多くのラテンアメリカ諸国にとって試練の時期でした。また，サブサハラ・アフリカ諸国は成長どころか，後退していたと言われるほどに 1970 年代後半以降の二十数年間の経済状況は惨憺たるものでした。なぜ東アジア地域だけが発展を遂げることができたのでしょう？

この問いに世界銀行が答えようとした報告書として，刊行時に注目を集めたのが『**東アジアの奇跡**』（World Bank 1993）です。東アジア地域で生じた 1960 年代から 90 年代にかけてのめざましい経済発展は，単に経済成長率が高いだけではなく，国内の不平等度が拡大せず，大幅な貧困緩和が生じ，教育水準や農業の生産性も改善，さらには貯蓄率・投資率の劇的な上昇も伴っていました。まさにいいことずくめの「奇跡」といえるでしょう。世界銀行の『東アジアの奇跡』および東アジア型経済発展を「キャッチアップ型工業化」と呼んだ末廣（2000）の研究成果をまとめると，東アジア地域だけがうまくいったことの答えは以下の 3 点にまとめることができます。

① 政府による市場介入の成功と合理的な経済政策の採用
② 開発独裁体制と呼ばれる政治体制の存続
③ 質のよい人材の確保とそれを育成する教育制度の存在

まず第 1 の点ですが，世界銀行が強調したのは，東アジアの各国政府が安定したマクロ経済の運営を行うことができたこと，時々の政策的介入が工業化を

促進するために役に立ったことです。実際に，当時の東アジア諸国におけるマクロ経済のパフォーマンス（財政赤字の大きさやインフレの程度など）は，他の途上国や中進国に比べるとよいものでした。また，各国の政策介入が輸出振興に結びつくなど，経済成長を促進する効果を持つことなどが議論されました。その頃の世界銀行は，政府が下手な政策介入をすると経済活動にゆがみを生じさせ，結果として経済的損失をもたらすので経済活動への政策介入は極力避けるべきとする立場であったため，その世界銀行が限定的とはいえ政府の政策介入の効果を認めたという意味からも，『東アジアの奇跡』報告書は注目されました。

　2点目は，政治体制の要因です。東アジアの多くの国々で独裁とも呼べるような政治制度が取られることで，思想・信条の自由などは著しく制限されてしまいました。しかし一方で，貧しい国から脱却して経済成長を遂げ，豊かな国をめざすという経済成長主義とも呼べる方向へと国民の意識を向けさせることが，容易であったことが考えられます。

　最後の点ですが，政府のすばらしいマクロ経済運営も政策介入も，決定するのは経済官僚，つまり「ヒト」です。この奇跡と呼ばれた高度成長を支えることのできる質のよい人材を育てることに東アジア各国は成功したと言われており，また質のよい人材を生み出す教育システムや昇進制度などが整っていたことが指摘されています。

　このように，当時の東アジア諸国は，政府や官僚の能力が比較的高かったために後発国であるという恩恵を最大限活かして経済成長を実現させることができ，また政治体制もそれを補完的に支えていたと考えられます。翻って，アフリカやラテンアメリカでは，継続的に政策運営を行うことのできる長期政権が成立しなかったり，質のよい人材を育成するための制度設計に苦しんだり，あるいは貧富の格差が激しく社会不安が増大したりと，社会，政治，経済の状況が東アジアとはかなり異なっていました。これらは，前述した経済成長論の言葉を借りれば，生産性（環境・制度）の違いによって説明される部分だと考えることもできます。

　さて，とはいえ『東アジアの奇跡』が世に出てから数年後の1997年に，東アジア地域は未曾有の危機，いわゆる**アジア通貨危機**に見舞われます。80年

代以降から世界的規模で進んだ金融自由化の動きは，東アジア諸国に大量の資金流入を引き起こします。こうして流入してきた資金の多くが，残念なことに製造業などの生産現場に向かわず，不動産や土地の売買に使われ，過熱した投機行為を生み出します。その頃の東アジア諸国の銀行は，こうして舞い込んできたお金の貸出先をきちんと選別する能力に欠けていたと指摘されており，ほどなくバブル経済がはじけ，97 年から 98 年にかけて，東アジア諸国の多くがマイナス成長を記録し，大量の銀行が倒産するという事態に陥りました。なお，アジア通貨危機に至る背景については，第 7 章で詳しく説明します。

　危機の影響は甚大だったものの，もともとのマクロ経済パフォーマンスはよかったことや，実物経済の成長も着実に存在したことから，東アジア諸国は危機からの V 字回復を果たします。そして今では，その多くの国々が中進国の仲間入りを果たしています。

　しかし，現在の東アジア諸国の多くが，新たな課題に直面しています。中進国になるまでは順調に速いペースで経済成長を遂げてきましたが，中進国となると成長のスピードが減速し，なかなか先進国と呼べる水準まで所得水準が伸びないのです。これが**中進国の罠**という問題です。1994 年，後にノーベル経済学賞を受賞することになるポール・クルーグマンが，東アジアの高度成長は労働や資本といった物的な資本が増えただけで，長期的な経済成長を支える技術や生産性の改善に乏しいため，早晩成長が鈍化するという論文を世に送り出し，注目を浴びました（Krugman 1994）。現在の東アジアが直面している中進国の罠を克服するためには，まさにクルーグマンが指摘したように，技術進歩やイノベーションといった生産性の改善が今後ますます重要になってくるでしょう。

3　問題の解決に向けて

「ああ，勢い余ってあんな質問しちゃったけど，経済成長って考えれば考えるほど，わかるようでわからない世界だなぁ……」

　経済成長論では，投入の増加（資本蓄積）と生産性改善という 2 つの要素に

よって経済成長が左右されると考えられています。これらが相対的に少ない，あるいは整備されていない途上国は，この状況をなんとか打破していかなければなりません。では，マメさんが託された仕事，アスー国工業化戦略のためのバックグラウンドペーパー，どうまとめればよいでしょう？

まずマメさんが考えたのは，技術水準の向上，改善でした。先進国で用いられている技術をアスー国でも採用し，一気に工業化や人材育成をはかろうという考えです。翌日，廊下ですれ違ったボスのティーさんに意気揚々とこのアイデアを話すと，ボスは少々あきれた顔で答えました。

「マメ君，確かに君の言うように技術の改善や向上はわが国にとって必要だ。ただ，今われわれに最も必要な技術というのは，アメリカや日本のような先進国で使われている最先端の技術ではなく，われわれ自身がより簡単に模倣できるレベルのものなんだよ。われわれにはそれすら自前で開発するのは困難だろうから，やはり先進国の助けを借りる必要はあるだろうね。まずはそこから始めないといけないんだ。物事，段階を踏むということを忘れてはいけないよ」

と，少々お小言のような話を聞くことになってしまいました。確かにティーさんの言うように，アスー国の技術者や労働者は，仮に最先端の技術が導入されたとしても，それを使いこなすことは難しいでしょう。アスー国のような途上国に必要なことは，先進国で創出された知識，技術をできる範囲で導入し，自国の成長に結びつけていくことなのかもしれません。では，どうやって技術や知識を導入すればよいのか，この点については，次章で詳しく議論します。

次にマメさんは，資本蓄積について考えてみました。先進国に比べて，相対的に資本蓄積が進んでいないアスー国にとって，重要な政策といえば，資本の蓄積をより早められるような政策です。しかし，このためには機械やコンピューターといった物的資本を購入するための資金調達や，人的資本を高めるための教育制度の改革のための資金をどのように融通するのかを考えなければなりません。アスー国はまだまだ発展途上の国ですから，すべてにおいて一気に先進国の水準まで資本蓄積を行うことは不可能です。また頭を抱えたマメさんですが，ここでふとボスの言葉を思い出しました。

「そうか！　段階を踏むことが大事だったよ。ボスの言ったことはこういうことだったのか！」

そこで，マメさんは，資金の融通を一から考え直すために，大学の頃に受けた開発金融論と開発援助論の授業ノートを引っ張り出します。こちらの続きは，第 7 章と第 8 章になります。

QUESTIONS

5-1　もし日本とアス一国が労働者 1 人当たりで同じだけの物的資本と人的資本を保有していると仮定した場合，日本はアス一国の何倍の生産が可能と考えられますか？　日本の生産性については表 5-1 を，アス一国の生産性については本文を参照してください。

5-2　「東アジアの奇跡」が生じた理由を，(5-1) 式の右辺にある要素それぞれに基づいて説明してください。

Column ❺　スポーツ・ナショナリズムと経済発展

　東アジアの経済発展において，オリンピックは重要な節目になってきました。日本の 1964 年東京五輪，韓国の 88 年ソウル五輪，そして中国の 2008 年北京五輪は，それぞれの国が経済的に離陸した重要な節目に重なっています。そして 3 つの大会とも，開催国はそれまでにない数のメダルをとり，国民は経済成長のみならず，スポーツの世界でも国際的に通用するという自信を深めました。

　筆者（黒崎）の友人には南アジア出身者やムスリムが多いので，2012 年ロンドン五輪はそのような観点からとても気になりました。この大会はイスラーム教の断食月ラマダーン月と重なっていました。厳密な太陰暦に基づいて，ラマダーン月は決まりますので，毎年，開始と終了の日付は 11 日ほど早くなっていきます。日程を変更するよう多くのイスラーム諸国からの陳情があったにもかかわらず，7〜8 月に実施するという世界のスポーツビジネスの要請が通って，日程変更は実現しませんでした。

　それでもムスリムを含む先進国以外のアスリートはこの大会でさまざまな活躍を見せました。陸上競技におけるアフリカ勢や，バドミントンや卓球など一部の球技での東南アジア勢の五輪での上位進出はおなじみです。他方，筆者の研究地域である南アジア各国は五輪で苦戦を強いられています。フィールド・ホッケーでインド，パキスタンが金メダル争いの中心だったのは遠い昔。2012 年ロンドン五輪の男子ホッケーは，インドもパキスタンも予選リーグで敗退しました。インドやパキスタンで最も人気のあるスポーツがクリケットで，五輪競技でないことも両国には不利な話です。ただし南アジア諸国で今回唯一メダルを取れたインドは，レスリング男子で銀 1，銅 1，ボクシング女子で銅 1，射撃男子で銀 1，銅 1，バドミントン女子で銅 1 のメダル総数 6 と，これまでで最多の結果になりました。経済急成長で自信を深めるインド国内では，スポーツ振興にさらに力を入れて，五輪での存在感を強めるべきだとの議論に追い風が吹いています。

　長期経済成長と国際スポーツ大会での成果には緩い正の相関がありますが，経済成長と保健・教育分野での成果に見られる正の相関よりもさらに緩やかな関係にとどまります。そこに一筋縄ではいかないトップレベルのスポーツの難しさがあるのでしょう。

パキスタンをワールドカップ・クリケット優勝に導いたイムラーン・ハーンは国の英雄で，クリケットのバットを党のシンボルにした政党を率いた国会議員になっている（2013 年パキスタン総選挙の宣伝ポスター）

CHAPTER 第 6 章

技術移転

学びの道も一歩から

KEY WORDS

- □ 経済特区
- □ 外国直接投資（FDI）
- □ 研究開発（R&D）投資
- □ OJT
- □ 地場企業
- □ スピルオーバー効果
- □ 産業集積

1 Story

アスー国とナカツ国の違い

「ん～，これがないと一日が始まらないよねぇ」

　マメさんの日課は，オフィスに始業時間の30分前に到着し，コンデンスミルクをたっぷり入れた甘いコーヒーと一緒にその日の朝刊をゆったりと読むことです。しかし，今朝の記事を見たときには愕然としました。隣国ナカツ国の工業団地に日本の有名企業が進出し，大規模な工場を建設するという記事でした。折しも，マメさんは，ボスのティーさんに頼まれたアスー国経済発展戦略プランのバックグラウンドペーパーを執筆するために，まずは母国への技術移転をどのようにすすめるべきか，調査を始めたところでした。「ナカツ国は，これで技術立国日本の技術を吸収して，ますます経済成長を早めるのだろうなぁ……」とアスー国との違いにため息をつきます。

　しかし，そこは根の前向きなマメさんです。「よくよく考えたら僕は，技術，技術と言っても現場でどのように技術が使われ，新しい技術が伝達されているのか全然見たことがない。もっと言えば工場を見学したことすらないぞ。これじゃあよいレポートなんぞ書けるわけない。よし，まずは工場に視察に行ってみよう！」とすぐに頭を切り換えました。

　始業時間になってすぐにマメさんは，出張申請書類をボスのところへ持って行き，よりよい提言ができるように現場を視察したい旨を（熱く）告げました。ティーさんはにっこり笑って，

「それならわが国の工業団地（首都近郊）だけではなく，隣のナカツ国にある**経済特区**（アスー国との国境近くにあり，アスー国からも人々が働きに行っています）も同時に視察してきたらどうだね。その方がよい出張になるだろうから」

と許可してくれました。出張費の無駄使いと反対されるだろうと思っていたマメさんは少々面食らいましたが，隣国の経済特区まで視察ができるとあって，さらに身が引き締まりました。

翌週，まずは隣国にある経済特区へと出張し，精密機械の組み立て工場を見学しました。この工場は15年ほど前に日本の企業とナカツ国の企業が共同で出資して完成し，現在，1000人ほどが働いています。そこでマメさんは大きなショックを受けます。清潔に保たれた工場の環境，制服に身を包んだ労働者の機敏な働きぶり，それらすべてがマメさんがイメージしていたものとは異なりました。マメさんは，案内をしてくれた日本人の責任者にいろいろと質問を投げかけました。どうしてこんなに工場の内部が清潔に保たれているのか，どうして労働者たちはさぼらずにてきぱきと作業をこなしていけるのか，ここで作られた製品はどこで販売しているのか，等々です。

　マメさんが得た答えは，工場内部の衛生環境がよいのは，この工場で作っている製品がちりやほこりに対してデリケートだという点と，製品を輸出するアメリカやヨーロッパの製品基準が非常に厳しいため，それにパスする製品を作るには必然的に生産環境をよくしなければならないというものでした。労働者は，確かに現在は本当にみなよく働いているけれど，工場ができた当初は，日本では当たり前と思われている労働規範が受け入れられず，かなり苦労したとのことです。それが現在では，使用している大型機械のメンテナンスなども自分たちの力だけでできるようになり，工場の生産現場からたたき上げで昇級した幹部も数名いるそうです。日本人の責任者は，彼らの意見をしっかりと活かすことはとても重要だと話してくれました。「たまに現地の人と間違えられますよ」とにこにこ笑う彼が，実はもう15年間もナカツ国で暮らしているという事実に，アスー国にもこんな人が来てくれたら，と思わずにはいられないマメさんでした。

　マメさんは，ナカツ国から戻るとすぐに，アスー国首都近郊にある縫製工場に見学へ向かいました。親会社はナカツ国とアスー国の外資系合弁会社で，6年前に建設された工場です。200名程度の従業員が働いています。そこでまたマメさんは愕然とします。工場内部の温度は高く10分も内部の見学をしていたら汗でびっしょりになってしまいました。できあがった製品を見せてもらいましたが10枚に2〜3枚程度の割合で糸のほつれが気になります。工場の労働者たちも，室内の温度のせいもあるでしょうが，どうも作業に集中している様子が見られません。従業員もよく入れ替わるそうです。この工場の縫製品の販

売先は，基本的に国内向けとのことでした。

　つい先日にナカツ国の工場を見学に行ったマメさんは自国の現状に危機感を募らせます。マメさんは工場長に，このままではわが国の産業育成はままならないと持論を展開しますが，「そんなことはわれわれの責任じゃない。この工場はきちんと利益を出しているから問題ないんだ」と煙たがられてしまいました。

2 何が問題なのか
▶課題の抽出と分析フレーム

　この30年間で，東アジア諸国の**外国直接投資（FDI）**の量，貿易の総量は，それぞれ実に60〜70倍，15倍にもふくれあがりました（図6-1）。こうした投資・貿易の増加を通じて貧困の削減や経済成長の促進が加速度的に進展したと言われています。そしてこの投資・貿易の増加という現象は，先進諸国から途上国への技術移転にも一役買っていると考えられるようになりました。マメさんが視察したナカツ国の精密機械工場もアスー国の繊維工場も，ともに海外からの直接投資によってできた外資系企業です。

　こうした背景をもとに，本章では途上国の経済成長に必要な技術水準，生産性の上昇について考えてみたいと思います。マメさんの視察から見えてきた論点を整理してみましょう。

POINT

❶ 視察した工場の産業の違いがあるとはいえ，アスー国とナカツ国の技術水準や生産性には大きな格差がありそうだが，それはどのような違いから生じたのか？

❷ ナカツ国の工場での話から技術の習得には時間がかかりそうなことはわかったが，それを滞りなく行っていくために何が必要なのか？

❸ ナカツ国の工場のように内部人材が育っていくとどのようなメリットがあるのか？

　まず❷の論点について，技術の種類について分類をすることで，技術の習得

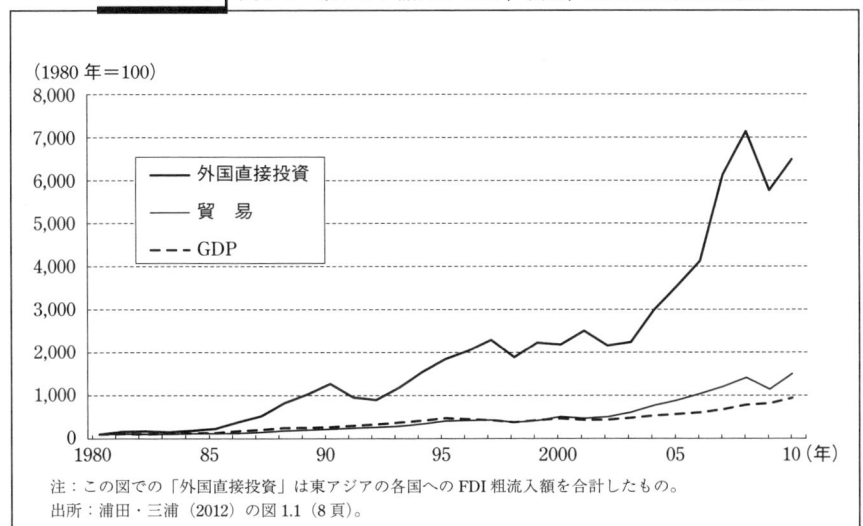

CHART 図6-1　東アジア諸国のGDP，貿易，外国直接投資の推移

(1980年＝100)

凡例：
―― 外国直接投資
―― 貿易
---- GDP

注：この図での「外国直接投資」は東アジアの各国へのFDI粗流入額を合計したもの。
出所：浦田・三浦（2012）の図1.1（8頁）。

にどれだけの時間や労力を要するのか，先行研究や事例を基に考えます。次に❶と❸の論点にとりかかりましょう。とりわけ❶はとても大きな論点です。この問題を考えるために，技術が先進国から途上国にどのように伝わって，学習されていくのかということについて，理論的に考えます。その中で❸の論点についても触れたいと思います。

技術の種類と習得時間

隣のナカツ国の1人当たり所得は，アスー国のおおよそ10倍程度とかなりの格差があります。ナカツ国は1960年代から日本，欧米のメーカーが進出するなど，古くから先進国企業との関わりがあり，最近では技能オリンピック等でも入賞する技術者が育っています。マメさんが視察した工場も創業してからは15年ですが，日系の親会社は80年代後半からナカツ国へと進出をしていて，ナカツ国の工場としては2カ所目のものだそうです。

一般に技術と一口に言っても，かなり広範な意味を含む概念ですから，ここで少し整理をしておきましょう。末廣（2000）の分類によれば，モノを生産する技術としては，製品技術，生産技術，製造技術の3つがあるとされています（図6-2）。

2　何が問題なのか　●　111

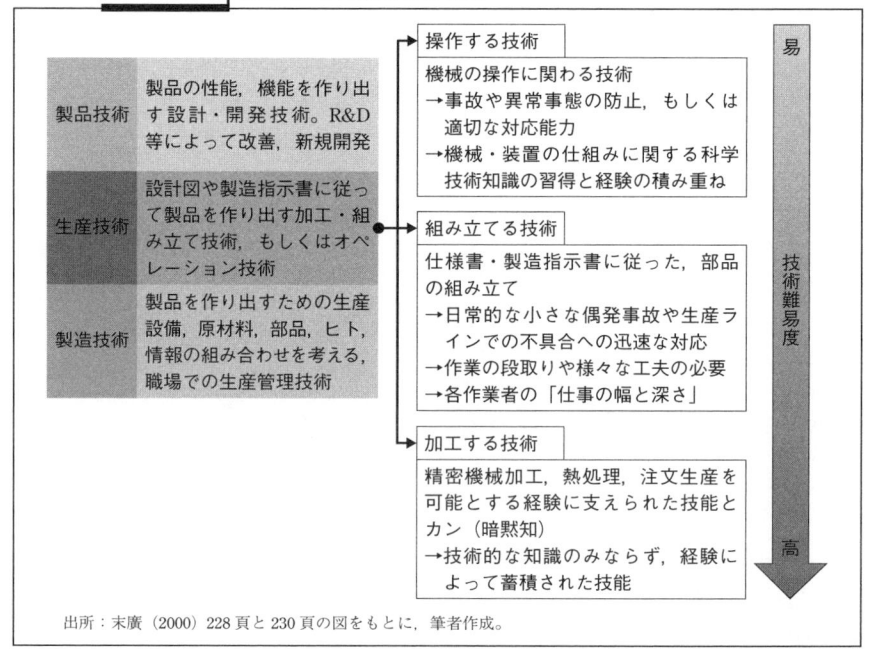

CHART 図 6-2　生産技術の 3 分類

製品技術	製品の性能，機能を作り出す設計・開発技術。R&D 等によって改善，新規開発
生産技術	設計図や製造指示書に従って製品を作り出す加工・組み立て技術，もしくはオペレーション技術
製造技術	製品を作り出すための生産設備，原材料，部品，ヒト，情報の組み合わせを考える，職場での生産管理技術

操作する技術
機械の操作に関わる技術
→事故や異常事態の防止，もしくは適切な対応能力
→機械・装置の仕組みに関する科学技術知識の習得と経験の積み重ね

組み立てる技術
仕様書・製造指示書に従った，部品の組み立て
→日常的な小さな偶発事故や生産ラインでの不具合への迅速な対応
→作業の段取りや様々な工夫の必要
→各作業者の「仕事の幅と深さ」

加工する技術
精密機械加工，熱処理，注文生産を可能とする経験に支えられた技能とカン（暗黙知）
→技術的な知識のみならず，経験によって蓄積された技能

技術難易度：易 → 高

出所：末廣（2000）228 頁と 230 頁の図をもとに，筆者作成。

　この中でも，狭義の「生産技術」を技能形成・習得という視点から見た場合には，操作する技術，組み立てる技術，そして加工する技術という 3 つの区分に分けることができます。操作する技術や組み立てる技術は，比較的習得が易しいのに対して，加工する技術を習得するには長い時間がかかるようです。実際に，技能五輪国際大会で近年上位入賞を果たすことができるようになり，こうした加工技術の改善が著しいタイを見ると，日系の製造業企業が 1960～70 年代という 50 年近く前から進出し，技術者育成を続けてきたことがわかります。たとえば，2013 年の技能オリンピックの CNC 旋盤部門（切削加工）で金メダルを取ったタイの技術者は，日系企業 DENSO Thailand 社の従業員でした。日本のデンソーがタイへと進出したのは 1970 年代のことで，タイの技術者が金メダルを初めて獲得するのが 2009 年の大会のことですから，加工技術を先進国レベルにまで改善していくためには大変長い年月がかかることが，この事例からもわかります。

　次に企業に関する概念上の整理もしておきましょう。経済学では，企業とは

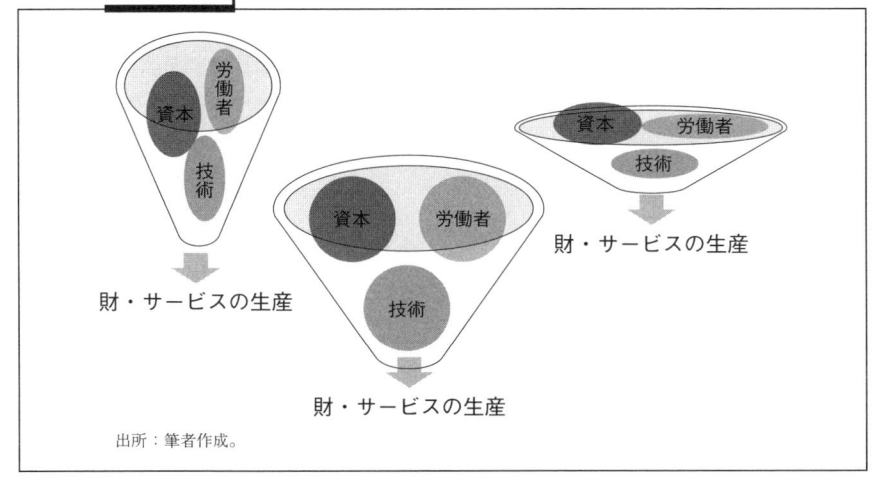

CHART 図 6-3　企業の生産活動

出所：筆者作成。

　有形，無形の経営資源を有し，その経営資源に応じた生産活動を行う経済主体と考えられています。図 6-3 を見てください。有形の経営資源が資本や労働者，無形の経営資源が技術に相当すると考えるとよいでしょう。それぞれの企業の形が異なるのは，資本，労働者，技術の組み合わせ（製造技術の違い）や生産環境（立地条件などの違い）を反映していると考えてください。

　図 6-2 に戻って考えた場合，生産技術の中でも製品技術は，企業自らが行う**研究開発（R&D）投資**などによって高めることができます。しかし途上国の企業が独自で R&D 投資を行うのは難しいため，先進国企業と共同で行うなどの工夫が必要です。また生産技術は，企業内部で行われるオンザジョブトレーニング（**OJT**）だけではなく，途上国の企業であれば，進んだ技術を持つ外資系企業の技術者を招くなどして技術を得ることができます。製造技術においても，生産管理，労務管理などを外資系企業のノウハウなどを吸収して，改善していくことができるでしょう。

　このように，外資系企業の力を借りれば，途上国の企業が技術を向上させる可能性はずいぶんと高まりそうです。その場合に，技術水準や生産性の低い途上国企業は，まず技術の習得が比較的易しい生産技術や製造技術の改善に着手する戦略が重要かもしれません。技術水準が向上し，経営資源，体力に余裕が出てきた段階で，自社における製品開発や R&D 投資などを積極的に行い，製品技術の向上にも取り組むべきでしょう。このように，途上国企業の技術水準，

2　何が問題なのか　●　113

生産性水準に合わせて,最も適切な技術向上を考えていく必要があります。
　次項では,外資系企業から途上国の**地場企業**へと技術がどのように移転していくのかを考えてみましょう。

技術伝播とその学習

　先進国から途上国へ技術が移転,伝播していく様子を考えるときには,第5章でも学習した雁行型発展と呼ばれる議論がわかりやすい枠組みを提示してくれます。第5章の図5-4をもう一度復習してみましょう。先進国で時代遅れになった技術が途上国へと移転,伝播していくプロセスは歴史的にも,現在の世界を見渡しても見出せます。かつては日本の紡績業やテレビ産業も,欧米諸国から技術を学び,ひいては自国で新たな技術を生み出すまでに成長しました。生産技術や製造技術を海外からの技術移転によって向上させ,最終的には製品技術の向上までを自国,自社で行えるようになったお手本のような国が日本なのです。ただし,雁行型発展の図だけでは,技術の移転や伝播が実際にはどのように行われているのかはわかりませんし,どのようにすれば,最初は技術を模倣しているだけだった国が自ら新技術を生み出せるようになるのかについても議論が必要でしょう。

　そこで,まずは途上国の技術水準が,先進国からのサポートや共同作業によって改善,向上するときに考えられる状況を整理してみましょう。

① 先進国からの援助で職業訓練校や技能学校などが建設され,そこで途上国の労働者,学生等が技術を習得するケース（開発援助）
② 先進国の企業が途上国に工場を建設し,そこで現地労働者を雇い,実際の業務を通じて技能が伝播していくケース（FDIなどによる直接的効果）
③ 途上国企業が直接的にも間接的にも先進国企業と関わりを持つことで先進国の進んだ商慣習,技術などを途上国企業が学んでいくケース（生産の委託や直接投資が引き起こすスピルオーバー効果〔後述〕など）
④ 先進諸国の技術が導入され,それらを習得した後に,さらにそれらを自国の状況に応じて改良し,よりよい技術や組織を自ら作り上げていくケース（途上国型のイノベーション）

上記の①～④のうち，①と②は先進諸国の政府や企業が主体となって行われるケースです。③は途上国企業が自ら先進諸国の企業や国際市場に進出するケースです。最後の④は，①～③のような改善が生じた後に起こる企業全体のイノベーションについて議論したものです。

　また，誰の技術が主に改善しているのかにも着目してみましょう。①と②は工場などで働く労働者の変化，③は労働者の変化ももちろんありえますが，主には，企業家や経営者の意識や能力の変化が大きいと考えられます。そしてこれらの変化は，それが融合して生じる企業そのものの変化（たとえば企業風土や慣習など）として観察されるでしょう。

　いずれのケースでも企業の生産性は改善され，より競争力のある企業へと成長していきますが，一口に技術の改善や伝播と言っても，さまざまな経路や主体の違いがあることがわかります。このため，研究のアプローチにも多様な広がりがあります。ここでは主に実証分析について紹介しますが，たとえば，先ほどの例にも出たデンソーなど個別の企業の取り組みに着目し，途上国でどのような人材育成が有効なのかを研究するアプローチがあります。これらは主に商学部・経営学部などで，途上国企業経営や技術伝播などに興味がある研究者，ないしは当該地域を専門的に研究する地域研究者らによって研究が進められています。また，何百，何千といった大規模な企業データを使って，途上国で技術のスピルオーバーが本当に生じているのかを定量的に分析するアプローチもあります。これらは主に国際経済学や産業組織論といった経済学分野の研究者が携わることが多いようです。

　なお，①の開発援助に関しては，第 **8** 章で考えますので，本章の残りの部分では，②～④のケースについて，経済学的な考察をさらに深めましょう。より詳しくは戸堂（2008）などの専門書を参照してください。

直接投資と技術の伝播

　一般的に直接投資とは，投資先企業の経営を支配したり，企業経営へ参加するために行う行為です。直接投資の形態には，大きく分けて，グリーンフィールド投資と呼ばれる新規の事業投資（新たに工場を建設したり，事業所を開設するなど）と，既存の投資先国企業を買収したり，提携したりすることによって経

営権を得る M&A（企業合併・買収）と呼ばれる2種類があります。途上国でも両方のタイプが見られますが，近年では，M&A によるものが増加しています。これは，途上国の企業を買収したり，共同で事業を行う方が，その国の実情にあった経営や生産ができることによります。また，途上国への直接投資では，親会社がすでに生産している製品と同じものを投資先の途上国で生産する場合（水平的直接投資）と，違う製品を投資先の途上国で生産したり，親会社が担当していない製造プロセスを投資先の途上国が担当する場合（垂直的直接投資）に分ける分類も，時折採用されます（詳しくは Markusen 2002 参照）。水平的直接投資はたいてい，投資された途上国の国内市場やその周辺国向けに生産する拠点として行われます。垂直的直接投資はたいてい，投資先の途上国での生産環境がその製品や製造プロセスに向いている場合に行われます。

　いずれにしても，海外の企業が途上国に工場を建てて操業すれば，雇用も創出され，かつ先進国企業の持つ技術も移転されるでしょう。ナカツ国で15年も操業を続けている精密機械工場は，このような形で地道に機械の使い方や5S（整理，整頓，清掃，清潔，しつけの頭文字をとってこう呼びます）といった生産・業務管理技術の伝達，職場環境の改善に努めてきました。

　しかしながら，近年の研究では，こうした直接投資によって，労働者は生産工程や業務管理に関する知識を得ても，先進諸国が有する高度な技術そのものを学習できるわけではないことが指摘されています。前項でも述べたように，途上国の労働者がこうした高度な技術（主に製品技術）を学習し，改善していくためには，彼らが独自で研究開発を行うなどの自助努力が必要となります。

　一方，直接投資の恩恵は，上に説明したような直接的な技術移転だけではありません。海外から進出してきた企業が，途上国の地場企業から部品や材料などを仕入れれば，それら地場企業の生産量が増加し，国内産業や消費者が間接的な恩恵を受けることも考えられます（金銭的外部性）。また，親企業が要求する水準の高い部品の供給を行うために，自社の技術を改善したり，親企業から技術指導員などを呼び研修を受けるなどして自社の生産性を改善する努力をするでしょう（技術的外部性）。こうした効果を総称して**スピルオーバー効果**と呼びます（図6-4）。近年の経済学分野の研究では，このスピルオーバー効果に関する研究が盛んに行われています。

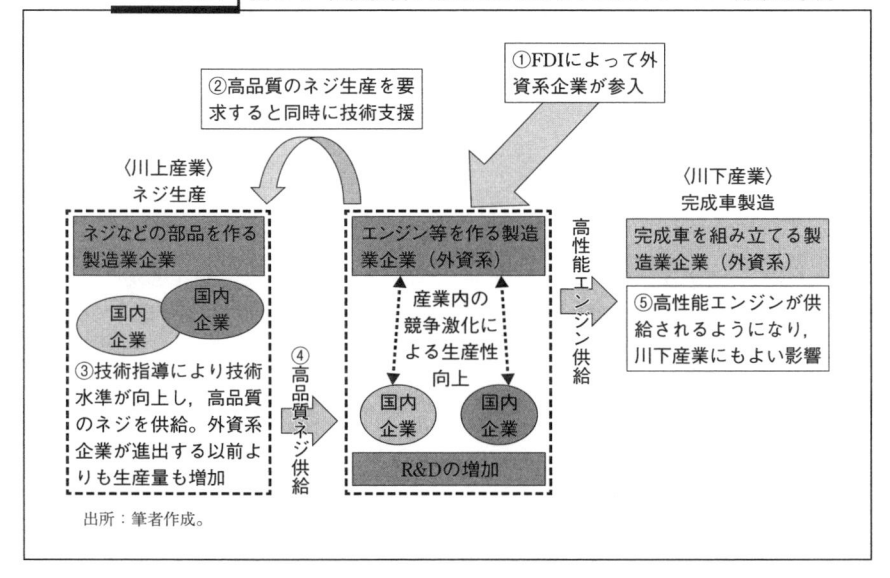

CHART 図6-4 直接投資が途上国にもたらすスピルオーバー効果の事例

```
                    ②高品質のネジ生産を要    ①FDIによって外
                    求すると同時に技術支援    資系企業が参入

   〈川上産業〉                                              〈川下産業〉
   ネジ生産                                                 完成車製造

  ┌─────────────┐        ┌─────────────┐      ┌─────────────┐
  │ ネジなどの部品を作る │        │ エンジン等を作る製造 │      │ 完成車を組み立てる製 │
  │ 製造業企業       │        │ 業企業（外資系）   │      │ 造業企業（外資系）  │
  │  ⬭  ⬭         │        │   産業内の       │  高性能 │ ⑤高性能エンジンが供 │
  │ 国内 国内       │        │   競争激化に      │ エンジン │ 給されるようになり， │
  │ 企業 企業       │        │   よる生産性     │  供給  │ 川下産業にもよい影響 │
  │              │        │     向上       │      │              │
  │ ③技術指導により技術 │ ④高品質 │  ⬭    ⬭     │      │              │
  │ 水準が向上し，高品質 │ ネジ供給 │ 国内   国内    │      │              │
  │ のネジを供給。外資系 │        │ 企業   企業    │      │              │
  │ 企業が進出する以前よ │        │              │      │              │
  │ りも生産量も増加   │        │ R&Dの増加     │      │              │
  └─────────────┘        └─────────────┘      └─────────────┘

   出所：筆者作成。
```

　図6-4からわかるように，企業や産業の特性によって，そのスピルオーバー効果が同一産業内で起こるのか，あるいは他産業へと波及するのかも異なります。たとえば，Storyに出てきたナカツ国の精密機械工場のような場合では，外資系企業は製品を生産するために必要な原材料や中間財を他産業に属する地場企業から購入することがありますが，この際に地場企業は外資系企業が求める高い品質の要求水準に答えなければなりません。このため外資系企業が技術指導員を地場企業に派遣して研修を行うなどの技術普及が行われており，これは他産業にスピルオーバーが生じている事例と考えられます（図6-4の①から②へのプロセス）。また，同一産業内においても，技術水準の高い外資系企業が進出してくることによって，地場企業も外資系企業との競争に負けないようにと自社の技術水準を高めるため研究開発投資などを行い生産性の改善をはかるということが考えられます（図6-4の中央にあるエンジン製造産業内で生じている）。こうしたことが観察されれば産業内でのスピルオーバーが生じている可能性を指摘できるわけです。

　しかし最近の研究では，直接投資を呼び込めば，必ず上記のようなすばらしい効果が得られるわけではないこともわかってきました。先にも述べたように，直接投資の効果を最大限享受するためには，途上国の地場企業や労働者の自助

努力や，技術レベルにあった直接投資のあり方が望まれるでしょう。これらを見極めて政策を考えていく必要があります。たとえば，隣のナカツ国は，これまで安価な労働者を大量に確保できるという強みにより，海外からの企業誘致に成功し，東アジア諸国のような高度経済成長を遂げてきましたが，中進国の仲間入りをしてから，その成長スピードに陰りが見えてきました。こうした国にとって重要な政策とは，途上国の地場企業が，自ら自国に適応した新しい技術を開発するための奨励策や，最先端の技術を学習し模倣，改良できるような高度人材育成をはかることにあるのかもしれません。

競争や刺激による技術向上

途上国の地場企業が自らの技術水準や生産性を向上させるための方策について，進んだ技術を持つ外資系企業の助けを得ることを中心に議論してきました。それ以外に注目されているのが，先進的な環境，厳しい環境に，途上国企業が自ら進んで立地をしたり，参入したりすることで生産性を改善するという主体的な戦略です。

たとえば，それまで輸出を行っていなかった途上国企業が輸出を始めると，国際的な競争環境はおおむね国内の市場環境に比べれば厳しいですから，そこで自社製品の質がより高度な水準で問われることになります。こうした課題への対応策として途上国企業が積極的に技術や情報を取り入れ，学習を行うことで，結果として企業の技術水準が改善されるかもしれません。**Story** ではナカツ国の精密機械工場は輸出市場向け，アスー国の縫製品工場は国内市場向けだったことを思い出してください。あるいは，外資系のハイテク産業が集積しているような地域に進出をすることで，先進的な技術の情報などがより入手しやすくなったり，優秀な人材を確保しやすくなったりするでしょう。

最近の実証研究によると，こうした戦略によって生産性の改善が見られるかどうかについては国や産業別に大きな違いがあるようです。たとえば，途上国の開発戦略の中には，こうした競争的な環境における技術向上の効果を狙い，ハイテク産業などの外資系企業を1カ所に呼び込み，産業内スピルオーバー効果を生じさせようと試みる成長戦略があります。クラスター戦略や**産業集積**政策と呼ばれるような政策です。こうした産業集積戦略は，外資系企業を誘致す

ることにはおおむね成功していますが、期待されたスピルオーバー効果が生じているかどうかはよくわかっていません。

輸出開始による学習効果を狙った戦略についてはプラスの効果があるとする研究が多く見られます。ただし、この場合に注意すべきは輸出ができそうな企業だけが輸出に打って出ることが多いと考えられるため、結果としてそもそも技術水準や学習能力の高い企業のパフォーマンスだけを観察することになっているのかもしれないという点です。すると、輸出の学習効果というのは結局のところ、もともと優秀な企業だけに見られる話だということになってしまいます。このような現象を経済学では自己選択バイアス（セルフ・セレクションバイアス）と呼びます。自己選択バイアスをきちんと考慮した研究成果を見ると、比較的所得レベルの低い途上国では、輸出による学習効果が見られるようです。

途上国企業のR&D投資

さて、アスー国の隣のナカツ国は、現在、成長が鈍化し、いわゆる中進国の罠にはまっている状況にあるようです。この罠にはさまざまな要因があると思いますが、その1つが、自国の産業、企業の力で新しい技術や製品を生み出していくだけの技術の向上が達成できていないことです。たとえばナカツ国の状況によく似ていると考えられるASEAN中核諸国の研究開発費をGDPに対する比率で見てみましょう（図6-5）。図には、ASEANの中進国だけでなく、ラオス、カンボジアなどの低所得国のデータも入れてあります。

タイやインドネシアのようなASEANの代表国でもR&D投資額はGDP比の1％にも満たない数値です。フィリピンやベトナムに至っては0.2％未満という現状です。日本などの先進国がGDPの2〜4％をR&D投資に回しているという状況を考えると、中進国の仲間入りを果たしたASEAN中核諸国はもっとR&D投資を増やす必要がありそうです。さもないと今後の生産性の伸び、ひいては経済成長率が鈍化すると予想できます。

ちなみに、マレーシアは1980年代末に、2000年までに対GDP比でR&D支出を1.6％にするという目標を設定しましたが、この比率は11年になっても達成されていません。同様にタイも1990年代初頭に、96年までに0.5％とする目標を掲げましたが、やはり2009年になっても達成されていない状況です。

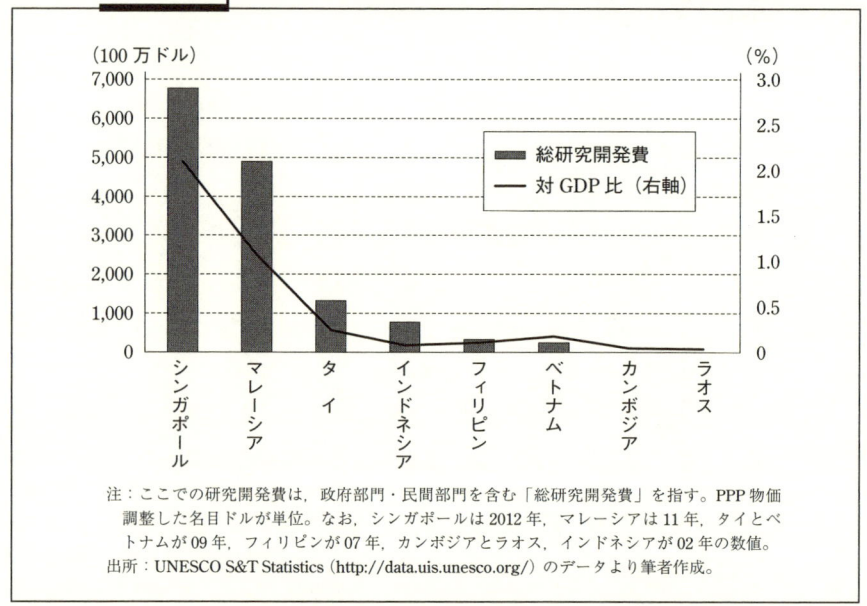

CHART 図 6-5　ASEAN 諸国における研究開発費とその対 GDP 比

（100万ドル）　　　　　　　　　　　　　　　　　　　　　　（%）

■ 総研究開発費
― 対 GDP 比（右軸）

シンガポール／マレーシア／タイ／インドネシア／フィリピン／ベトナム／カンボジア／ラオス

注：ここでの研究開発費は、政府部門・民間部門を含む「総研究開発費」を指す。PPP 物価調整した名目ドルが単位。なお、シンガポールは 2012 年、マレーシアは 11 年、タイとベトナムが 09 年、フィリピンが 07 年、カンボジアとラオス、インドネシアが 02 年の数値。
出所：UNESCO S&T Statistics（http://data.uis.unesco.org/）のデータより筆者作成。

　こうした国々に共通した特徴は、R&D 投資の多くが外資系企業、ないしは政府部門によって行われており、地場の民間企業による R&D が少ないことです。また、国の技術開発力を推し量る指標になる特許出願数も、東南アジア諸国は海外からの出願が多くを占めており、国内からの出願は極めて低い状況です。

　それでは、なぜ日本や韓国、シンガポールといった国々は、R&D 投資比率を引き上げて、先進諸国の仲間入りを果たすことができたのでしょうか？　これらの国に共通していたのは、人的資本レベルの高い人材が多数存在したこと、また先進的な企業を育成するための制度的な政策支援が行われてきたことです。むろん、現在のようなグローバル化された世界と日本や韓国が急成長した 1960 年代・70 年代をそのまま単純に比較するには無理がありますが、高度人材の育成や政策の重要性は時代を超えても変わりません。

3　問題の解決に向けて

　本章では，途上国が技術水準を引き上げ，生産性を向上させるための方策を技術の習得という点から考えてみました。技術の習得には時間がかかりますが，適切に技術を習得することで，国内で技術開発が可能になる水準にまで達した途上国・中進国が少なからず存在することも事実です。このような技術や生産性の向上はさまざまな経路で実現しますが，地場企業による自助努力だけではなく，外資系企業のサポートや政府の適切な政策運営も必要であることがポイントです。これらの視点を取り込めば，マメさんのバックグラウンドペーパー執筆も進展しそうですね。

　そのマメさんは，工場視察から帰ってからずっと，技術向上とそれを通じた経済発展に必要なことは何なのか考えていました。現在ナカツ国が陥っている中進国の罠をもたらした原因の一端を垣間見たことで，あらためて技術移転や技術向上の困難さを痛感するとともに，また議論が振り出しに戻ってしまったような気分になりました。

　しかし，「まてよ，確かにナカツ国やASEAN中核諸国は中進国の罠に陥ってその先が見えないけれど，幸いわが国のように，まだまだ発展の第一段階にいるような国にとっては，今から適切な政策運営と外資系企業とのうまいパートナーシップを結ぶことができれば，中進国の罠に陥らず，かつての日本のような発展を描くこともできるのではないだろうか？」と，前向きなスタンスに戻ったマメさん。「まず必要なことは，新しい技術をスムーズに導入できるような企業や人材の育成と，そのような企業，人材が活躍できるような環境を整える政策なんじゃないかな。でもわが国には産業育成をサポートするような資金的余裕がないよなぁ……」

　と思っていたところに，マメさんのオフィスの電話が鳴りました。なんと田舎で電気屋さんをしているお父さんからです。どうやらお店の資金繰りが大変なようです。「なんでこんな忙しいときに，込み入った電話をしてくるんだよ……」と泣きたい気分のマメさん。でもお父さんのお店の資金繰りって，産業

育成にも関係するのでは？　続きは次章で……。

QUESTIONS

6-1　アスー国の縫製工場はまだまだ生産性が低いようですが，仮に外国直接投資によってアスー国に外資系の縫製工場が輸出向けに稼働するようになると，どのようなメリット，デメリットが生じると思いますか？　それぞれ整理してください。

6-2　中進国の罠に陥っているナカツ国にとって，必要となる政策対応はどのようなものになると考えられますか？　あなたが政府高官だと想定して，具体的な政策を考えてください。

Column ❻ 海外での飲みニケーションから伝わること

　筆者（栗田）の学部ゼミでは，3年生の夏休みを使って，途上国の農村でフィールド調査を行います。これまでベトナム，カンボジア，ケニア，マダガスカルといった国々の農村に出向いてきました。その他にもインドネシアやタイでは学生意識調査や日系企業対象のアンケート調査なども実施しました。

　調査はもちろん大事なのですが，もう1つ欠かせない行事が，現地で働かれている日本人の方とお会いすることです。そのスタイルも飲み会やスポーツ交流が基本なので，学生たちも緊張せずに人生の先達とじっくり話ができるようです。

　2014年10月1日時点において，海外に3カ月以上滞在している日本人（永住者も含む）は129万人を超えており，一口に海外在住といっても本当に多種多様な日本人がさまざまな国や地域で生活をしています。これまでJICAなどの援助機関の方，現地でNGOを作られた方，総合商社や大手メーカー勤務の駐在員の方，現地で教員やビジネスをされている方など，何十人もの「すごい」日本人にお会いしてきました。こうした人々が世界のあらゆる場所で「日本」を今も世界に発信し伝えているのだ，と素敵な出会いがある度にいつも感動し，勇気をもらっています。

　学生たちも，さまざまな経験や価値観を持った人と出会って話をすることで，自分が生き，見てきた世界がとても狭く，偏ったものであることに気がつきます。それと同時に不思議なほどの希望や生きる勇気のようなものをもらって帰ります。

　みなさんも，海外を訪れた際には観光を楽しんだり，現地の人々の生活を垣間見たりするのもよいのですが，もしチャンスがあれば海外で生活されている日本人の方のお話も聞いてみてください。きっと何か伝わるものがあると思います。

調査の合間に現地の方々，青年海外協力隊員の方々と野球で交流

大学の海外同窓会支部を頼ってみるのも一案ですね

CHAPTER

第 **7** 章

開発金融

おらが村とグローバル金融システムのつながり

KEY WORDS

- ☐ 直接金融
- ☐ 間接金融
- ☐ 輸入代替工業化
- ☐ 金融抑圧
- ☐ 構造調整政策
- ☐ 輸出指向型工業化
- ☐ アジア通貨危機
- ☐ 金融のグローバル化

1 Story

マメさんとお父さんの昔の口論

　久しぶりに父親の声を電話で聞いた後，オフィスのマメさんは，まだ自分が大学生だった頃に，実家で起きたケンカのことをぼーっと思い浮かべていました．マメさんの実家は電気店を営んでいましたが，実際には町の便利屋さんのような存在で，お父さんは自転車や農機具などの日用品の修理もしていましたし，お母さんは中古で仕入れたミシンで衣類を作り，町のマーケットなどにも卸していました．町の郊外に住んでいたこともあり，小さな田んぼで米も育て，マメさんやきょうだいたちがひもじい思いをしないように，一生懸命働いていた姿をマメさんもよく覚えています．

　さて，ケンカは，マメさんが学生時代，久しぶりに実家に帰省したときに起きました．そのときに習っていた開発経済学の授業で技術移転（第**6**章）や開発金融の話を聞き，マメさんは得意げにこんなことをお父さんに話したのです．

　「これからは新しい技術や機械を導入してアスー国の産業もどんどん発展すべきなんだよ．父さんたちも，銀行からお金を借りて設備投資に回し，事業拡大をするべきだ．時代に乗り遅れないようにね」．この話にお父さんはぼそりと「何も知らずにいい気なもんだ」と，少々腹を立てた様子．そこでマメさんは，やめればいいのに，「父さんみたいな人間には最新の学問的議論なんてわからないからね」と火に油を注ぎます．次の瞬間，お父さんの皿がマメさんめがけて飛んできました．そこから先は……

　2人とも地元名産のおいしいヤシ酒を飲んで少々酔っ払っていたのがいけなかったのかもしれませんが，マメさんは，あのケンカ以来，実家に帰っておらず，お父さんとの間にはちょっとしたしこりが残っています．マメさんは，あのときのケンカを思い出して，ふと思いました．「あのとき，父さんは僕が何を知らないと思ったんだろう？　僕が育った町には，アスー国最大手の銀行の支店もあったし，家にあったミシンとか道具が時代遅れなのは父さんも知って

いたはずなのに……」。それに先ほどの電話はまさにその資金繰りの話。お父さんにじゃけんに対応したことを反省し，「後でまた電話」とメモして，机に向かったのでした。

ナカツ国からの経済ニュース

ふと，今日の朝刊に目を落とすと，またもやショックな隣のナカツ国の記事が目に入りました。「日本の四菱銀行がナカツ国大手の商業銀行を買収。現地日系企業への融資大幅拡大」という見出しに，マメさんはまたもやため息です。「先日の工場視察でもそうだったけど，ナカツ国には工場も来れば，お金も来る。それに引き換え，うちの国はどうなってんだよ……」とすっかり意気消沈です。

珍しく，午後の会議時間までテンションの低いマメさんでしたが，ボスのティーさんに肩をたたかれて我に返りました。会議後に今日の朝刊の話や，自分の父親に言われたことを苦々しくボスに愚痴りましたが，ボスからねぎらいの言葉の1つでもかけてもらえると思っていたマメさんには，意外な返事が返ってきました。

「君の父君の言っていることはおそらく正しいね。わかっていないのは君の方だよ。それに，外国の大手銀行が入ってくることが必ずしも途上国の利益になることばかりではないと思うよ。いいかい，お金がただあればいいというものではないんだ」

自分の気持ちをわかってもらえると思っていたマメさんには意外すぎる返答で，頭がクラクラしています。さらにボスは続けます。

「君は次期アスー国経済発展戦略プランのバックグラウンドペーパーを執筆中だったね。そのために，先月はナカツ国への工場視察にも行ってもらったわけだ。でも，今のような基本的な論点も理解できていないのは問題だ。いいかい，1990年代以降進んだ金融のグローバル化は，途上国の経済発展にとって極めて大きな影響をもたらすことになったんだ。その流れの中で，アスー国のような途上国にとってどのような金融制度が望ましいのか，そして今どんなことがこの国で起こっているのか，頭を冷やして考えてみたまえ」

ボスにがつんとお説教を喰らってしまったマメさんは，ますます意気消沈し

てしまうのではないかとみなさんも心配になるかと思います。しかし彼はなんとも都合のよい性格をしているものです。「そうか，これはボスなりの愛のムチに違いない。アスー国にとって望ましい金融制度を考えることで，父さんとのわだかまりが解消できて，あげくにバックグラウンドペーパーの執筆まで進むのであれば，問題ないじゃないか！」と開き直りにも近い形で鼻息荒く立ち直ってしまいました……。

2 何が問題なのか
▶ 課題の抽出と分析フレーム

今回の Story から抽出できる論点は，以下のようになるでしょう。

POINT

❶ マメさんのお父さんのような零細・中小企業が，銀行からお金を借りて設備投資を行うことがスムーズにできるようにするには，どのような仕組みが必要か？
❷ アスー国のような途上国にとって，自国に海外の銀行が進出してくる意義は何なのか？
❸ 金融のグローバル化がもたらした変化は，アスー国のような途上国にとってどのような意味や重要性を持っているのか？

工場や商店といったミクロの話から，世界で進む金融のグローバル化というマクロの視点まで，多くの論点がここには含まれていますが，共通するのはどのように資金をやりくりするかという金融の話です。金融については，すでに第 2 章で，農村居住者の生活向上のためのマイクロファイナンスを議論したときに詳しく扱いました。そこでの重要なキーワード，信用制約を復習しましょう。信用制約とは，その利子率で借りたいと思っている人に資金が十分にいきわたらないことを指し，マメさんの実家の電気店のような零細事業者などに特に深刻な問題です。零細事業者が，銀行からお金を借りることができない理由の 1 つとして，銀行にとってリスクが大きすぎる借り手とみなされ，利子率による調整が働かない可能性があると，第 2 章で説明しました。

本章では，同じ金融の話でも，産業発展のための金融と金融政策・制度に焦点を当てます。ボスの話にもあったように，1990年以降急速に進んだとされる金融のグローバル化は，先進国だけでなく，アセー国のような途上国にとっても，大変重要な変化を生じさせています。ただしその前に，金融が途上国にとって持つ基本的な意味を理解するところから議論を始め，その後で金融のグローバル化を取り上げます。

産業発展のための長期資金をどう調達するか

　第6章で見たように，途上国が持続的な経済成長を遂げていくためには，お金もさることながら，先進諸国からの技術移転を通じた人材の育成が欠かせません。ただしこの人材育成には，時間もお金もかかります。となると，こうした人材を育てていくためには，日々の運転資金をどうやってやりくりするのかといった短期的な視点だけではなく，長期的な視点にたって借り入れることが許されるような仕組みやお金（長期資金）が必要です。そこで，長期と短期に分けて資金のやりくりについて考えてみましょう。

　図7-1は長期資金の重要性とその調達経路を図示したものです。ただし，こうした長期資金の供給は，途上国では常に不足しがちになります。それは，単純に貸しつけることができるお金が不足しているというだけではなく，証券市場や銀行といった金融機関や市場が未発達だからという理由も大きいのです。

　そもそも金融という言葉は「お金を融通する」という意味ですから，金融制度とは，こうした資金が必要な人に，資金がある人から「お金を融通する」ことを可能にする金融機関やそれを支える市場・政策・規制などを総称したものになります。しかし，途上国のように金融制度が未発達なままだと，お金持ちは投資活動を行ってビジネスチャンスをつかめるのに，よいビジネスのアイデアがありながらお金のない人は投資を行うことができません。このような状況が続けば，経済活動は停滞し，途上国は低開発状態から脱出することが難しくなるでしょう。逆に，金融制度が整えば，資金に余裕のある人から資金を欲している人にスムーズにお金が流れます。このお金の移動により，資金に余裕のある人は資金を貸し付ける代わりに利子や配当といった形で収入を得ることができ，資金が不足していた人は利子や配当を支払う代わりに，その資金ニーズ

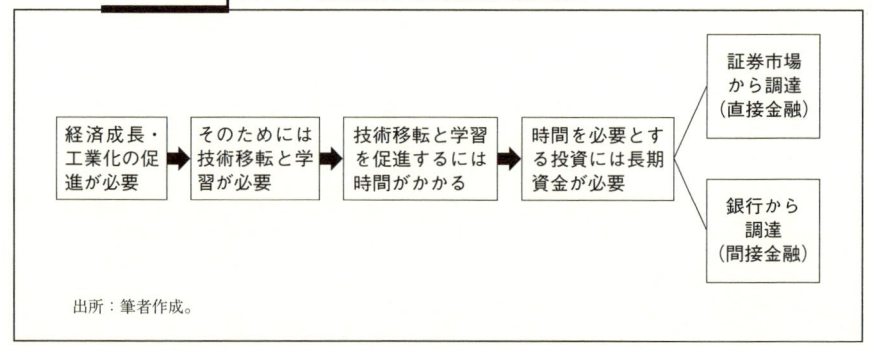

CHART 図7-1　長期資金の重要性と調達方法

経済成長・工業化の促進が必要 → そのためには技術移転と学習が必要 → 技術移転と学習を促進するには時間がかかる → 時間を必要とする投資には長期資金が必要 → 証券市場から調達（直接金融） / 銀行から調達（間接金融）

出所：筆者作成。

を満たすことができます。こうしたお金の循環がうまくいくことによって生産や投資活動も効率よく行われ，ひいては国の発展につながるわけです。このように，金融とは，それ自体が財を生産するわけではないのですが，生産活動とは切っても切れない関係にあり，途上国が経済発展を滞りなく行っていくために重要な意味を持っています。

次に，長期資金の調達方法を考えてみましょう。図7-1の右端を見てください。長期資金の調達は大きく2種類に分類されます。債権や株といった証券を発行して資金ニーズを満たす証券市場からの調達と，銀行から借りる調達方法です。前者は，資金を市場からダイレクトに調達するため，**直接金融**と呼ばれています。後者は，**間接金融**と呼ばれます。なぜなら，銀行が融資する資金は，もともと銀行にお金を預けた人のものであって，資金の供給者と資金の貸付先の間に銀行という組織が挟まれた形になっているためです。

ではどちらがアスー国のような途上国にとってよりよい方法なのか，ここで考えてみましょう。先ほど，金融は生産活動そのものを行うわけではないと述べましたが，実は金融機関や証券市場は，そのサービスを通じてあるものを生産します。その生産物は何かというと，「情報」です。この情報生産の方法が銀行と証券市場においては大きく異なります。

まず，銀行は貸付先企業と取引を1対1で行います。こうした取引を一定期間続けていけば，銀行には貸付先企業が一般には公開していないさまざまな情報が入ってきます。こうした情報の蓄積（情報生産）が進めば，経営基盤の弱い中小企業や新興企業に対しても，銀行が長期的視点に立って融資を行いやすくなります。また，仮に企業の経営が不振に陥っても，こうした情報生産が行

われていれば，適切で柔軟な対応策を策定しやすいかもしれません。このように銀行による金融取引が盛んになれば，個々の企業の成長が支えられて，一国の長期的な経済発展が促進されることになるでしょう。

では証券市場の場合はどうでしょうか？　証券市場では，多数の投資家と多数の投資先企業が存在し，一般に開示された情報をもとに取引が行われます。こうした取引では，投資家による投資判断は自己責任において行われ，証券の売買を通じて投資先に資金が提供されます。融資を希望する企業・事業の有望性を，証券市場に参入している多くの市場参加者が判断する場が証券市場です。市場参加者の中には専門知識を併せ持つ人も多いでしょうから，銀行の融資担当者1人が判断するよりも，よりよい投資判断を下せる可能性が生まれます。つまり証券市場を通じた資金調達では，衆知を集めた情報生産が可能となり，それに基づいて投資が判断されます。また，仮に事業の先行きに不透明感やリスクがあったとしても，複数の投資家が関わる上に，投資先を変更することも容易ですので，投資のリスクも分散・回避されます。単一の貸し手になる銀行貸し出しでは投資リスクの分散・回避が難しくなることがあります。

しかし，こうした証券市場の取引は，そこで開示されるさまざまな企業情報や取引情報は正確で嘘偽りがないという透明性が担保されており，また取り交わされる契約が正しく執行されるという信頼によって成立しています。アス一国のような途上国では，情報公開の程度も低く，契約の履行強制も不十分なため，証券市場の取引は限定的にならざるをえません。

したがって，発展途上にある国々では，まず銀行を通じた金融取引の拡大とその制度化が優先されると考えられます。そして経済が発展するにつれて，債券や株式の発行による証券市場調達が増加してくることも観察されています。

ただし，東アジアのような経済成長が著しい地域においても，先進国に比べれば，まだ証券市場の発達は不十分と言われており，その育成に向けた取り組みが，今なお活発に議論されています。なぜ，東アジアでこうした証券市場による資金調達の重要性が盛んに議論されているのでしょうか？　その発端は1997年に起きたアジア通貨危機までさかのぼります。次項と次々項では，途上国の金融制度の現状と歴史を振り返りながら，この問いかけに答えていきましょう。

途上国における人為的低金利政策の失敗

表7-1は，民間信用（民間銀行による家計や企業などへの貸し付けなど）の総額がGDP比でどの程度になるかを見たものです。この数値が大きくなれば金融制度が普及していると考えられます。経済発展の程度が高くなればなるほど，民間信用の対GDP比は大きくなっていることがわかります。世界でも最も貧しい地域であるサブサハラ・アフリカ地域の数値は平均値で約21％と最も低くなっています。表では省略しましたが，個別の国を見ると，コンゴやギニアといった国々では5％程度の数値しかありません。アジアで最も低い数値はラオス18％，パキスタンが21％程度ですが，この数値は，サブサハラ・アフリカの平均値程度です。これらの数字からもわかるように，金融制度の発達は一国の経済発展と深く結びついているのです。

経済発展の初期段階では，銀行制度や証券市場などは著しく未発達で，資金そのものも不足しているため，将来成長が見込めるような企業や産業に，十分なお金を供給することが難しくなります。これを打破するために，独立直後の途上国の多くが採用した政策が，**輸入代替工業化**戦略とそれを支える人為的低金利政策でした。すべての貸し付けを無条件に低金利にしてしまうと，融資需要が利用可能資金を上回ってしまいますから，特定の有望産業に優先的に資金の貸し出しを行うといった統制的な資源配分が伴いました。また，特定の産業のみに適用される優遇税制制度なども作られました。輸入代替工業化戦略に基づいて，こうした政策が行われた背景には，単に配分するお金が少ないというだけではなく，先進諸国の植民地時代を経て独立した途上国が，旧宗主国との関係を断ち切り，自国の力で経済を立て直していこうとする機運などもあったと考えられます。こうした時代背景の中で，これまで旧宗主国からの輸入に頼っていた財（とりわけ工業製品）を自分の国で代わって生産するようにすべきだという戦略が多くの途上国でとられるようになりました。そしてそこへの資金供給のために，こうした低金利政策が用いられたのです。

特定産業への優先的貸し出しに関しては，有望産業だけでなく，中小企業にターゲットを当てた政策もしばしばとられました。しかし，こうした中小企業向け融資の多くは，貧困政策的な意味合いもあって，ますます低利の優遇融資

表 7-1　銀行からの民間信用の対 GDP 比（2009〜11 年）

	対象国数	対 GDP 比 (%)
全世界	163	53.8
先進国	43	107.4
途上国	120	34.6
（途上国内訳）		
東アジアおよび太平洋諸国	16	51.2
ヨーロッパおよび中央アジア	16	40.4
ラテンアメリカおよびカリブ海諸国	28	39.8
中東および北アフリカ	12	36.3
南アジア	8	38.8
サブサハラ・アフリカ	40	20.9

出所：World Bank（2014）より筆者作成。

になることが多く，民間銀行には参入する誘因がほとんどありません。こうして政府が中小企業向けの開発銀行などを設立して行った融資は不透明に配分され，しばしば汚職の源となりました。実は，マメさんのお父さんは以前，こうした中小企業融資に申し込んだことがあります。ただ，そのときによくわからない理由で融資を断られた苦い経験があるのです。

　さて，輸入代替化戦略に基づく有望産業育成のための金融政策は，最初のうちこそ功を奏していましたが，じきに有望産業の成長が頭打ちになりました。その理由について，資金面の制約と，技術進歩の観点から考えてみましょう。

　まず，資金面の制約です。金利が人為的に低められると，民間銀行への預金が減り，結果として市場への資金供給が減ってしまうため，政府（政府が設立した政策金融機関を含む）が資金供給源にならざるをえません。通常，こうしたお金は，政府が用立てするか（通貨増発），外国からの借り入れによって賄われますが，通貨増発はインフレーションに，対外借り入れは対外債務累積の問題につながります。インフレーションは銀行預金の魅力を下げることを通じて，さらなる民間銀行の資金供給を減らすという悪循環を生み出します。インフレで貨幣の価値が減じてしまうと考えるのであれば，みなさんは銀行にお金を預けようとしないですよね。結局，こうしたお金は海外に逃げてしまったり（外貨でお金を保有），宝石や家畜の購入に使われるかもしれません。民間銀行の預金が増えないと，お金を借りて事業をしたい企業家の育成も遅れることになります。つまり人為的低金利政策は民間銀行の役割を限定的なものとし，金融制

度の発展を損ねてしまうのです。

　また，外国からの借り入れは，いつか返済しなければなりません。いたずらに対外借り入れを増やせば，累積債務問題が深刻化します。ラテンアメリカではこの問題が1980年代に深刻化し，82年にメキシコが借金を返せないという宣言（デフォルト）をする事態に至りました。

　次に，技術進歩の点から考えてみましょう。中長期的な経済発展のためには，第5章や第6章で見たように技術の進歩が必要となります。多くの途上国は，高度な技術がそれほど必要とされない繊維産業や軽工業品産業から輸入代替工業化をめざし，優遇措置を与えました。しかし，保護された企業や産業は，生産性を高める意欲が弱くなり，技術進歩が生じる余地は小さくなりました。他方，より先進的な重工業や機械産業に打って出たとしても，こうした財を生産するための原材料，部品などの中間財，工作機械などの資本財が途上国にはありませんので，これらを輸入しなければなりません。貧しい途上国は，これらを購入するための外貨が少ないこともあり，重工業化はさらにうまくいきませんでした。

　以上の結果として，有望とみなされて保護された産業の成長は鈍化し，経済活動も停滞しました。そして経済が停滞することで，企業は借りていたお金を返せなくなるので，こうした優遇政策を推し進めるために作られた政策金融機関にも不良債権がたまっていきました。また，人為的な低金利政策は，統制的な資金融通を伴いますので，金融制度が本来有する借り手と貸し手を仲介する機能や情報生産の機能などを損なわせ，金融制度の発展も阻害しました。このことを**金融抑圧**と呼びます。金融抑圧はこのようにして，経済全体の効率性をも失わせたのです。

　なお，低金利政策をとったにもかかわらず金融抑圧による悪影響の程度が低かったのが東アジア諸国，悪影響が顕著に生じたのがラテンアメリカ諸国だと考えられています。東アジア諸国がうまくいった背景については，第5章の「東アジアの奇跡」の議論を復習しましょう。

金融自由化からアジア通貨危機へ

　政府の介入による統制的な金融政策は，おおむね否定的な結果を招いたと考

えられたため，1980年代以降，多くの途上国が，規制やルールをなくす金融自由化へと舵を切ることになりました。ラテンアメリカの国々は，債務不履行になった国々を中心として，IMFや世界銀行による経済改革を受け入れることになります。具体的には，市場メカニズムに基づいた経済運営を行えるように，政府主導で行ってきたさまざまな政策の見直しや修正が行われました。もちろん，その中に金融の自由化も含まれており，これら一連の介入を**構造調整政策**と呼びます。

さて，東アジア地域では，1985年のプラザ合意によって生じた円高ドル安によって，日本の製造業企業が生産拠点を東南アジア諸国に移転する直接投資が大幅に増加しました。プラザ合意当時の円ドルレートはおおよそ1ドル＝235円，これが1年後には150円程度，2年後には120円程度になりました。これは，今まで1ドルのものを海外に売っていたら235円の日本円と交換できていたのが，120円にまで減ってしまったことを意味します。輸出を主に行ってきた製造業企業にとっては，頭の痛い話です。同じ商品を作っても入ってくる日本円が半分になってしまうことで，たとえば従業員の給料を賄うことも苦しくなってくるわけです。そこで，輸出指向の製造業企業はコストの安い東南アジア諸国に進出することで，プラザ合意による円高の影響を最小限に抑えようと試みました。こうした直接投資によって，東南アジアの各国は日系製造業企業の輸出基地として徐々に位置づけられ，輸入代替工業化戦略から**輸出指向型工業化**戦略へと経済発展の戦略そのものも変化していくことになります。この輸出指向型工業化戦略は，安価な労働力を大量に抱える東アジア各国で目覚ましい成果を見せました。たとえば，プラザ合意以降直接投資が本格化したタイの経済成長率は平均して10％程度と第2次世界大戦後で最も高い値を記録しています。

では，こうした直接投資の増加が東アジア各国の金融制度に与えた影響はどのようなものだったのでしょうか。この時期の直接投資は地元企業との合弁会社という形態を取ることが多く，その設立や運営の費用捻出は，主に先進国の親企業や親企業の取引銀行が賄いました。どちらかと言えば地場の金融機関を迂回するような形で行われたわけです。一方で，東アジア各国の実物経済が潤うことによって，流通や建設，不動産といった分野でも資金需要が高まります。

これらの分野に国内の金融機関が積極的に資金を供給することで，金融制度の発展と自由化が進んだと考えられます。

さらに1990年代には，世界規模で金融のグローバル化が進みました。さまざまな金融取引が，国の垣根を越えて行われるようになったということです。タイ，インドネシア，フィリピンなどでは国内銀行や企業の海外借り入れ制限が大幅に緩和されて，地場の金融機関に大量の海外資金が流入しました。これら資金が，製造業などの実物経済に回されて生産増や投資が行われればよかったのですが，先にも述べたように途上国内の地場金融機関は，流通や不動産，消費者金融といったサービス部門に融資先の主軸があったため，これらのサービス部門に大量の海外資金が流れ込むことになりました。その結果，不動産投資が過熱し，資産価格が上昇しました。さらにこうした国内経済の過熱状況は賃金の上昇をも招き，安価な労働力によって支えられた輸出基地としてのメリットが徐々に薄まっていきました。これが，97年に起きた**アジア通貨危機**の背景です。

アジア通貨危機によって生じた銀行の倒産などの状況については，第5章で述べていますので，ここで説明を繰り返すことはしませんが，こうした危機は，金融のグローバル化が進み，お金が自由に国々を往き来することが容易になることによって生じやすくなったとも考えられます。また，こうした金融取引のつながりが国を超えてさまざまな形で複雑に結びつくようになったことで，危機の影響もかなり広い範囲に及ぶようになっています。2008年に生じたリーマン・ショックが世界的な金融危機を引き起こしたのは記憶に新しいところです。

地域協力の推進と外国銀行の進出

1990年以降進んだ**金融のグローバル化**は，途上国にとって資金供給の点では選択肢や供給量の拡大というメリットをもたらす一方で，投機的なリスクにさらされる危険性が上昇し，他国の経済動向に自国経済の動向がより大きく左右されてしまう状況を生み出しました。とりわけ，実体経済に大きな不安があったわけでもないのに，アジア通貨危機によって自国経済が壊滅的な状況になった東アジア諸国の危機感は相当なものでした。このため，通貨危機以降，

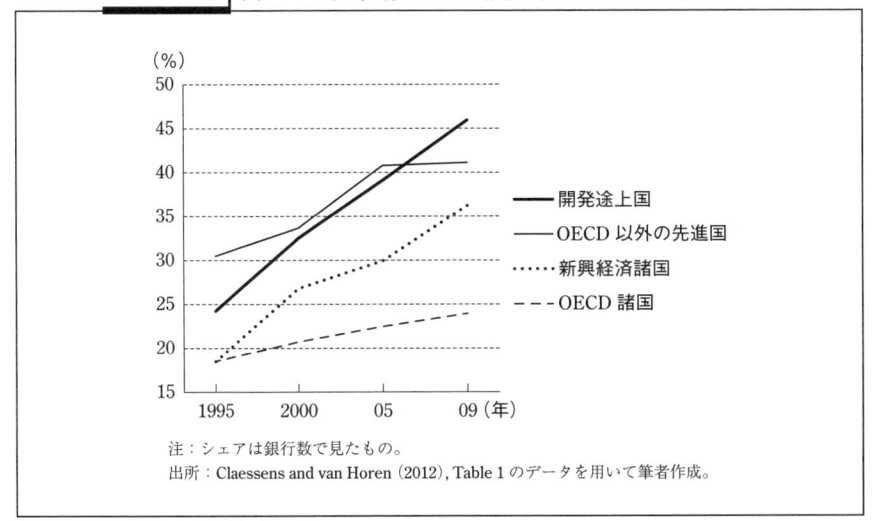

CHART 図7-2 外国銀行シェアの推移（経済発展水準別）

凡例：
- 開発途上国
- OECD 以外の先進国
- 新興経済諸国
- OECD 諸国

注：シェアは銀行数で見たもの。
出所：Claessens and van Horen（2012），Table 1 のデータを用いて筆者作成。

東アジア域内での経済協力体制が加速度的に整備されていきます。中でも，アジア通貨危機のような大規模な危機が起きたときに，お金を各国で融通しあう枠組みであるチェンマイ・イニシアティブの創設や，2015年末に誕生したASEAN経済共同体などが注目されます。この状況を受けて，最近では，アジア域内通貨の創設に向けた研究や，実際にこうした通貨ができた場合のシミュレーション分析などが盛んに行われています。

また，1990年以降は，途上国に先進諸国の銀行が進出する動きが目立っています。図7-2は，外国銀行のシェアを時系列で見たものです。全世界で，外国銀行のプレゼンスが傾向的に高まっていますが，その速度はとりわけ途上国で顕著です。途上国における外国銀行のシェアは，95年に24％程度だった数値が，2009年には46％とほぼ倍増しています。

途上国にとって，海外の銀行が進出してくるメリットとデメリットは何でしょうか？ メリットとしては，国際金融市場との結びつきが深まり，資金調達や投資が促進されること，外国の銀行から国内の地場金融機関に新たな経営ノウハウや進んだサービスが伝わること（技術移転）が挙げられます。これらのメリットを通じて金融制度のさらなる高度化が期待できます。一方でデメリットとしては，海外への資金流出や，市場を席巻されてしまうのではないかという懸念，何かあったときにはすぐに資金が国内から引き揚げられてしまう

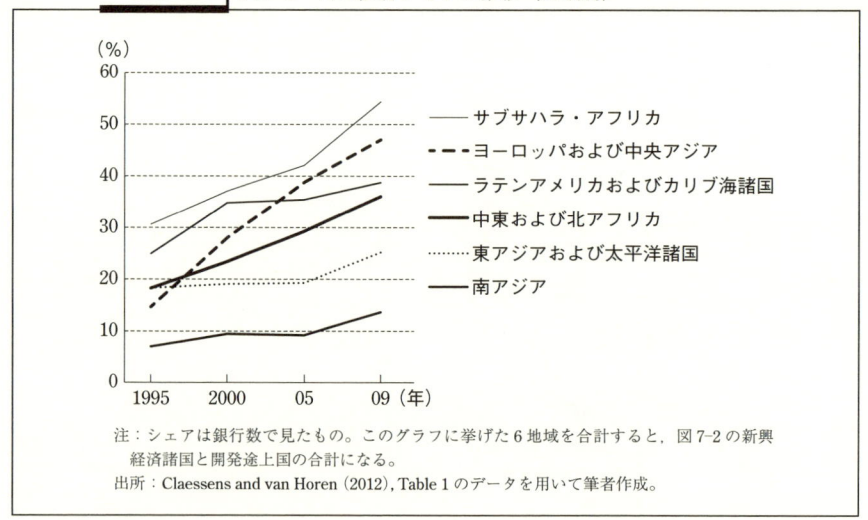

CHART 図 7-3　外国銀行シェアの推移（地域別）

```
(%)
60
50 ──── サブサハラ・アフリカ
40 ---- ヨーロッパおよび中央アジア
30 ──── ラテンアメリカおよびカリブ海諸国
20 ──── 中東および北アフリカ
10 ……… 東アジアおよび太平洋諸国
 0 ──── 南アジア
   1995　2000　05　09（年）
```

注：シェアは銀行数で見たもの。このグラフに挙げた 6 地域を合計すると，図 7-2 の新興経済諸国と開発途上国の合計になる。
出所：Claessens and van Horen (2012), Table 1 のデータを用いて筆者作成。

のではないかという疑念などが考えられます。ただし外国銀行の進出が途上国にとって総体としてよいものなのか，悪いものなのかについては，肯定的な見解の方が多いようです。

　2008 年のリーマン・ショックに端を発する世界金融危機において，資金不足になってしまった先進諸国の銀行がいっせいに海外の資金を回収したことで，途上国向けの融資が大幅に縮小しました（信用収縮）。これは，途上国の企業にとって資金を借りたくても借りられない状況になってしまったことを意味します。

　図 7-3 は，前表から先進国を除外した新興経済・途上国経済群に関し，地域ごとに分けて，外国銀行シェアの推移を示したものです。2008 年の世界金融危機が生じた際に，最も早く危機的状況に陥ったのが中・東欧諸国でした。その理由はいくつか考えられるのですが，外国銀行の行動も一因と思われます。図 7-3 からわかるように，中・東欧諸国（グラフでは「ヨーロッパおよび中央アジア」）は，外国銀行のシェアが 1995 年以降急増した地域でした。それゆえに，金融危機によって外国銀行の資金が引き揚げられてしまった際の影響は，相対的に他の地域よりも大きかったのでしょう。このような深刻な事態に陥らないように，全世界的な規模で国際的なルールを作り，危機管理体制や協力体制を構築していくことが求められています。

3　問題の解決に向けて

　さて，冒頭で示した3つの論点のうち，「❷ アスー国のような途上国にとって，自国に海外の銀行が進出してくる意義は何なのか？」「❸ 金融のグローバル化がもたらした変化は，アスー国のような途上国にとってどのような意味や重要性を持っているのか？」という2つの点については，ある程度の回答を用意できたかと思います。「❶ マメさんのお父さんのような零細・中小企業が，銀行からお金を借りて設備投資を行うことがスムーズにできるようにするには，どのような仕組みが必要か？」はどうでしょう。はっきりしているのは，人為的に低く設定された金利の下で，中小企業に優遇融資を政府（ないし政策金融機関）が配分するような政策は，金融抑圧につながって，当初の目的を達成できないことです。このことを言い換えると，金融制度の健全な発展が，長期的には中小企業の資金繰りの改善にもつながるということでしょう。つまり，金融制度の発展は，3つの論点すべての解決につながり，途上国の経済発展に資するわけで，金融のグローバル化は途上国にとってそのためのチャンスだと言えます。ただし本章で見たように，外国銀行への過度な依存にはデメリットもあるので，適切な政策誘導や規制が必要になります。

　零細・中小企業向け金融に関しては，もう1つ，やってはいけない政策があります。インフォーマル金融を敵視する政策です。零細事業者は，証券市場を利用することは稀ですし，銀行からの融資条件をクリアすることも難しいのが実態です。この資金不足状況を緩和しているのが，第**2**章でも紹介した「講」や金貸し業者といった未組織金融機関です。マメさんのお父さんが店の運転資金に困った際には，いつもこうした未組織金融機関からの借り入れや，零細企業間のネットワークを活かした資金繰りでなんとかやりくりをしてきました。未組織金融機関の利子は，一見，銀行の貸付利子よりも高く見えることが多いため，途上国の政府はそれを禁止する政策をとりがちでした。しかし第**2**章で説明したように，これらのインフォーマル取引には，フォーマルな金融市場が機能しない側面での信用取引を可能にする合理的な仕組みが備わっていること

が多いので，禁止することはむしろ零細・中小企業にマイナスに作用しました。途上国によっては，そのような禁止政策が実際に履行されないことも多く，その事実もまた，インフォーマル取引の有効性を示唆しています。ただし零細企業間での資金の融通など零細事業者が利用するインフォーマルなネットワークに関しては，詳細なデータを正確に集めることが難しいこともあって，まだよくわかっていないことが多い研究分野と言えそうです。

　経済のグローバル化が世界的に進む中，海外の市場にリンクした生産活動を行う大企業は，外国銀行や外国からの資金供給のチャンスを活かし，さまざまな刺激や環境変化から生産性を上昇させ，金融グローバル化によって生じたプラスの影響を享受できると考えられます。他方，マメさんの父親のように，そうした海外や大規模な市場とのリンクが絶たれている零細企業があります。こうした企業間の生産性格差や情報格差は今後著しいものになる可能性も捨てきれません。マメさんのお父さんが「何もわかってない」と言い放ったのも，金融機関に断られた苦い経験と地方の市場の限界を日々感じているからこそ，出てしまった言葉なのかもしれませんね。

　「なんてこった，お金があればいいってもんじゃないのか……仮にアスー国が行き過ぎた金融の自由化をしてしまったら，まだまだ産業基盤も金融制度も脆弱なこの国に何が起こるかわかったもんじゃないな……」と，マメさんも事の重大さがようやく理解できたようです。確かに，アスー国のように，自国で賄うことのできる資金に限界がある国であれば，海外からの資本や直接投資を有効に活用していく必要があることは言うまでもありません。しかし，それは同時にさまざまなリスクをもしょいこむことになるのかもしれません。

　「それに，父さんがあんなに怒った理由も少しだけ理解できた気がする。父さんは父さんなりにいろいろと考えてやってきたんだろうな……つい，調子に乗って言いすぎちゃったんだ……」と，反省の色も見えます。親の努力を少しは理解できたようですね。

　「よし，父さんのこともあるし，僕がしっかりと金融について勉強して，望ましい制度ってやつを，村レベルのことからグローバルなレベルまでまとめて考えてやるか！」と，事の重大さを理解したのか，反省したのかしていないの

か，あっという間にいつもの前向きなマメさんに戻っています。

「まず必要なことは，効率的な金融制度を運営できるような知識と技術を持った人材育成と，情報の流れがスムーズになるような通信や電力インフラなどの改善なんじゃないかな。でもわが国には人材育成やインフラ投資を行うにも資金的余裕がないなぁ……これは，やっぱり海外からの資金を当てにしないとまずいよなぁ……」と思っていたところに，マメさんのオフィスのドアを誰かがノックしました。

「ミスター・マメ，私は日本のJICAという援助組織からやってきたヨネと申します。どうぞよろしくお願いいたします。実は来週，アスー国で行われてきた農村開発プロジェクトの視察調査がありまして，あなたのボスのドクター・ティーと懇談してきたところ，彼にあなたを視察に連れて行って欲しいと言われまして」

ボスの指示というのも気になりましたが，「なるほど，直接投資や金融機関からの資金供給だけではなく，開発援助ってやつがあるじゃないか！ アスー国はまだまだ貧しいんだし，そこを活かさない手はないな！」と，ヨネさんにいろいろと開発援助のことを聞くチャンス到来に，俄然やる気が出てきたマメさんでした。

QUESTIONS

7-1 一定の利子率で資金を外部から借りることができる企業と，それができずに，利潤を貯金して得た内部資金しか利用できない企業とで，生産性に差が出る理由を説明してください。

7-2 直接金融と間接金融それぞれのメリットとデメリットを，低所得途上国と中進国それぞれに分けて，考えてみましょう。

7-3 国内地場銀行と外国銀行それぞれのメリットとデメリットを，低所得途上国と中進国それぞれに分けて，考えてみましょう。

Column ❼　インド亜大陸の切手と郵便

　金融取引を支えるインフラが通信です。最近の通信の主力はインターネットですが，産業革命までさかのぼって考えたときに重要なのは郵便になります。インド亜大陸（英領インド）の近代郵便制度は，19世紀初頭に始まり，1854年に郵便切手による料金前納，全国均一料金などが導入されて，ほぼ完成を見ました。切手や全国均一料金の制度が地球上に誕生したのが1840年のイギリスなので，世界でも早い部類です（日本は1871年）。2010年時のインドの郵便局数は約15万5000局，局数で見て今なお世界最大なのです。

　「インド亜大陸」という言い方をしたのは，筆者（黒崎）の趣味が，現在のインド，パキスタン，バングラデシュの3国に係る地域の郵便マテリアル（切手，封筒，葉書，郵政パンフレットなど）の収集だからです。1947年にインドとパキスタン（現在のパキスタンとバングラデシュを合わせた地域）が分離独立する以前のこの地域の切手事情には興味深いものがあります。宗主国イギリスの国王を描く英領インド切手以外に，フランス領インドやポルトガル領インドでは異なる切手が使われ，イギリス直轄領でない間接統治の藩王国の一部は，インド国内あるいは藩王国内のみで有効な地方切手を発行していたのです。筆者はもう30年以上にわたって，これらの切手とそれに関わるマテリアル，とりわけ1947年の分離独立や1971年のバングラデシュ独立の郵便史に関連したマテリアルを集めています。

　古いものの入手は基本的に切手商やオークションからの購入ですし，新切手は専門のディーラーが届けてくれますので，収集家が郵便局に行かねばならない理由はありません。しかし筆者は，調査で現地に行くたびに，これら3国での郵便局めぐりを続けています。普通切手を入手して，一見同じ切手が，印刷方式や用紙，切り離す穴などに変化がないか，局員にお願いしてシートを丸ごと見せてもらってチェックし，丸ごとあるいは重要な部分を切ってもらって購入します。そして郵便を出します。実際に必要があって郵便を出す場合もありますが，それ以外に，収集・研究用の郵便を自分ないし家族宛てに出すところがポイントです。ポストに投函してちゃんと着くかどうか，何日かかるか記録します。最初にインドを訪問した1986年以来，この方法でこれまでに200通以上のコレクション用郵便を出しましたが，届かなかったのは2通だけ。インド亜大陸の郵便はしっかり機能しています。

パキスタン・ラーホール市の中央郵便局は1887年建設の建物が今も現役（2004年）

CHAPTER

第 **8** 章

開発援助

がんばれニッポン

KEY WORDS

- ツー・ギャップ・モデル
- 参加型開発
- 援助の氾濫
- 援助のファンジビリティ
- ランダム化比較実験（RCT）
- 援助協調

1 Story

文書庫でのマメさん

「とほほ……これじゃあ明日までに間に合わないよ……」

　JICAのヨネさんと来週の援助プロジェクト視察の約束をしたマメさんですが，アスー国経済発展戦略プランのバックグラウンドペーパーの締め切りは3週間後で，しかも明日はボスへの進捗状況報告の日なのです。そこでマメさんは，経済開発省の文書庫に入り，開発計画と援助資金に関連する過去の文書のチェックを始めました。文書庫には1960年代からの書類が埃をかぶって積み上げられています。残業になり，山のような書類を前に，途方に暮れるマメさんです。

　でもすぐに気を取り直し，大学時代にとった開発経済学の講義ノートを引っ張り出してみました。旧宗主国から旧植民地への援助として政府開発援助が始まり，輸入代替工業化と公企業重視の路線が成功せずに累積債務危機が生じ，その結果市場メカニズムを重視する新自由主義的な構造調整政策が1980年代に採用されてそれに沿うような援助がなされるようになり……

　時代ごとに「しかし」でつながって，援助の戦略は大きく揺れ動いてきたというのが講義のポイントだったことをマメさんは思い出し，眠気をこらえつつ，書類の山を見直しました。アスー国の援助受け入れも，それぞれの時代ごとに同じように揺れ動いてきたことが，それぞれのファイルの題目からも明らかでした。

　次に，自分のノートで特にしっかりとアンダーラインが引かれた項目を読み返してみました。最初に目に入ったのが**ツー・ギャップ・モデル**。国内に必要な投資額に対してそれを国民の貯蓄で賄うことができないというのが貯蓄不足，輸出よりも輸入が多くて外貨が不足するのが外貨不足，この2つのギャップが途上国の成長を阻害する2大要因と考えるのがこのモデルです。したがって資金援助は，このギャップを緩めて経済成長に貢献すると期待されます。マメさ

んは，昔授業で学んだとき，ツー・ギャップが深刻なのはアスー国の状況そのものだと感じたことを，今さらながら思い出しました。

「ふむふむ，幸いにも最近では，アスー国の経済成長は上向きなんだから……そうか！　そういうことならもっと経済成長を早めて貧困削減を進めるには，もっと多くの援助資金が流入することがアスー国には必要なんじゃないか！　いやはや，ちゃんと大学で授業を受けておいて助かった。ボスもこういう理論があるって説明すれば納得してくれるだろう……ふぁ〜……」

眠くてもう起きているのもやっとになってきたマメさん，ボスが喜びそうな理論的裏づけのあるこの結論が出たところで，今日の仕事はおしまいです。

ボスの開発援助懐疑論

さて翌日，マメさんは意気揚々とボスのティーさんのオフィスを訪れ，アスー国経済発展戦略プランのバックグラウンドペーパーの主たる結論として，援助総額の増加を重視するという方針を説明しました。ところがティーさんはどうもこれが気に入らないようで，不機嫌そうにマメさんに問いかけます。

「君は本当に開発援助が途上国の経済成長や貧困削減にプラスの影響を与えていると考えているのかね？」

そうティーさんに問われたマメさんは，ここぞ昨日の復習の成果だとばかり答えます。

「わが国のマクロ経済におけるツー・ギャップは深刻ですから，援助資金はそれを埋めて経済成長を促すはずです」

「『はずです』ではダメだ。実証的証拠を示してくれないと」

そうティーさんに言われたマメさんは言葉に詰まります。そんな部下に，ティーさんは諭すように説明してくれました。途上国を対象としたクロスカントリー分析（GDPや失業率といったマクロデータを国単位で集めて，それをまとめた国別データと呼ばれるデータを用いた分析）では，得られるサンプル数に対して，データに含まれる計測誤差や，データに観測されない各国の社会文化的な違いがあまりに大きいので，統計学的に信頼できる結果を検出するのが難しいこと，援助資金が仮に支援国と合意した形で開発に資するようなプロジェクトにきちんと使われたとしても，お金は流動的・代替的であるから，政府は援助で浮い

たお金を軍事費などに回してしまい，援助流入額ほどには公共部門開発投資の額は増えないという「ファンジビリティ」の問題があること，一方で援助プロジェクト自体は経済活動を活発化させる効果を持っているが，援助によって他のセクターが負の影響を被って，援助の正の影響のいくらかを相殺してしまっているといういわば「ミクロとマクロの合成の誤謬」という問題の可能性も考えられること，などなど。

　ファンジビリティという概念は，実はマメさんの昔の講義ノートにもアンダーラインが引かれていたのですが，それ以外はマメさんが初めて聞く話ばかり。消化しきれないマメさんに，ティーさんは優しく，

　「要は援助が途上国の経済成長や貧困削減を促したという実証的証拠は乏しいんだ」

とまとめたのでした。

マメさんの開発援助現場訪問

　このティーさんの説明にまたむくむくとやる気が湧いてきたマメさんに，ティーさんが尋ねます。

　「ところでJICAのヨネさんから来週の農村開発プロジェクト視察のことは聞いたかね？　君はやる気はすばらしいが，現場感覚がなさすぎる。ナカツ国の工場視察もよいが，自国のミクロの援助現場をきちんと見ることも大切だよ。それで君を推薦したんだ」

　やっと事情が呑み込めたマメさんが，自分の机に戻ると，JICAから来週の視察候補先リストが届いていました。そのリストを見ると，もう何年も帰っていない出身地のプロジェクトが含まれているではありませんか。マメさんは，郷里で行われている灌漑設備プロジェクトとマイクロファイナンスの視察をヨネさんにアレンジしてもらうことにしました。

　プロジェクト視察の日は，マメさんの久しぶりの里帰りを祝うかのように好天候になりました。ヨネさんは両方のプロジェクトにとても詳しかっただけでなく，日本政府は途上国の自助努力を重視し，途上国側が提案した案件のみを援助の対象とする要請主義を採用しているといった方針についても，丁寧に説明してくれました。「そのようにして設計された援助プロジェクトが成果を上

げないなんてことが本当にありえるのだろうか？」腑に落ちない顔のマメさんです。

　灌漑プロジェクトは感動的でした。乾期特有の晴天の下，少しの緑もない乾ききった大地が続いた後に，突如，青々とした水田と野菜の畑が現れたのです。灌漑用水路が通った村では農業労働の需要が増えて，近隣の非灌漑村から働き手が来るなど，このプロジェクトは地域全体の雇用創出と農産物増産に貢献しているとの説明を受けて，とても満足げなマメさんです。

　マイクロファイナンスの利用者グループとの会合も，マメさんに好印象を残しました。発足時からのメンバーだというキビさんは，マイクロクレジットを借りて養鶏業を少しずつ拡張し，今は村で有数の非農業自営業とみなされているとか（第2章のStory参照）。金融面で自立した女性たちが自信ありげに首都からの訪問者とやりとりするのを見たマメさんは，マイクロファイナンスが所得向上だけでなく，女性のエンパワーメントにもつながっていると感じました。

　現場視察からの帰途，マメさんはこの印象をもとに，どちらのプロジェクトも大成功であって，もっとアス―国全体に拡大すべきでないかとヨネさんに問いかけました。ヨネさんは小声で，

「すべてがうまくいっているのではないのですよ」

と意外な答え。両方のプロジェクトとも，住民**参加型開発**をうたっていて，灌漑の場合には用水路の管理と維持費徴収を行う農民組合，マイクロファイナンスでは借り手グループの結成が，プロジェクト実施の前提条件なのですが，想定したとおりに進んでいない面もあるとのこと。灌漑の農民組合は，用水管理がいい加減で，特定の有力農民にばかり水が行っているという不満が出ていることから維持費をスムーズに徴収できず，長期的な維持可能性に赤信号が出ているという話でした。マイクロファイナンスの場合，視察で出会った人たちは成功した人たちであり，その陰には，初めからメンバーに入れてもらえなかったり，途中でメンバーを脱退した女性もいるという問題があるそうです。住民参加型にもよい面と悪い面があるのだなあと認識を新たにするマメさんでした。

　またヨネさんがマメさんに帰路で話したことの中でもう1つの驚きは，このような日本の援助が他の援助国にあまり評価されていないらしいこと。個別プロジェクトを実施してそこに資金をつぎ込むやり方よりも，重点支援分野（た

とえば保健，教育など）の予算となる途上国政府の一般予算を支援する（つまりは途上国政府の国家予算に援助資金を投入する）やり方に参加して欲しいというプレッシャーが，ヨーロッパ各国から日本にかかっているとの話です。効率的な援助には，一般予算支援が望ましいというヨーロッパ諸国の潮流があり，それとどう向き合うか，日本の援助に難問が投げかけられていると，マメさんは説明を受けました。援助を効率的に利用するにはどうしたらよいのか，マメさんは視察に出かける前よりも自分の頭が混乱してきた気分でした。

2 何が問題なのか

▶ 課題の抽出と分析フレーム

アスー国が抱える経済発展の問題と，それを解決する上での先進国からの開発援助が果たす役割について，マメさんの悩みは深まってしまったようですね。まずは課題をいくつか整理してみましょう。

POINT

❶ 国に予算がないので，自力だけで人間開発や産業発展を進めるための開発事業ができない。

❷ 先進国は途上国に，バラバラにさまざまな援助プロジェクトの実施を迫り，途上国内ではそれぞれのプロジェクトに追われて，全体としての調整ができない。

❸ 開発援助資金の流入が全体として，受け入れ国の経済成長や貧困削減に効果を上げているのかどうか，どのような状況で効果を上げるのか，よくわからない。

❹ 個別の援助プロジェクトが目的を達成できているのか，どのような状況で効果を上げるのか，よくわからない。

開発経済学のツールを使ってこれらの問題を考えていく前に，開発援助の基礎知識について学習しましょう。より詳しく開発援助について知りたい方は，小浜（2013）や西垣ほか（2009）といったテキストを通読した後に，黒崎・大塚（2015）や栗田ほか（2014）などを参照してください。

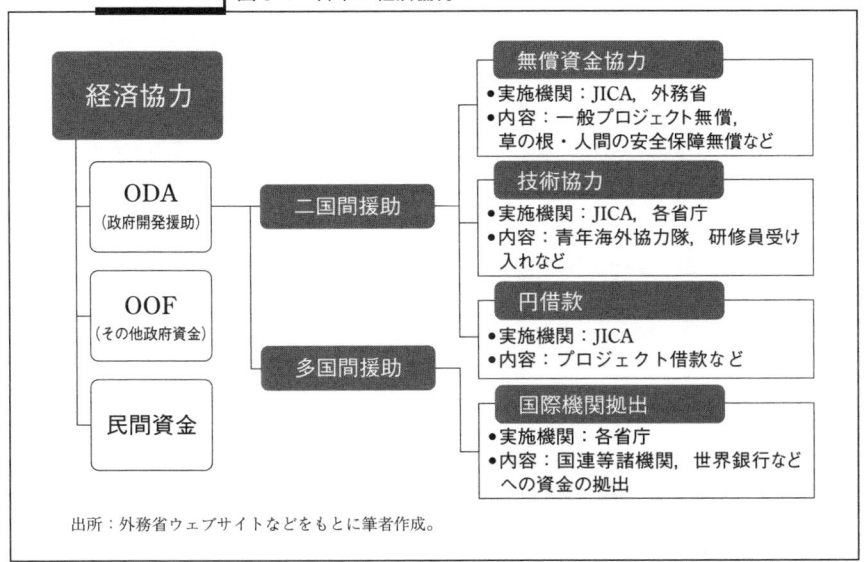

| CHART | 図 8-1 日本の経済協力

```
経済協力
├─ ODA（政府開発援助）
│   ├─ 二国間援助
│   │   ├─ 無償資金協力
│   │   │   ・実施機関：JICA，外務省
│   │   │   ・内容：一般プロジェクト無償，草の根・人間の安全保障無償など
│   │   ├─ 技術協力
│   │   │   ・実施機関：JICA，各省庁
│   │   │   ・内容：青年海外協力隊，研修員受け入れなど
│   │   └─ 円借款
│   │       ・実施機関：JICA
│   │       ・内容：プロジェクト借款など
│   └─ 多国間援助
│       └─ 国際機関拠出
│           ・実施機関：各省庁
│           ・内容：国連等諸機関，世界銀行などへの資金の拠出
├─ OOF（その他政府資金）
└─ 民間資金
```

出所：外務省ウェブサイトなどをもとに筆者作成。

図 8-1 は，日本が途上国に対して行う経済協力について分類したものです。それは大別すると，政府開発援助（ODA），その他政府資金（OOF），民間資金という 3 つに分類できます。ここで，本章によく登場する ODA の定義ですが，経済協力開発機構（Organisation for Economic Co-operation and Development: OECD）の開発援助委員会（Development Assistance Committee: DAC）が以下のように定めています。①政府，ないしは政府の実施機関が供与主体であり，②途上国の経済・社会の発展や福祉の向上を目的に利用され，③商業ベースの資金供与よりも金利や返済期限が緩やか，な開発援助資金を指します。OOF（Other Official Flows）も政府による公的な資金なのですが，貸し付けや利子率などの条件面で ODA と異なります。そしてそれ以外の民間による輸出信用や NGO による援助などを総称したものが民間資金となります。

さらに，それらが 2 カ国間の援助（バイ）なのか国際機関を通じての援助（マルチ）なのかといった区別や，無償資金か貸付になる有償資金協力（円借款）なのか，あるいは技術協力なのか，といった区別がされます。日本の ODA には，これまで贈与よりも貸付（円借款）の重要性が高かったといった特徴があります。

マクロの資金不足

途上国の経済成長率がなぜ低いのかを，マクロの資金不足という観点から考えましょう（詳しくは澤田・池上 2006 参照）。GDP を Y，t 年から $t+1$ 年にかけての変化を Δ とすると，t 年から $t+1$ 年にかけての経済成長率は，$\Delta Y/Y$ で表されます。同じ期間に資本ストック K は，ΔK だけ変化しますが，その変化量はおおむね，t 年に行われた投資額 I と等しくなります。すなわち $\Delta K = I$ です。となると，簡単な式の変形により，

$$\text{経済成長率} = \text{投資率} / \text{限界資本係数} \tag{8-1}$$

が得られます。ただし，投資率は I/Y（$= \Delta K/Y$），限界資本係数は，ΔK を ΔY で割った値です。限界資本係数とは，資本ストックが増えた値に対して，GDP がどれだけ増えたかを示していますから，マクロでの投資の効率性を示す概念であることがわかります。

(8-1) 式は，仮に限界資本係数が一定で，変化しないものだったら，経済成長率が投資率に比例することを意味しています。たとえば，昨年の投資率が 20% で，昨年から今年にかけての経済成長率が 5% だったなら，限界資本係数は 4 です。今年から来年にかけての限界資本係数も 4 で変わらないならば，7.5% 成長を遂げるには，投資率を 30% に引き上げればよいことになります。

でも投資率は，そんなに簡単に引き上げることができるものでしょうか？一国経済における投資の財源の主役は，国内の貯蓄です。しかし低所得途上国の多くにおいて，国内投資必要額に国民の貯蓄が足りないという貯蓄不足が深刻です。貯蓄が不足していれば，投資率を引き上げることは容易ではありません。また，低所得途上国に必要な投資の多くは，機械など輸入に頼らざるをえません。しかし低所得途上国の多くは，輸出よりも輸入が多いため外貨不足に悩まされてきました。外貨が不足していれば，輸入機械を使った投資が難しくなります。

ODA は，外貨の形で途上国に流入することで貯蓄・投資ギャップと国際収支ギャップの 2 つのマクロ不均衡を埋め，(8-1) 式の投資率を引き上げることによって経済成長を促進する，というのが，ツー・ギャップ・モデルのエッセ

CHART 表 8-1 途上国への資金流入

国・国分類・地域区分名	人間開発指数での順位	外国直接投資の流入額 (% of GDP)〈2012年〉	ODAの純受取額 (% of GNI)〈2011年〉	出稼ぎ者送金の流入額 (% of GDP)〈2011年〉
人間開発指数での分類				
人間開発最上位国	1〜49	1.9	−0.3	0.3
人間開発上位国	50〜102	2.8	0.1	0.8
人間開発中位国	103〜144	2.2	0.5	3.7
インド	135	1.7	0.2	3.4
ガーナ	138	8.1	4.8	0.4
バングラデシュ	142	1.0	0.9	10.8
人間開発低位国	145〜187	2.5	5.1	5.0
パキスタン	146	0.4	1.6	5.8
タンザニア	159	4.6	10.4	0.3
ウガンダ	164	8.7	9.6	5.6
地域区分				
アラブ諸国		1.5	−	−
東アジアおよび太平洋諸国		3.0	0.1	0.9
ヨーロッパおよび中央アジア		3.6	0.5	2.1
ラテンアメリカおよびカリブ海諸国		3.1	0.3	1.1
南アジア		1.4	0.6	3.6
サブサハラ・アフリカ		3.3	3.8	2.7
後発開発途上国（LDC）		3.2	6.9	4.7

出所：UNDP (2014) Table 13 をもとに筆者作成。

ンスです。同じことが OOF や民間資金についても当てはまりますが，本章の課題の❸について考えるため，以下は，マクロ不均衡を ODA による援助資金の流入が埋めて，経済成長が促進されるかどうかに話を絞ります。

　途上国の多くは，深刻なマクロ不均衡，すなわち，財政赤字，貯蓄不足，対外収支赤字に悩んできました。その意味で，途上国の経済成長が低い理由の 1 つにマクロの資金不足があることは，完全には否定できません。

　他方，表 8-1 からわかるのは，途上国への ODA 流入額は，各国の平均をとるとかなり小さいという事実です。UNDP 分類での後発開発途上国（LDC）への ODA の純流入額は国民総所得（GNI）の 6.9％にすぎず，外国直接投資と出稼ぎ者送金を合わせた額よりも小さいのです。実は途上国への ODA 流入額がその経済に占める比率は，経済規模が小さい国，人口規模が小さい国ほど高く，大きな途上国では小さいという傾向が強く見られます。表では，人口の大きい

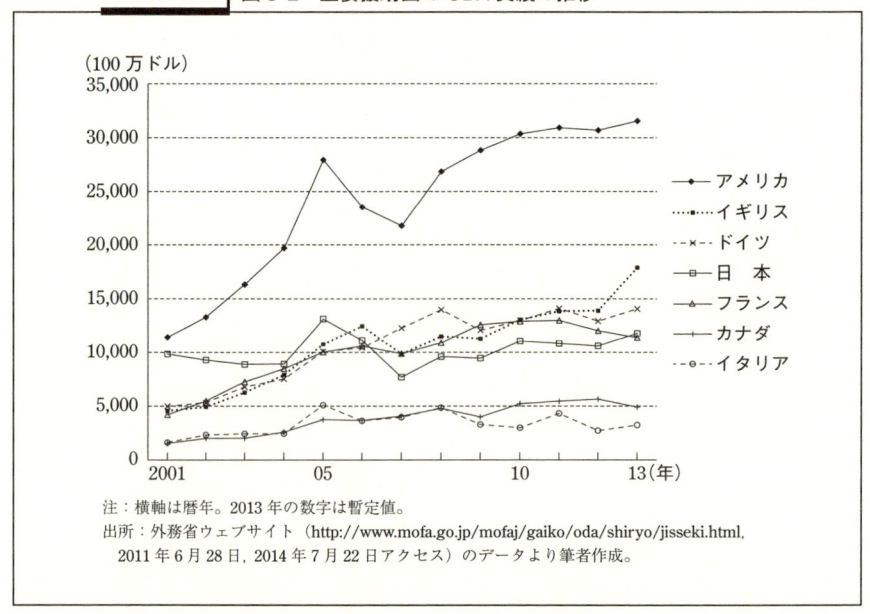

CHART 図 8-2　主要援助国の ODA 実績の推移

(100万ドル)

凡例：アメリカ、イギリス、ドイツ、日本、フランス、カナダ、イタリア

注：横軸は暦年。2013年の数字は暫定値。
出所：外務省ウェブサイト（http://www.mofa.go.jp/mofaj/gaiko/oda/shiryo/jisseki.html，2011年6月28日，2014年7月22日アクセス）のデータより筆者作成。

南アジア諸国ではODA流入が相対的に小さく，人口の小さいアフリカ諸国では大きくなっていることに注意してください。この理由として，ODA供与国側の政治的配慮も考えられます。国連で支持国を増やしたいと考える先進国は，ODA予算に制約がある以上，人口が少ない国に1人当たりODA供与額が増えるようにODAを配分した方が，国連での一国一票の投票において，より多くの票を集めることができるでしょう。なお1人当たりでなくて，総額で見れば，人口が多い国ほどODA供与額が増える傾向があります。ここで言っているのは，ODA供与額は人口が多い途上国に対して増える傾向があるが，人口に比例するほどには増えないため，1人当たりODA供与額で見ると人口が少ない途上国の方が大きな額になるということです。

　先進国からのODA総額は，残念ながら近年横ばいでそれほど多く増えていません。中でも日本は，1990年代にこそ世界最大の援助供与額を誇りましたが，その後，ODA供与の絶対額を減らし，イギリスやドイツに抜かれ，フランスと第4位，第5位を争う中堅の援助供与国に下がっています（図8-2）。

　さて，ツー・ギャップ・モデルが成立して，ODA流入が途上国の経済成長を促すためには，投資はいつも同じ比率でマクロの成長を引き起こすこと（8-

152 ● CHAPTER **8** 開発援助

1式における限界資本係数が一定であること），援助がすべて投資に向けられること，援助以外の政府の歳出入には影響がないことなどが必要です。これらの条件は途上国でほとんど満たされていないことが実証的に明らかになっていますので，ツー・ギャップ・モデルの妥当性は極めて低いと考えられますが，その考え方は，現在も国際金融機関などに影響力を残しています。詳しくは澤田・池上（2006）の研究展望を参照してください。開発途上国の成長を制約している要因としては，ツー・ギャップ以外にも技術・知識のギャップ（第 6 章参照）や財政赤字も深刻です。

援助の氾濫やファンジビリティの問題

マクロで見て ODA 流入がその国の経済成長や貧困削減にあまり貢献しないことがあるなら，それはどうしてでしょうか？

その理由として，近年，注目されるようになっているのは，**援助の氾濫**と**援助のファンジビリティ**という現象です。ファンジビリティについてはすでに Story で説明されています。お金には名前が書いてありませんので，援助資金が仮に支援国と合意した形で開発に資するようなプロジェクトにきちんと使われたとしても，途上国政府が援助で浮いたお金を軍事費などに回すことを完全に防ぐことは不可能です。その結果，援助流入額ほどには公共部門開発投資の額は増えないのが普通です。これがファンジビリティの問題です。

課題の❷として挙げた現象が援助の氾濫で，援助を受け入れる途上国政府の行政能力を超える数の援助プロジェクトが乱立する状態を指します。援助の氾濫が発生すると，プロジェクトの維持管理に必要な経常的な費用を工面することができなくなり，せっかく動き出したプロジェクトが使われないまま遺棄されてしまう事態になりかねません。また，途上国政府の ODA 受け入れ業務も非効率化することでしょう。つまり総額で見て同じ額の ODA が流入しても，援助の氾濫の下では，その効果が減少してしまうというわけです。

マクロの援助効果の測定

では，ODA は途上国のマクロ経済に，実際にどれほどのインパクトを与えているのかを，データを用いて明らかにするにはどうしたらよいでしょうか？

まず，途上国各国のマクロ統計を複数年について集めます。このようなデータを，クロスカントリーのパネルデータと呼びます。援助が途上国の経済成長を高めるならば，成長率とODA流入額の間には，プラスの相関関係があるはずです。しかし各国の経済成長率に影響を与えるのはODA流入額だけでなく，人的資本や技術水準やガバナンス構造なども重要なので，それらも含めた重回帰分析を行います（重回帰分析については，計量経済学の教科書を参照してください）。

　このような分析は，成長回帰分析と一般に呼ばれる手法をODAに応用したもので，膨大な数の実証研究がこれまでになされています。とりわけ影響力のあったのがBurnside and Dollar（2000）の研究です。援助と成長の関係があまりはっきりしないこと，ただし受け入れ国の財政政策・金融政策・対外経済政策の質がよい場合には，援助が成長を促進する効果が見られることなどを，この研究は見出しました。

　1番目の援助と成長の関係がはっきりしないという発見は，ツー・ギャップ・モデルの想定があまり成立しないということを意味しています。また，2番目の発見は，よい政策を行うような途上国でないと援助の効果は出ないという，現場の人間であれば常識的な見解と言ってもよいでしょう。しかしこうした話はそれまで印象論としてしか言われていなかったのに対し，Burnside and Dollar（2000）は計量経済学の手法を用いて定量的に厳密に示した点が画期的でした。この論文を根拠に，多くの先進国は，政策が不適切だと思われる途上国に対し，政策実施能力が改善しない限り援助を減らすとプレッシャーをかけました。

　そのように重要な研究であったがゆえに，Burnside and Dollar（2000）の結果に関する再検証が多数なされました（澤田・池上2006などを参照）。データを更新して分析対象国を増やすとか，分析に用いる分析期間を変えるとか，計量経済学の推定方法を変えるといった検証を，多くの研究者が行いました。その結果，1番目の発見はほとんどの場合で再確認されたのに対し，2番目の発見はそうではなく，ちょっとしたデータの入れ替えや推定方法の変更によって，政策の質による違いは消滅してしまうことが判明したのです。

　こうして，マクロの援助効果について言うと，ODAが途上国の経済成長を

促す効果は明確でないことだけははっきりしました。Story の中でボスのティーさんが言っていたのはこのことです。政策環境によっては経済成長促進効果を ODA が持つという見方は根強いですが，厳密な計量分析による確たる証拠はまだ十分でなく，今後のさらなる研究が必要な分野です。

ミクロの援助プロジェクト効果の測定

では❹のミクロレベルの効果はどうでしょうか？ イメージとしては，これまで小学校がなかった途上国農村に小学校建設を行うことで，どの程度就学率などが改善されたのかを測定する，というようなものだと思ってください。こうした ODA の個別プロジェクトが，当初の目的を達成したのか，そして貧困削減に貢献したのかを測定することは，マクロのインパクトを測るよりもずっと単純で，明確な結果が出ていると思ったみなさん，話はそれほど簡単ではありません（以下，本項についてのより詳しい説明は，補論 2 を参照）。

日本の JICA などが伝統的に採用してきたミクロのプロジェクト評価は，まず支出が適切に行われ，設備の建設やサービス提供などが計画通りになされたかをチェックします。もちろんこの段階でバツがつく落第プロジェクトも存在しますが，それはごく少数です。次に，プロジェクトの前と後で，プロジェクトの目的を測る変数がどう変化したかを見ます。学校建設であれば就学率や平均就学年数，学力試験の点数などが用いられます。プロジェクト後に指標が改善していればプロジェクトが期待された効果を持ったと考えられます（Before-After 比較）。

プロジェクトの前後ではなくて，プロジェクト後の評価調査において，プロジェクト実施地域と非実施地域の両方を調べて比較することもよく行われます。教育プロジェクト実施地域の方が非実施地域よりも就学率や平均就学年数，学力試験の点数が高ければ，期待された効果をプロジェクトが持ったと考えられます。

こういった比較は，プロジェクト効果に関して示唆的ですが，そのインパクトを科学的に厳密に示していない可能性があります。プロジェクトの実施前と後では，プロジェクト以外にもさまざまな要因が変化してしまっていますし，プロジェクト実施地域と非実施地域を比較しても，両地域にはもともとプロ

ジェクト実施以外にいろいろと違う面があるからです。

　両地域での変化を比較するアプローチでも，この問題は解決しきれません。たとえば Story に出てくるマイクロファイナンスの効果として，キビさんのような借り手と，最初の時点でメンバーになれなかった貧困家計とを比較した場合，マイクロクレジット実施後，顕著に所得や消費水準での差が生じていると思われます。でもその差のうちかなりの部分は，キビさんが本来持っていた企業家能力が所得につながったものであって，マイクロクレジットが貧困層に平均的に与えるインパクトではないはずです。

　そこで近年盛んに行われるようになったのが**ランダム化比較実験**（randomized controlled trials: RCT）です。たとえば，JICA の援助政策として，農業生産性の向上をめざした肥料配布のプロジェクトをアス―国で実施するというケースを考えてみましょう。最初に行うことは，そのプロジェクトを，どこで誰のために行うのかを決めることです。この点については，アス―国の東北部農村地域は貧困問題が深刻なので，東北部地域の米農家を対象としました。具体的には，田植えの前に肥料（1 ha 当たり 50 kg の化学肥料）を配布し，収穫後に単収を計測し政策の効果を測定します。次にやるべきことは，どの農村でこの政策介入を行い，どの農村で行わないのかを決めることです。このときに，くじ引きなどを使って無作為（ランダム）に政策を行う農村と行わない農村を決定します。政策介入が行われた農村は肥料を受け取り，行わなかった農村の米農家は肥料を受け取ることができません。図 8-3 を見ていただくと，収穫後に政策介入があった村の単収が 0.5 t 伸びています。

　肥料を配布したら農家が肥料を使用し収穫が増えるのは当たり前だと思うかもしれませんが，なぜ，こうした比較をしないと厳密な政策の効果がわからないのかについては，先に述べたキビさんのプロジェクトを参考に考えてみてください（章末QUESTIONS）。

　さて，こうした RCT に基づく実証研究から，さまざまな新しいことがわかりました。就学促進のための条件つき所得移転については，第 3 章で紹介しましたので，そちらをご覧ください。もう 1 つの例として，アフリカにおけるマラリア対策としての長期残効型殺虫剤含有の蚊帳を取り上げましょう（黒崎・澤田 2009 参照。オリジナルの研究は Cohen and Dupas 2010）。この蚊帳は，住友化

CHART 図8-3 RCTの一例

くじ引きに当たった農村		くじ引きに外れた農村
昨年平均単収 1.3 t/ha		昨年平均単収 1.3 t/ha
政策介入として化学肥料配布	田植えの時期 ↓ 収穫後	何もしない
平均単収 1.8 t/ha		平均単収 1.3 t/ha

0.5 tの差！＝政策の効果

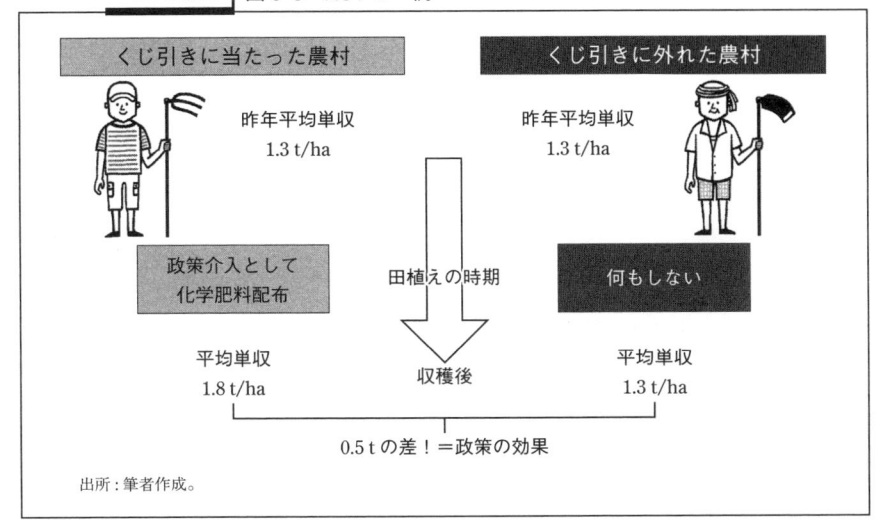

出所：筆者作成。

学が世界に先駆けて開発した技術で，マラリア予防に有効な対策だとわかっていますが，所得も教育水準も低い現場においてどうやって普及させればいいかがわかっていませんでした。なぜなら，ただで蚊帳を配ったら，受け取った人はそれを大切にしない可能性があるからです。そこで蚊帳を，無償から市価の数割引き価格まで異なる価格で配布・販売するRCTがケニア農村で行われました。その結果，図8-4に示すように，無償配布であっても課金される場合と同様に有効に（むしろ，有償の場合よりも若干高い頻度で）使用されるが，価格が上がると蚊帳の購入は顕著に減少することがわかったのです。ただでもらったものは大切にせずに無駄にしてしまうという見方は，少なくともこの事例に関しては証明されませんでした。

　RCTを含むさまざまな実証研究により，個別の援助プロジェクトがもたらすインパクトは，以前よりもかなり正確に計測できるようになりました。また，どのような条件のときに効果が大きくなるかを詳細に検討することにより，プロジェクトの改善のヒントや，他の地域に適用する際に必要な配慮なども得られるようになりました。

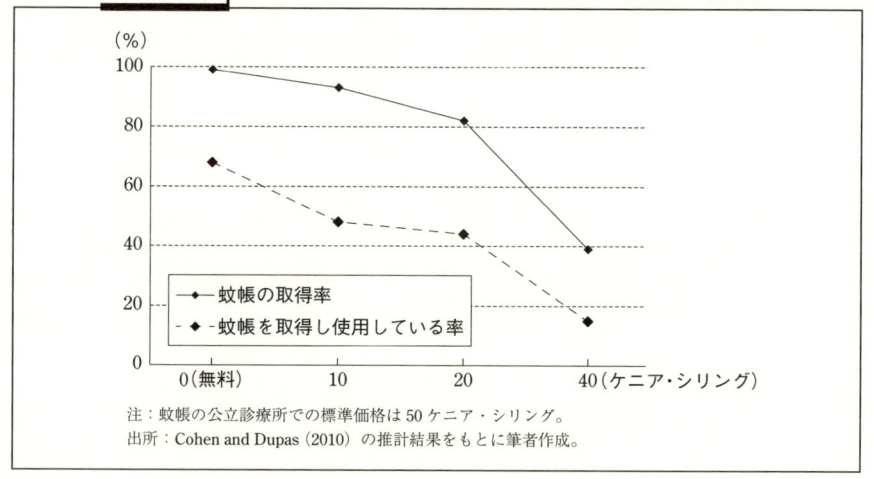

CHART 図8-4 ケニアにおける蚊帳の取得率と取得者内の使用率

```
(%)
100
 80
 60
 40
 20
  0
     0(無料)    10      20          40(ケニア・シリング)

  ─◆─ 蚊帳の取得率
  --◆-- 蚊帳を取得し使用している率
```

注：蚊帳の公立診療所での標準価格は 50 ケニア・シリング。
出所：Cohen and Dupas (2010) の推計結果をもとに筆者作成。

3 問題の解決に向けて

　マメさんが最初に考えたように，アスー国のような低所得途上国の経済成長・貧困削減を促進する上で，ODA など先進国からの援助は大きな可能性を持っています。しかしこれまで，援助のマクロでのインパクトはそれほど大きくありませんでした。個別のミクロのプロジェクトが計画通りに機能しなかったこともありましたが，より重要だったのは，ファンジビリティや援助の氾濫などの理由から，援助資金が十分活かされなかったかもしれないということです。

　ファンジビリティや援助の氾濫に対応するためには，先進国間で**援助協調**を行い，先進国が一体として途上国の貧困削減政策を支援することが必要だという考え方があります。北欧・西欧諸国の主導の下に，個別のプロジェクト実施ではなく，教育や保健といった分野ごとの途上国政府の一般予算を支援し，その執行を監視すべきだという考え方が出てきました。このような対応を行うことで，援助の氾濫の問題に対しては，途上国が各先進国とプロジェクトごとに調整する時間やコストが削減できます。ファンジビリティの問題に対しても，先進国が一体として途上国政府の予算を分野ごとおよび軍事費なども含む全体

に関して監視しますので，開発に資さない支出にお金が回る事態を防ぐことができると期待されます。

　このような政府一般予算支援の潮流の中で，Story に書いたように，日本は個別プロジェクトの有効性をどうやって国際社会に訴えていくのか，難しい状況に立たされています。開発援助というのは，単なる資金の流入だけでなく，それに伴って生じる人的交流や技術の移転も重要です。そのような人的交流や技術移転は，主に個別プロジェクトにおいて生じるものです。先進国が個別にプロジェクトを実施すること自体がよくないとすらみなす近年の潮流は，偏った見方だと思います。詳しくは黒崎・大塚（2015）や，澤田・池上（2006）を参照してください。

　個別の援助プロジェクトに関しては，それがどのような条件でどのように効果をもたらすのかに関する知識をさらに蓄積していく必要があります。本章で紹介した RCT はそのためのとても有用なツールであり，以前よりも正確に個別介入のインパクトが測定できるようになりました。

　しかし RCT は万能のツールではありません。第 1 の限界は，ランダム化された政策介入を設計しやすい開発政策と，それには向かない政策とがあり，後者も重要だということです。RCT に向かない政策には，マクロ経済政策やガバナンス改革，組織の能力構築，地域住民のエンパワーメント，大型インフラプロジェクトなどがあり，その評価方法に関するさらなる研究が必要です。環境面のインパクトに関しても RCT を適用できる範囲は限られています。経済発展と環境に関しては，次章で詳しく検討することにしましょう。

　また，RCT の多くは，援助プロジェクトあるいは開発政策介入がどんなインパクトを及ぼしたかを正確・客観的・定量的に計測することのみに焦点があるために，ミクロ経済学のメカニズムについての理解や，途上国の開発戦略といった大きな問題への理解が深まらないという問題もあります。ミクロ経済学のメカニズムの理解を深めるためには，RCT と行動経済学の実験とを組み合わせたり，モデルのシミュレーション分析を組み合わせる必要があります。個別の介入が効果を持つかに関する正確な情報を集めたならば，それをもとに，持続的経済発展・貧困削減に向けた明確なビジョン，すなわち開発戦略を構築することも大切で，そのような例としては大塚（2014）を挙げることができる

でしょう。この本に示された「途上国がしてはいけないこと」には，失敗する開発戦略の例がわかりやすく示されていますが，その多くが今もなお途上国の一部で採用されていることに驚かざるをえません。

QUESTIONS

8-1 途上国のマクロ経済が抱えるツー・ギャップとは何で，それはどのように埋められてきたのでしょうか？

8-2 途上国へのODAの流入が経済成長をもたらしたかどうか，厳密な計量経済学の科学的証拠（エビデンス）を得ることが難しい理由をまとめてみましょう。

8-3 本文中にあった肥料配布の援助政策ですが，なぜRCTを用いないとその効果を厳密に測ることができないのかを事例に則して，補論2も参照しつつ，考えてみてください。

8-4 RCT手法を用いて援助プロジェクトの効果を測るアプローチの強みと限界は何でしょうか？

Column ❽　カンボジアの持続的発展のために

　ラタナキリというカンボジアの中でも最も発展から取り残された地域を調査していたときのことです。「ここら辺は，少々雨が降るだけで，急勾配の坂道がぬかるんで，町まで数日間も戻れなくなるんだぞ。わかってるのか？」というドライバーさんの忠告に耳を傾けるふりをしてどんどん進み，6本目の角で適当にえいやと脇道に入り，その道を村が見つかるまで突き進むという行き当たりばったりの調査を筆者（栗田）はやっていたことがありました。そんな行き当たりばったりで訪れた村では，おばあちゃんたちはみな上半身裸で，突然訪れたよくわけのわからない日本人を歓待してくれました。そんな中「なんとかこの村に小学校を作ってくれないか？」と村長さんにお願いされたのは，うるち米で作ったチューチュー酒を飲んでいるときのこと。チューチュー酒は，ベトナムでも飲んだことがありますが，お米からできたお酒で，不思議とフルーティーでさわやかな味わいが口に広がります。カンボジアでは初等教育の粗就学率は，すでに100％を達成し，中等教育でも40％を超える状況になりました。でもこの村には，小学校がありませんでした。子どもたちは，「学ぶ」という活動そのものがどういうことなのかをよくわかっていないようでした。

　教員等の知識階層がクメール・ルージュによる殺戮の対象になり，多くの尊い命が犠牲になったことはよく知られています。このため，クメール・ルージュから解放された後のカンボジアには教員がほとんど残されておらず，小学校や中学校が存在しても，きちんとしたトレーニングを受けた教員がいなくて授業の質が担保できないという問題があり，現在でもその問題は解消されたとは言いがたい状況です。

　さて，行き当たりばったりの調査をしていた筆者は，思いもよらない村長のお願いに何と答えたのでしょうか？　それについてはもし機会があればチューチュー酒でも飲みながらお話ししましょう。

こちらはベトナムのチューチュー酒です。竹のストローでチューチュー飲みます。

CHAPTER

第 9 章

持続可能な開発

環境と開発の対立を超えて

KEY WORDS

- ☐ 持続可能な発展・開発
- ☐ 環境クズネッツ曲線
- ☐ 直接規制
- ☐ 環境税
- ☐ 排出権取引
- ☐ クリーン開発メカニズム
- ☐ コモンズの悲劇

1 Story

肌で感じる首都の大気汚染

「まただいぶ怒られるんだろうか……一応，毎日メールは入れていたけど……ブツブツ……」

マメさんの今日の予定は，婚約者のコピさんとの久しぶりのデート。国内援助プロジェクト，ナカツ国への出張などが続いていて，もう3週間も会っていなかったと少々冷や汗が出てきました。男勝りの豪快な人が多いことで有名な地方出身のコピさんは，言いたいことをズバズバという女性。マメさんは怒られるのではないかとビクビクしながら待ち合わせ場所に向かいました。

ところが，待ち合わせ場所に着いてみると，時間にうるさいコピさんが，まだ来ていません。30分ほど遅れて現れたコピさんですが，ここ半年ぐらい喉の炎症が取れなかったため，病院に行って薬をもらってきたとのこと。原因は何なのかと尋ねると，よくはわからないけど，空気の汚れかもしれない，とのことです。コピさんは，1年半ほど前に，交通量の多い国道のそばに引っ越したのですが，その後から喉の痛みと頭痛に悩まされるようになったのです。コピさんと同じアパートには同様の症状に悩む女性がいますし，白いシャツを一日干していると，夕方には赤黄色に変色しているとのことです。

そう言われてみれば，今日の朝刊で，首都の自動車登録が毎週100台を超えるペースで増えているという記事を読んだばかりでした。マメさんは，初めは「いつかは自分の車を持ちたいなぁ」と思ってその記事を読みはじめたのですが，「よくよく考えたら，こんな狭い首都で車が大量に増えたら，空気が汚れて当然かもしれない，だいたい，走っている車は他国で何年も使われてきた中古車が多い。真っ黒な煙を上げて走っている車をよく見かけるぞ。もしかしてこの町は知らない間にかなり問題のある状況になってきているんじゃないだろうか……？」と疑問がわいてきたのでした。

次の日，ボスのティーさんにこの件を話してみました。ティーさんは深刻な

面持ちでこう話をしてくれました。

「マメ君，確かに君の言うように，わが国，とりわけ首都近郊の大気汚染状況は深刻だよ。それ以外にも，自然環境保護区にもなっている東北部での違法森林伐採なども頭の痛い課題だね。こうした環境問題についての対策も，君に今バックグラウンドペーパーをお願いしているアスー国経済発展戦略プランには，しっかりと明記するつもりだよ。環境に関しては環境省の若手にバックグラウンドペーパーを頼んでいるけどね」

ただ，婚約者のコピさんが大気汚染による被害にあっている可能性が高い以上，マメさんの性格上，いてもたってもいられません。マメさんは，首都の大気汚染対策について何かできることはないかと，ボスのティーさんに直談判をしました。ティーさんは，

「それじゃあ明日，大気汚染対策に関する会議が環境省で開かれるから，それに君も参加すればいい。いろいろと学べることもあるはずだからね」
と言ってくれました。

持続可能な開発に向けたアスー国の取り組み

環境省での会議には，顔なじみのJICAヨネさんの姿もありましたが，そこで聞かされた話はマメさんがこれまで考えてきたアスー国の成長戦略を根本から揺るがすようなものでした。首都の大気汚染は，北京やデリーほどではないものの，健康被害がでてもおかしくないレベルまで汚染物質が拡散しており，その主な排出源は，排ガス浄化装置のない自動車だそうです。また，マメさんが視察に行った工業団地のそばの河川もかなり汚染されており，魚や貝などの漁獲物にも深刻な影響が出はじめているとのことでした。

アスー国はまだまだ発展途上の国です。工業団地で操業する企業もこれまで以上に生産を拡大しなければなりませんし，自動車の台数もアスー国の人々の所得が増えれば増大することは間違いありません。しかし，それは同時に深刻な環境汚染を引き起こすことにもつながります。

さらに，エネルギー省の役人からは，現在でも停電が頻繁におきる状況にもかかわらず，このままのスピードで首都の電力需要が増えると，おおよそ10年後には電力需要の半分ほどしか満たせなくなる，との試算が提出されました。

最後に，外務省から，温暖化防止の国際会議 COP 22（第 22 回国連気候変動枠組条約締約国会議）の会議参加に向けた報告もありました。マメさんにとっては初めて聞く話ばかりだったのですが，アスー国にとっても地球温暖化の問題は他人事ではなく，アスー国の主食でもある米の生産にも大きな影響が出る可能性があるとのことです。外務省の報告者が「そもそも地球温暖化は，温室効果ガスをまき散らして発展した先進国に責任があるのに，なんでわが国にまでそのとばっちりがくるんだ。対策するなら先進諸国でするべきだろう」と発言していたのが印象に残りました。

　根の明るいマメさんですが，さすがに婚約者にも大気汚染の影響が出ている可能性が高い状況ですから，その日の晩はずいぶんとうなされることになりました。でも，翌朝目覚めたときには，ちゃんと頭を切り換えました。「なんとかして，アスー国の経済成長と環境保全が両立する道を考えないといけない。そうじゃないと何のために自分がここで働いているのかわからないじゃないか！」

2 何が問題なのか
▶課題の抽出と分析フレーム

　意気込むマメさんのためにも，環境と開発に関して何が問題なのか，まずは論点整理から始めましょう。

POINT

> ❶ アスー国でも経済成長につれて環境問題が顕在化しているが，両立の道を考えなければならない。個別の問題としては，首都の大気汚染問題と東北部の違法森林伐採が深刻。
> ❷ 同時にエネルギー需要が増加しているが，これらの需要増加をどのように賄っていくのか？
> ❸ アスー国だけの問題だけではなく，地球全体での環境問題に対してどのような対策を考えていくべきか？

　すべて頭の痛い問題ばかりですね。頭の痛くなる理由は，これらの根っこに

は，経済成長と環境保護の両立という非常に難しい課題が立ちはだかっているからなのかもしれません。そこでまずは，この経済成長と環境保護の両立を達成できるような「持続可能な発展」と呼ばれる概念について学習し，本当に両立が不可能なのか考えてみましょう。その後に個別の大気汚染，自然保護，エネルギー問題，そして地球環境問題への対策を考えてみましょう。

途上国における持続可能な発展

持続可能な発展という言葉に込められた意味は，単に高度経済成長がずっと継続するとか，環境保護のみに専念すればよいということではありません。経済の発展も環境の保全も社会の制度も，それぞれが調和して，その地域，国，地球で暮らす人々，動植物が何十年も何百年も先まで生存していくことのできる生き方，社会のあり方が問われています。

この**持続可能な発展**という考え方の源流は，1972年のストックホルム会議（国連人間環境会議，United Nations Conference on the Human Environment: UNCHE）にあるとされています。その会議では「人間環境宣言」が採択され，経済，環境，社会，それぞれのあり方が密接に関係すること，将来の世代にとって現在世代が責任を有すること，などが述べられています。このストックホルム会議の内容や採択された「人間環境宣言」は，ローマクラブが1972年に出版した『成長の限界』（Meadows et al. 1972）の影響を強く受けたとされています。この本では，「世界人口，工業化，汚染，食糧生産，および資源の使用の現在の成長率が不変のまま続くならば，来るべき100年以内に地球上の成長は限界点に達するであろう」と述べられており，その後の持続可能な発展の議論にも大きな影響を与えました。

1987年の環境と開発に関する世界委員会，通称ブルントラント委員会がまとめた報告書『地球の未来を守るために』では，持続可能な発展という言葉が初めて用いられ，「将来の世代が自らのニーズを充足する能力を損なうことなく，今日の世代のニーズを満たすこと」という概念が提示されました（World Commission on Environment and Development 1987）。その後，リオデジャネイロの地球サミット（1992年）やヨハネスブルグサミット（2002年）において，議論も深まりを見せていきます。

2015 年は，国連が 2000 年に採択した「ミレニアム開発目標」（Millennium Development Goals: MDGs）の最後の年でした。MDGs は 1990 年から 2015 年の間に達成すべき貧困削減の目標を設定したものです。残念ながらその多くは達成できないまま世界は 2015 年を迎えましたが，国連は，MDGs に続く 15 年間を見据えて，「持続可能な開発目標」（Sustainable Development Goals: SDGs）を採択しました。

環境クズネッツ曲線

　このように 50 年近くも議論が続いている持続可能な発展という概念ですが，単純な問いかけとしてみなさんが思うのは，その発展のあり方が可能なのかということだと思います。アスー国は経済成長と環境保全を両立できていない，すなわち持続可能な発展に成功していないように見えます。

　アスー国のような途上国の今後を考える上で，日本やヨーロッパのような先進国がたどった道は示唆に富みます。現在の日本では，街中にはハイブリッド車や電気自動車が走るようになり，四大公害が問題になっていた 1970 年代に比べると，大気汚染や自然環境汚染の状況はずいぶんと緩和されてきました。また，人々の環境やアメニティに対する意識も昔に比べるとずいぶんと変わってきたように思います。最近ではエコ・ツーリズムやロハスといった言葉や概念が，一般的なものになってきました。

　このように，経済が成長し，人々の所得水準が上がってくると，それにつれて人々の環境意識も高まり，その結果，政府による環境対策もより厳格なものになり，最終的には環境の保全が進んでいくというのが，先進国の歴史が示唆する流れです。経済成長によって新たな科学技術が開発されることも，環境汚染を大幅に改善することにつながっています。これを抽象化したのが，**環境クズネッツ曲線**です（図 9-1）。

　経済発展の初期段階には環境汚染の量はそれほど多くはないのですが，経済成長をするにつれて，その汚染の量は増えていきます。現在のアスー国はこの段階にあります。しかしある点を過ぎると，上述したような理由で，汚染の量は減少していきます。そして先進国のレベルにまで所得が高くなれば，汚染の総量はかなり少なくなります。大気汚染の元凶になる二酸化硫黄などの汚染物

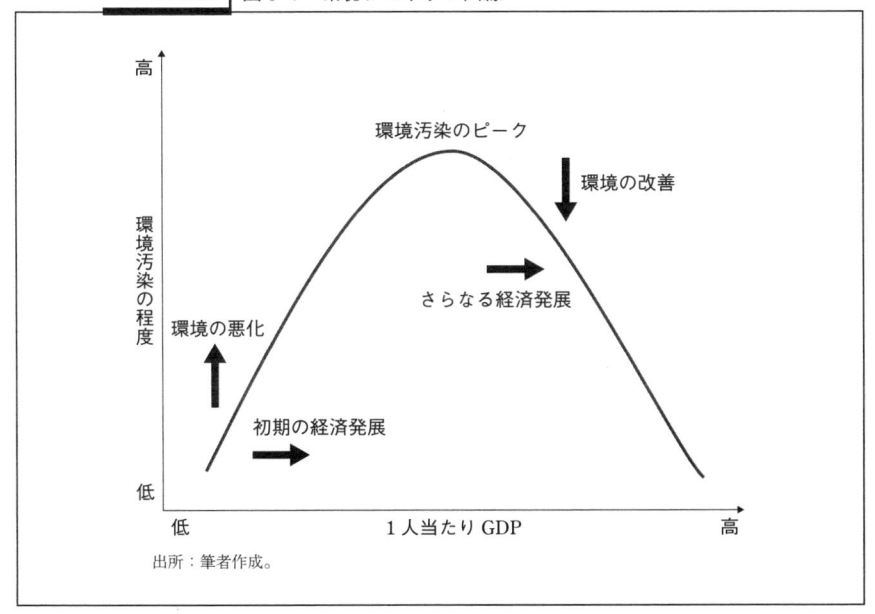

CHART 図9-1　環境クズネッツ曲線

縦軸：環境汚染の程度（低→高）、横軸：1人当たりGDP（低→高）。曲線は逆U字型で、初期の経済発展→環境の悪化→環境汚染のピーク→さらなる経済発展→環境の改善、と推移する。

出所：筆者作成。

質を例にとると、この環境クズネッツ曲線が実際のデータからも確認できます。

　こう考えると、アスー国のような途上国も、日本やヨーロッパがたどったような経路と同様に、いつか転換点を迎えて汚染量を減少させ、持続可能な発展に移行できるのかもしれません。

　しかし現在の途上国すべてが、先進国の所得水準になるまで環境保全を後回しにするわけにはいきません。たとえば中国やインドといった人口大国のことを考えてみましょう。両国を併せた人口は日本の人口の 20 倍以上ですので、両国が日本が経験したことを同じように経験してしまうと、人口でみて 20 倍規模の水俣病や四日市ぜんそくが生じてしまうかもしれませんし、地球規模の環境危機につながるかもしれません。したがって、現在の途上国は総体として、経済成長と環境保全を両立して、持続可能な発展の道を選択することが必要です。それは可能なのでしょうか？

　答えは Yes とも No とも言えます。ただし、Yes と回答をするためには、アスー国だけの力ではどうにもなりません。進んだ技術や経験を持つ先進諸国のサポートが必要になります。環境クズネッツ曲線の転換点を早め、同時に転換点における汚染の総量を減らすことを考えなければならないでしょう。図 9-1

2　何が問題なのか　●　169

CHART 図 9-2 転換点を早めた環境クズネッツ曲線

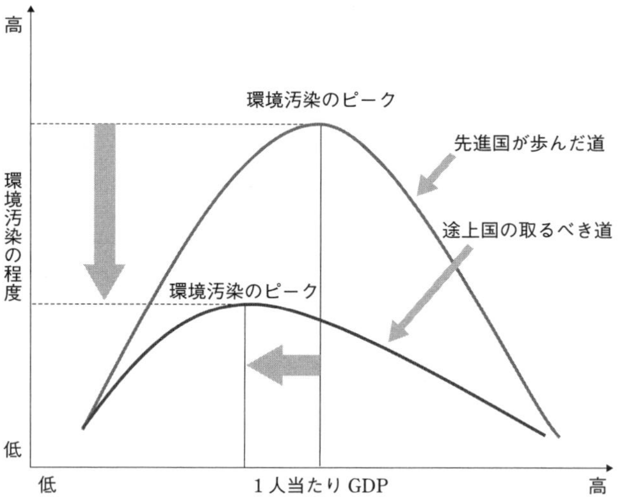

高
低
環境汚染の程度
環境汚染のピーク
先進国が歩んだ道
途上国の取るべき道
環境汚染のピーク
低
1 人当たり GDP
高

出所：筆者作成。

を，図 9-2 のように変える必要があるのです。たとえば，初期の段階で自動車に性能のよい脱硫装置をつけることができれば，大気汚染の程度は大幅に改善されるかもしれません。しかし，脱硫装置のコストをどのようにして捻出すべきか考える必要があります。

それでは途上国が持続可能な発展をするにはどのような制度設計が必要になるのか，主に資金の捻出等の点も含む政策対応といった点から考えていきましょう。

直接規制は有効か？

アスー国の首都のように，大気汚染が深刻な状況にある場合，これを削減するためにすぐに思いつくのが，何らかの規制をかけるということです。たとえば，自動車から排出する有害物質の総量を規制する，有害物質を排出している工場の生産を調整させることなどが考えられます。規制が守られるならば，**直接規制**は，有害物質を削減するという点では効果があります。他方，直接規制は効率性を損ねて，経済成長に直接的なマイナスを及ぼす可能性があります。この点について，数値例を使って確認しましょう。

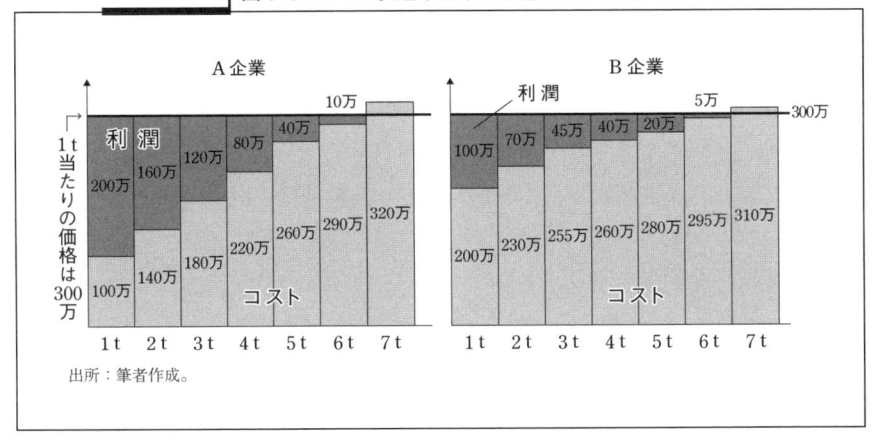

CHART 図9-3 2つの製造業企業の生産コストの構造

A企業: 1t当たりの価格は300万
- 1t: 利潤200万, コスト100万
- 2t: 利潤160万, コスト140万
- 3t: 利潤120万, コスト180万
- 4t: 利潤80万, コスト220万
- 5t: 利潤40万, コスト260万
- 6t: 利潤10万, コスト290万
- 7t: コスト320万

B企業:
- 1t: 利潤100万, コスト200万
- 2t: 利潤70万, コスト230万
- 3t: 利潤45万, コスト255万
- 4t: 利潤40万, コスト260万
- 5t: 利潤20万, コスト280万
- 6t: 利潤5万, コスト295万
- 7t: コスト310万 (300万)

出所：筆者作成。

　A, Bという2つの製造業企業があり，全く同じ金属製品を製造しているとしましょう。この金属製品を製造するときには，有害な化学物質が排出され，河川が汚染されます。有害な化学物質は，生産量と同じ量だけ排出されるとしましょう。この汚染物質の排出を減らすために，政府が，一律に生産量を半分にするお達し（直接規制）を出したらどうなるか考えます。

　図9-3に，両者の生産コストが生産1tごとに異なる様子を示しました。図で表されているコストは，工場を建設する際の設備費用や初期投資などにかかる固定費用は無視されており，製品を1tずつ増産していく際の増加分のコストを示しています。A社は最初の1tを製造するコストが100万円なのに対し，B社は200万円です。生産量が6t以下の場合では，どの生産レベルでも，A社の方がB社よりも少ない生産コストで生産できるという意味で，A社の方が効率的だといえます。

　政府が規制する前に，この金属製品の1t当たりの市場価格が300万円だったとしましょう。すると，どちらの企業も6t生産すると最も大きな利潤を得ることができます。そこで，両社とも6tずつ生産している状況を，規制前の状況だとします。

　ここに，一律に生産量を半分にする直接規制が導入されたらどうなるでしょうか？　生産量が3tに減りますから，A社は合計で130万円の利潤が失われてしまいます（80万円＋40万円＋10万円）。他方，B社の利潤は65万円分の減少です（40万円＋20万円＋5万円）。合計で195万円分の利潤が損なわれますが，

2 何が問題なのか ● 171

政府の規制が遵守されれば確かに汚染も半分に減ることになるでしょう。

とはいえ読者のみなさんの中には，効率的な生産をしているＡ社の方が利潤の減少が大きいというのは何か腑に落ちない気がする人もいるかと思います。もし政府の役人がＡ社の方がＢ社よりも効率的だということを知っていたら，たとえばＡ社の生産量は４ｔにして，Ｂ社の生産量は２ｔにするという政策を採用するかもしれません。すると，Ａ社の利潤減少は50万円で（40万円＋10万円），Ｂ社の利潤減少は110万円となり（45万＋40万円＋20万円＋5万円），合計の利潤減少額（160万円＝50万円＋110万円）を，それぞれが３ｔずつ均等に減らすときの195万円よりも少なく抑えることができます。しかしＢ社だって６ｔ製造したいのですから，政府の役人が直接規制のための調査に来たら，「わが社は効率的」だという虚偽の情報を提出するかもしれません。個別企業の実情や技術水準，負担能力に応じて変化するような直接規制（より少ない経済損失につながるような直接規制）を行うための情報収集は，途上国の現状では不可能だと思われます。

このように直接規制は，効果の即効性や政策履行の確実性の観点から優れており，甚大な健康被害などが疑われる環境汚染等を規制する際には適した政策対応と言えるのですが，非効率な点が多いなどの理由から，単独に実行するだけでは経済的にも環境的にも最適な解決方法を達成することが難しいとされています。またアスー国のような途上国の実情を考えれば，汚染は減っても政府の負担が膨大になるような規制ではあまり意味がないとも言えます。形だけの直接規制をしても，それを守らないで違法な操業を続けるような工場ばかりであれば意味がありませんし，中には，政府の役人に裏金を渡して規制の目をくぐり抜けようとする輩も出てくるかもしれません。こうした裏取引が常態化してしまうと，その悪しき慣習を正していくことにも膨大な時間とお金がかかることになります。

経済的手法による対策

それでは直接規制ではなく，経済的にも環境的にもよりよい解決方法を達成するためには，どのような方法が考えられるのでしょうか。

ここでようやく経済学的な発想の出番です。市場メカニズムを想定し，経済

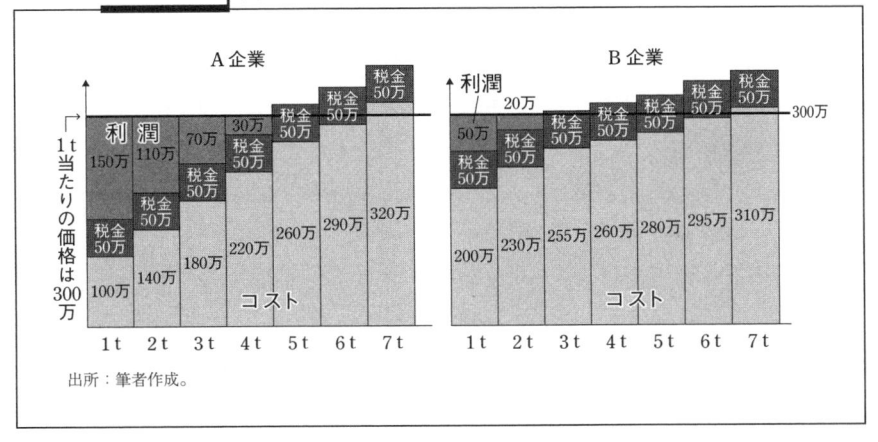

CHART 図9-4 経済的手法のメリット（環境税の例）

A企業

	利潤 150万	利潤 110万	70万	30万			
			税金 50万	税金 50万	税金 50万	税金 50万	税金 50万
1t当たりの価格は300万	税金 50万	税金 50万					
	100万	140万	180万	220万	260万	290万	320万
	1t	2t	3t	4t	5t	6t	7t

コスト

B企業

	利潤 20万						
利潤 50万	税金 50万	税金 50万	税金 50万	税金 50万	税金 50万	税金 50万	税金 50万
200万	230万	255万	260万	280万	295万	310万	
1t	2t	3t	4t	5t	6t	7t	

コスト

――300万

出所：筆者作成。

主体のインセンティブを利用して効率的な環境対策を取ろうとするスタンスを，経済的手法と呼びます。経済的手法には，税金・補助金，地球温暖化対策で有名になった排出権取引，環境問題の当事者の直接交渉による取引といった対策が含まれます。ここでは税金をかけるという手法（**環境税**）と排出権取引について，上記の数値例を用いて説明することで，経済的手法のメリットを示したいと思います。どちらも，政府が各企業の生産構造に関する情報を集める手間が不要であるにもかかわらず，直接規制の例で説明したような非効率な状況を改善できます。

図9-4は，先ほどの図9-3の状況に一律で1t当たり50万円の税金（環境税）をかけた状況を表しています。両者にとってのコストは，税金を含めた総額のコストの大きさになりますから，このコスト総額と1t当たりの販売額300万円との大小で生産量を決めるのが合理的です。このときにA社は4tまで，Bは2tまで生産することが総利潤を最大にするので，そのように自ら生産計画を変更するでしょう。

この状況と先の直接規制を行った場合を比べてみましょう。単純な直接規制で行おうと考えた生産量半減が，環境税によっても達成されているだけでなく，企業ごとの効率性に応じた生産状況になっていることがわかります。この状況は，先の直接規制の項では情報収集のコストなどの点から見て実効性のないものとして説明されていました。

A社の利潤減少は，2t生産を減らしたことによる50万円（＝40万円＋10万

円）と，生産する 4 t に課せられる税金 200 万円の合計 250 万円となり，B 社の利潤減少は，4 t 生産を減らしたことによる 110 万円（＝45 万＋40 万円＋20 万円＋5 万円）と，生産する 2 t に課せられる税金 100 万円の合計 210 万円です。ずいぶん利潤が減っているように見えるかもしれませんが，300 万円の税金は政府の収入ですから，この税収が環境対策などに正しく利用されれば国民のメリットも大きいでしょう。

　ただし，この場合は企業の利潤が大きく減ってしまうことになりますので，企業からの反対は大きいものになるでしょう。企業にとっては，同じ生産量の減少であれば，直接規制の方が利潤の減少分が少ないので都合がよいのです。ですから，メリットも大きい環境税ですが，企業の反対を考えると導入するためのハードルは高いものになりそうです。

　次に**排出権取引**を考えてみましょう。排出権取引とは，言葉通りの意味で，汚染物質を排出する権利を取引する制度です。図 9-3 の例で，政府は 6 t の排出権を，A 社と B 社それぞれに機械的に 3 t ずつ割り当てるとどうなるか，考えてみましょう（排出権取引の優れたところは，2 社への割り当てがどうであろうと，同じように効率的な生産が達成されることなのですが，それについては宿題としましょう）。排出権の取引が認められないならば，両者とも 3 t の排出権を使って 3 t ずつ金属製品を製造するので，直接規制と同じです。取引が認められた場合，A 社が B 社に次のような提案をしたらどうなるでしょうか？

　「わが社はもう少し生産を増やしたいので，排出権 1 t を 60 万円で売ってくれませんか？」

　A 社が 4 t 目を製造するコストは 220 万円で，その市場価格が 300 万円ですから，排出権に 60 万円払ってもなお，利潤が 20 万円増えます。B 社が 3 t 目を製造するコストは 255 万円で，市場価格の下での利潤は 45 万にしかならないので，製造するよりも排出権を販売して製造量を減らすことにより，利潤が 15 万円増えます。したがって，両者ともこの提案を受け入れて取引が成立し，A 社は 4 t，B 社は 2 t 製造するという環境税と同じ結果につながります。

　ここでは環境税と排出権取引のみを紹介しましたが，近年では，それぞれの政策が持つ長所をうまく活かせるように，両者をミックスした環境政策が考えられるようになっています。たとえば，地球温暖化のように利害関係者が多岐

にわたり，複雑な様相を見せる問題には，経済的手法の中でも，環境税だけではなく，排出権取引，さらには先進国から途上国への技術移転の促進なども含めた包括的な対応策が考えられています。これらについては，後ほどお話しします。

エネルギー問題の深刻さ

さて，途上国を旅された方であれば経験されたことがある人も多いと思いますが，たとえ首都にいても頻繁に停電が起きるような国が数多くあります。とりわけ第5章で見た東アジアの新興国では，アス―国の状況同様に急激な経済成長にエネルギーの供給が追いつかない状況が現在でも生じています。

図9-5を見ても，アジア太平洋地域のエネルギー需要が急拡大していることがわかります。これは特に，人口大国中国の急成長によってエネルギー需要が爆発的に増加しているからです。

日本など先進国の経験では，石炭から石油，そして天然ガスや原子力，その他の自然エネルギーというように，エネルギー消費構成には時系列的な変化が見られます。ただし，インドや中国といった国々では石炭の埋蔵量が多く，安価に利用できるため，それらのシェアが高いことが指摘されています。石炭への依存は，公害，とりわけCO_2排出量の急増を招いています。途上国の多くで，火力発電よりコストが安いとされる原子力発電導入も進められてきましたが，2011年に日本で起きた東日本大震災に由来する原発事故により，見直しを迫られている途上国もあるようです。また，現在の多くの途上国では，エネルギー需要に占める比率は産業向けが高いのですが，今後10年程度の変化を考えると，輸送用および業務，民生用のエネルギー需要の伸びが本格化してくると考えられます。このときに，石炭による発電が頓挫し，エネルギー価格が上昇することは，経済成長の足かせにもなりかねません。

現状を理解し，どのようなエネルギー確保の戦略をとれるのかが，とりわけアス―国のようなエネルギー資源量の少ない途上国にとっては重要な課題となっていることが理解できます。

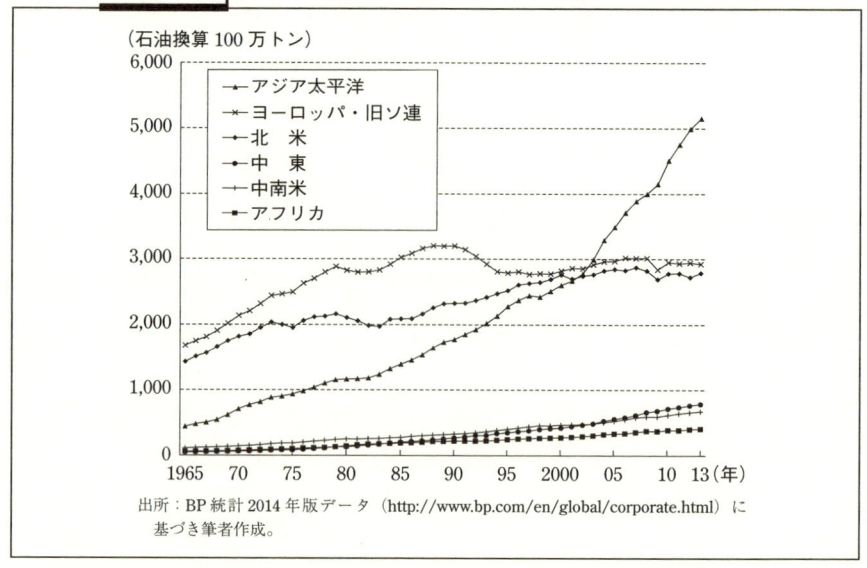

CHART 図9-5 増加する世界のエネルギー需要（1965～2013年）

（石油換算100万トン）

凡例：
- アジア太平洋
- ヨーロッパ・旧ソ連
- 北米
- 中東
- 中南米
- アフリカ

出所：BP統計2014年版データ（http://www.bp.com/en/global/corporate.html）に基づき筆者作成。

地球温暖化問題と途上国

　本項では，これまでの論点とは少々変わって，国の枠組みを超えた地球規模の環境問題である地球温暖化問題について考えてみましょう。

　1992年にブラジルのリオデジャネイロで採択された気候変動枠組条約によって，世界各国が温室効果ガスの削減，安定化に取り組むことが宣言されました。これを受けて97年の温暖化防止の国際会議でもあるCOP3では，開催地の京都にちなみ，京都議定書という温暖化防止に関する取り決めが採択されました。この京都議定書は，世界初の温室効果ガス削減のための具体的な取り決めであるというだけではなく，各国が経済的なコスト負担を了承し，採択された取り組み内容に先に述べた経済的手法を用いた排出権取引などが採用されるなど，内容としても非常に意義のあるものでした（図9-6）。

　この京都議定書を採択した日本は，図9-6の3つのメカニズムや，独自の対応策によって，温室効果ガスの削減，安定化を行っていかなければなりません。2012年から始まった地球温暖化対策税なども取り組みの1つです。

　図9-6にある**クリーン開発メカニズム**がどのように温室効果ガスを削減するのか，説明しましょう。たとえば，アスー国では自然環境保護区にもなってい

176　● CHAPTER 9　持続可能な開発

CHART 図 9-6　京都メカニズム

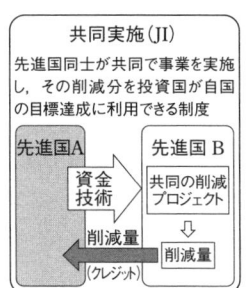

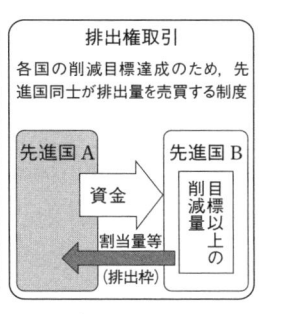

共同実施 (JI)	クリーン開発メカニズム (CDM)	排出権取引
先進国同士が共同で事業を実施し，その削減分を投資国が自国の目標達成に利用できる制度	先進国と途上国が共同で事業を実施し，その削減分を投資国（先進国）が自国の目標達成に利用できる制度	各国の削減目標達成のため，先進国同士が排出量を売買する制度
先進国A → 資金・技術 → 先進国B（共同の削減プロジェクト）→ 削減量 → 先進国A（クレジット）	先進国A → 資金・技術 → 途上国B（共同の削減プロジェクト）→ 削減量 → 先進国A（クレジット）	先進国A ← 資金／割当量等（排出枠）← 先進国B（削減目標量以上の削減量）

出所：環境省資料（https://www.env.go.jp/council/06earth/y060-15/mat_03_2.pdf）。

る東北部で違法森林伐採が行われているようです。これには，当該地域に住む農民の生活水準が低く，違法伐採をしないと生計を維持できないという背景があります。

このような場合に適用可能なのが，クリーン開発メカニズムの枠組みです。日本の支援による植林事業がアス一国で行われたと考えてみましょう。近年ではアグロフォレストリーと呼ばれる林地と農地を組み合わせた混合農法が行われるようになっています。たとえば，木の成長に合わせて適切な枝打ち・間伐を行えば，農業生産を維持しながら薪を含む林産物を収穫し，同時に野菜，果実の生産を行うことができます。さらには，落葉による土壌有機物を堆肥に変えて農業生産に投入することもできます。つまり植林事業を通じて農民の生活改善を実現することができるというわけです。もちろん，こうした植林事業によって，森林減少が止まり森林面積は増加していくはずです。このときに森林増加によって大気中の CO_2 が削減されますが，この削減量をクレジットとして日本は受け取ることができるというのが，クリーン開発メカニズムの仕組みです。こうした植林などのプロジェクトは，これまで返済を求めない無償資金協力の形で行われていましたが，クリーン開発メカニズムを用いれば，日本の側にもメリットがあります。単に森林減少を食い止めるというだけではなく，援助をする側の経済的メリットも発生させることで，こうした取り組みの活性化がはかられていると考えられますね。

図 9-6 にある排出権取引については，すでに環境税との類似で説明しました。より汚染物質を排出したい国がより多くの排出権を買い取り，そうではない国

はその権利を売却することができるように、「汚染物質を排出する権利」市場を発生させ、市場メカニズムを通じて、汚染の総量規制を可能とするユニークな経済的手法といえます。

ただ、残念なことに、この京都議定書の枠組みは、地球全体の温室効果ガス削減という見地から見ると、当初の予定より、かなり限定的な効果しか持たないものになってしまいました。アメリカと中国という温室効果ガスを大量に排出している大国が参加しないまま、2005年に京都議定書が発効することになったからです。

2015年12月に国連気候変動枠組条約第21回締約国会議（COP 21；気候変動パリ会議）は、2020年以降の地球温暖化対策の新たな国際枠組みとなる「パリ協定」を採択しました。画期的なのは世界196カ国の国・地域がすべて採択に合意したということで、これは地球温暖化対策の歴史上初めてのことです。世界の平均気温上昇を産業革命前と比較して2度未満に抑えることや、今世紀後半までに、世界全体の温室効果ガス排出量を生態系が吸収できる範囲に収めることなど、パリ協定の目標を達成できるとすれば非常に意味のある合意内容が並んでいます。その意味ではCOP 21は大成功と呼べるのかもしれません。ただし、一方でこうした温暖化対策への資金提供を巡って、負担を嫌う先進国と資金提供を受けたい途上国の間では大きな意見の相違が見られました。

こうした意見対立は利害の異なる国同士で議論を行わなければならない国際会議ではよく見られることです。ただし、地球温暖化の問題は、対策が遅れることによって、取り返しのつかない被害を引き起こす可能性のある問題ですから、何かしらの対策が必要です。

1つの取り組みとして、世界全体の取り決めを進めるだけではなく、2カ国間や地域間協定のような枠組みを並行して作っていくことが考えられます。国際的な取り決めではすべての参加国が合意できる枠組みを提示することは難しく、またそれが仮にできたとしても、あまり中身のないものになってしまう可能性が高いのです。このため、利害を調整しやすく、互いにメリットが得られるような国々が共に効果的な対策を考えていくことに注力した方が、世界全体で見てもメリットが大きくなるかもしれません。

ただし、世界的な対策にしても、地域的な対策にしても、その枠組みに乗る

メリットがそれぞれの国にないと，絵に描いた餅になる可能性は高いでしょう。パリ協定が歴史的合意となるためにも，効果的な対策と各国の参加インセンティブが両立する意味ある枠組みとなるよう，今後も各国間の対話が進められていくべきです。

地球の未来を守るために：コモンズの悲劇を超えて

さて，環境問題におおむね共通しているのは，汚染される自然環境は誰かが個人で所有しているものではなく，多くの人々が共に利用し，恩恵にあずかっているものだということです。このように多くの人々が利用可能な資源をコモンズと呼びます。コモンズは，人々が自由勝手に利用できてしまうために（オープン・アクセス），放っておくと過剰な利用のために枯渇する恐れもあるでしょう。このことを**コモンズの悲劇**と呼びます。悲劇と呼ぶのは，全員が協調して行動すれば持続可能にコモンズを利用し，全員の生活水準を高めることができる場合でも，1人ひとりが自分の利得を合理的に考えて行動した場合に，社会的には非効率な過剰利用が起きてしまって，結果的に全員の生活水準が下がってしまうからです。

ただし，常にコモンズの悲劇が生じてきたわけではありません。森林や河川，海洋水産物といったコモンズ的な性格を持つ資源に関しては，これまで適切に利用されてきた例が世界各地で見られます。そのような例では，森林や河川のある地域で暮らす人々の間で適切に利用制限を行い，そのルールを破った人間には罰を与えるなどの方策がとられてきたことが知られています。

このように，地域限定的なコモンズであれば，利用者の間で適切な管理をすることで維持していくことはできるかもしれません。しかし昨今の地球環境問題は，地球環境という資源（グローバル・コモンズ）が世界的規模で共同利用されていて，地球全体での協調的行動に失敗しているがゆえに生じているように見えます。地球温暖化や熱帯林破壊は，人々が自己利潤のために地球環境を利用し，資源枯渇や行き過ぎた環境破壊を招いた状態だと考えることもできるのかもしれません。これがコモンズの悲劇にならないよう，真に持続可能な社会を築くために，地球環境の恩恵を享受している私たちはそれぞれが暮らす自国だけでなく地球の未来について考えなければなりませんね。

3 問題の解決に向けて

　本章では，どのようにすれば持続可能な発展を現在の途上国が実現させることができるのか，そしてその結果，地球環境全体が持続可能なものになるためにどのような対応が必要かを，考えてきました。経済成長と環境保護を両立することは，たやすいことではありません。しかし途上国と先進国との間での協調によって，その可能性は少しずつ大きくなってきています。

　国内の環境規制にせよ，地球規模での多国間交渉にせよ，経済的なインセンティブを考慮し，個別企業やそれぞれの国が，進んで環境を守る行動をするように制度設計することが重要だというのが，本章の重要なメッセージです。環境税や排出権取引といった経済的手法が，同じ水準の環境保護を最も少ないコストで実現できる可能性が強いことに注目してください。

　さてマメさんの報告書作成はどうなっているでしょうか？　マメさんは，さまざまな環境問題について資料や論文を読みあさる中で，アスー国がこれから本当に豊かになっていくためには，文字通り持続可能な社会を設計していかなければならないと強く思うようになりました。バックグラウンドペーパーでの彼の担当は経済発展であって，環境問題そのものではありませんので，環境対策の経済面に焦点を当てたチャプターを報告書に追加することに決めて，各国の環境対策事例や先進諸国の経験を経済学的に解説する資料を徹夜でまとめました。

　決意を新たにボスのオフィスを訪ねました。マメさんは報告書の新たなチャプターの概要を説明し，どのような対策がアスー国にとって必要か，熱弁しました。

　「持続可能な発展を考えるために，アスー国経済発展戦略プランには，環境やエネルギーの問題により多くの紙面を割くべきですし，より具体的な対策を明記すべきだと私は思います！」

　真剣に話を聞いていたボスのティーさんもその意見に賛成してくれました。
「ただし，君が提案してくれた対策を滞りなく行うためには，わが国だけの

自助努力ではとても賄いきれないよ。日本のような先進諸国の協力がどうしても必要だ。また，国内の工場だけではなくて，わが国に投資をしてくれている各国の企業に遵守してもらうルール作りも始めなければならないね。そのときには，彼らの言い分だって聞く必要があるだろう。いずれにせよ，コーディネーション，パートナーシップ，こういったことが重要だよ」

マメさんはティーさんの言葉に深くうなずき，鼻息荒く自分のデスクに戻ってきましたが，ふと，バックグラウンドペーパーを無事提出したら，再来週は休暇をとって，婚約者のコピさんをつれて生まれ故郷の両親に会いに行こうと思いつきました。この2カ月近く，バックグラウンドペーパーの執筆，環境問題の調査など，ほとんどの休みを仕事に費やしていたマメさんは，自分自身の持続可能性も考えなきゃな，と思ったようです。生まれ故郷の町は，アスー国で最も透明度の高い大きな湖が近くにあります。こうした豊かな自然環境を利用して自然環境保全と観光開発が一体化したプロジェクトができないか，と考えはじめたマメさんです。

QUESTIONS

9-1 環境クズネッツ曲線が逆U字型になる理由について解説してください。

9-2 直接規制のメリット，デメリット，環境税のメリット，デメリットをそれぞれ整理しましょう。

9-3 図9-3の例で，A社に排出権6tが与えられ，B社には排出権が全く配分されなかった場合に，排出権取引がどのように生じるか，考えてみましょう。

Column ❾ 多様性の先にある困難

193もの国家元首がニューヨークに会して行われた2015年9月末の国連サミットでは，ミレニアム開発目標（MDGs）の後継目標となる「持続可能な開発目標」（SDGs）が承認されました。SDGsでは，MDGsでも取り上げられていた貧困削減や社会開発関連への目標設定にプラスして，地球社会の持続可能性についての開発目標が加わりました。実際の目標数でいえば，MDGsが8つの開発目標と21の具体的なターゲットを掲げていたのに対して，SDGsでは17の開

発目標と 169 のターゲットが設定され，大幅な増加が観察できます。

　本書でも見てきたように，貧困削減や社会開発，持続可能性へのニーズは多様で複雑です。だからこそ，SDGs でいろいろな側面に配慮，関心が向けられるようになったのはよかったじゃないか，と思われる方もいらっしゃるでしょう。まさにそのとおりなのですが，重要なことはこうした開発の課題を解決していくことです。世の中が複雑であることが把握できることと，実際にその問題を解決しようと政策を考え，それを実行に移し，成果を得ることとは，つながってはいるものの，かなり異なる行為なので物事はそう簡単ではありません。

　一般的に，われわれ研究者の仕事は世の中の複雑さを明らかにして具体的な政策への道筋を立てることですが，政策立案の交渉過程や実際の政策運用については，その場に直接参加することが難しいため，よくわからないことも多いのです。逆に政策立案の現場で仕事をされている援助機関の職員などは，現場の知識や政策運用上のノウハウはよく知っていても，日々の仕事が多忙ゆえに，そうした仕事の背後にある経済，社会のメカニズムについて，知識を刷新し，理解を深める時間がなかなか取れません。

　1 人の人間のキャパシティは限られているため，世の中に複雑で多様なニーズが存在していることがわかればわかるほど，個々の仕事は専門化し，全体を把握できるような議論をすることが難しくなります。

　それでも，途上国の貧困削減や社会開発にとって，また，この地球の持続可能性にとって何が必要なのか，考え，そして行動することが求められています。現時点における国際社会の到達点が SDGs だとも言えるでしょう。ならば SDGs がその役目を終える 2030 年に成功裏に幕を閉じられるように，見えてしまったさまざまな困難から目をそらさずに考え，行動することを続けていく必要があります。本書を手にとってくださった読者のみなさんにとって，このテキストがそうした困難に立ち向かう一助になれば幸いです。

MDGs が策定された 2000 年のミャンマー農村で筆者（栗田）が出会った子どもたちです。SDGs が策定された 2015 年に彼らはどのような人生を送っているのでしょうか

CHAPTER

エピローグ

途上国の希望

「まだここからあと4時間ぐらいはかかるからさ。もう1回ぐらいバスも休憩を挟むでしょ。しかし今日は本当に暑いね……」
　燦々と照りつける太陽が最も高い位置に上る正午過ぎ，マメさんは故郷へ向かう街道沿いの屋台で，婚約者のコピさんと一緒に甘いコンデンスミルク入りのコーヒーを飲んでいました。
「ねぇ，やっぱり心配なの。お父さんとお母さんは私みたいな気の強い女を気に入ってくれるかしら」
と，コピさんはいつになく弱気なようです。
「大丈夫だと思うよ。でもなぁケンカして以来，まだ親父と微妙なんだよ……」
「え？　ケンカって何のこと？　初耳よ，私。え，じゃあ私はもしかしたらケンカしているお父さんとあなたの仲直りの道具にでもさせられるのかしら。ちょっとどういうこと！　ちゃんと説明しなさいよ！？」
「いやいや，そんなこと考えてないよ……」
と不用意な一言によって，ただただ防戦一方の立場のマメさんです。
「まったくいつもあなたはそうよね，肝心なことがはっきりしないんだから！　これでうまく気に入ってもらえなかったらどうするつもりなの！」
「た，多分，だ，大丈夫だよ……」
「多分ってなによ!!」
　マメさん，仕事の丁寧さや前向きさとは打って変わって，適当で弱気な一面も……すると，
「どちらまで行かれるの？　私も今日婚約者のご両親に会いに行くのよ」
と隣に座っていたコピさんと同い年ぐらいの女性がにこにこしながら2人に話しかけてきました。そこに，
「おーい，お茶買ってきたぞ。体調は大丈夫か？」
とライチさんが駆け寄ってきました。
　コピさんのイライラを解消するチャンスとばかりにあわててマメさんがライチさんの婚約者に答えます。
「ふるさとの町に帰って，この人を両親に紹介しようと思ってまして」
「なんだって！　そこは俺たちが今から向かう村のそばの町だよ。うちはお

めでたでね。両親に報告だよ」
「うわぁ，そうですか。それはおめでとうございます。そっかぁ，おめでたかぁ……（僕もそのうちコピさんと一緒にそんな報告できるといいなぁ……）」
「まあね，本当はさ，うれしいんだけどね。でもまあ，なんていうか，今この国は大変じゃないか。ナカツ国はえらい活況にわいてるみたいだけど，こっちの国は働き口も大してないだろ。ふるさとの両親もそろそろ野良仕事がきつくなってきてね，兄貴が田んぼの面倒を見てるんだけど，俺たちが戻ってどうにかなるような雰囲気でもないし，第一，村になんか戻ったら，生まれてくるこの子に文字の1つも教えてやれないからね。俺は，学校もろくに出てないから，生まれてくるこの子には，ちゃんとしたことをしてやりたいんだよ。でもいざ都市に出てみても，なかなかいい食い扶持にはありつけなくてなぁ。だから妊娠の報告っていっても，どっか気乗りしないところもあるんだよ」
「そ，そうなんですか……」
「ああ，すまんね。久しぶりに同郷の人としゃべったもんだから，ついしゃべりすぎちまったみたいだよ。ところで，あんたは何してる人なんだい？」
「あ，あ，僕は経済開発省で働いておりまして，まだ駆け出しなんですけど……」
「え？ 何？ 計算解決僧？ なんかよくわからんけど，お寺なのか？ すごそうなところで働いてるんだな」
「いや，その中央政府の役人でして……」
「あれまぁ！ 政府のお役人さんだってよ。すげぇなぁ，あのしけた村の周りからそんな人が出てたなんて，俺は知らんかったぞ」
「あらあら，そんなすごい方だったのねぇ。でもフィアンセの方はもっとすごい方なのかしら。さきほどのやりとりを聞いてたらねぇ。フフフ……あらごめんなさい」
「いや，その，あれは，まあ，ちょっとした誤解でして……」
「何が誤解よ！ あなたがちゃんと説明していないだけじゃないの！」
と，またコピさんの機嫌が悪くなりそうでしたが，コピさんは年が近いこともあり，ライチさんの婚約者と女子トークを始めてしまい，マメさんのことなどすっかりどうでもよい様子に。マメさんはしめしめと思い，コーヒーを飲みな

185

がらライチさんと話の続きです。
「あの辺りから政府のお役人さんが出たってことは励みになるねぇ。すんごいことだよ。そういう意味じゃあ，あんたは俺たちの希望みたいなもんだわ」
「いやいや，そんな大層なものじゃないんですよ。いつもボスには怒られてばっかりだし，彼女にも尻に敷かれてるし……」
「まあ，あのお姉ちゃんは気が強そうだな。ハッハッハ。でもあんたはすごいよ。俺みたいな学のない人間はどんなことをしたってあんたみたいにはなれないからな。それにあんたは，ちっとも偉ぶる感じがないじゃないか。気に入ったよ」
「いえいえ，そんな……」
「いや，謙遜なんてする必要はないさ。ますます気に入ったよ」
「……」
うれしいんだか，恥ずかしいんだか，マメさんはどうにもむずがゆい気分で，うまく話ができません。するとにこにこしながら話をしていたライチさんが急に真剣な顔つきになりました。
「なあ，あんた。ここで会ったのも何かの縁だ。ちょいと俺に教えてくれないかな。俺はね，なんとかあの村をもっと豊かにしてやりたいと思ってるんだよ。でもどうやったらそれができるんだろうかねぇ？　俺の頭じゃ何もわからねぇんだ。最近じゃあ，俺の幼なじみやきょうだいたちも食うに困って，よそに出て行ったりしてるけど，あいつらが幸せなんかどうかはよくわからんよ。あの村にいたら仕事もないからな，食うに困っちまう。でもな，腹は減ってたけど，村でいつも両親や家族や近所の人たちと一緒に暮らせていた日々もな，やっぱり懐かしいんだわ。だからあの村がもうちょっと豊かになりゃあ，またみんな揃って暮らせると思うんだけどな。なあ，あんたみたいなすごい頭のいい人には，あの村をもっと豊かにする方法ぐらい簡単にわかっちゃうもんなんじゃないのかね」
マメさんの頭の中には，この1年間で自分が携わってきたプロジェクトでの経験や勉強してきた内容がたくさんわき上がってきましたが，どうにもうまくライチさんに説明することができませんでした。
「そっか，あんたみたいなすごい人でもあの村を豊かにするのは簡単じゃな

いんだな……」
「いえ，豊かにする方法はたくさんありますし，実際それで豊かになった国もたくさんあるんです」
「でもなあ，あの村は今も昔も貧しいままだ。なんでそんなに豊かになる方法がたくさんあるのに，あそこの村は変わらないんだ……」
「それは，いろいろと考えるべきことやプロセスがありまして……いえ，僕みたいに大学を出て，政府の役人になるような人間だって今はいるんです。だから多分少しずつは豊かになっていると思います。すいません，だから僕がちゃんとします！　ちゃんとやります！」

それまでの説明口調から一転し，ずいぶん語気が強いマメさんの話しっぷりに，ライチさんはビックリしました。でも同時に，マメさんの熱意に少し救われた気もしました。

「そうか，あんたみたいな人がちゃんとやってくれるんだったら安心だな。俺も，生まれてくる子どものためにもちゃんとしなきゃなんねぇな」
「まだまだ，僕は未熟ですけど，この国をなんとか豊かにしたいと思って日々がんばってます。でも本当にまだまだなんですよ。でも必ずなんとかします。今日はうまく説明できなくてすいません！」

確かに，これまでマメさんがいろいろと学んできたマイクロファイナンスやさまざまな技術支援などを行えば，ライチさんの村は豊かになるのかもしれません。でも，そういった村はアスー国に何千何万と存在します。自国の予算も開発援助も無尽蔵にあるわけではありませんし，援助がより効率的に使われるようにしなくてはなりません。こういうことを，自分の村の将来について真剣に悩んでいるライチさんにどのように伝えればいいのでしょうか。マメさんは，「この国を豊かにする」ということの複雑さに途方に暮れてしまいました。

　その晩マメさんは，実家で父親のダイズさんと一緒に地元のヤシ酒を飲んでいました。昼間の出来事で悶々としていたマメさんは，ダイズさんに向けてライチさんとのやりとりを一気にしゃべりたて，少し気が楽になりました。
「そうか，そのライチさんって人は，お前のことを希望だと言ったんだな」
「ああ，そうなんだよ。悪い気持ちはしないけど，でもそんなこと言われて

もなあ……」
　「いいじゃないか，希望になってやれ。恵まれた境遇に生まれた人間が，進んで希望にならなくてどうするんだ」
　「でも，僕が小さかった頃は，別に取り立ててうちが裕福だったわけじゃないだろ。恵まれた境遇って言われてもさ……」
　「違うぞ，マメ。俺が恵まれた境遇って言ったのは，お金のことだけじゃあないんだよ。人間生きてりゃいいことも悪いこともあるんだ。でも，今お前はこうやってコピさんという素敵な婚約者がいて，政府の役人として働いている。仕事だって充実しているみたいじゃないか。それはどう考えても恵まれているってことなんだ」
　「そんなもんかなぁ……」
　「そういうもんなんだ。お前が，小学校に行っていた頃の話だ。たまたま近くでお前の担任の先生に会ってな。お前のことをえらくほめるんだ。算数がとてもよくできるってな。クラスでも1番だってな。でも俺には，全く学がないから，算数ができるって言われてもよくわからねぇ。でもその日からお前が大学を出るまで母さんと2人で，そりゃもう馬車馬のように働いたものだ。働き過ぎで体調を崩したり，うまく資金繰りができずに苦しい思いをしたこともあったが，まあ，いずれにせよ，お前は恵まれてるんだ。小学校の先生にも感謝しろよ」
　「なんだかよくわかんないよ，父さん。でも，父さんと母さんがいつも僕のために働いて学費を工面してくれてきたことに，今日ほど感謝した日はなかったよ。それがなかったら僕だって今，ライチさんみたいにゴミ拾いやトゥックシャーの運転手をしていたかもしれない。豊かになるには時間がかかるのはわかるけど，やっぱりこの国は，まだまだなんだよね，父さん」
　「ああ，そうだな……」

　翌週，仕事場に復帰したマメさんは，ボスのティーさんと食堂でばったり出くわしました。
　「帰省はどうだった？」
　「はい，親父とも仲直りできたし，両親もフィアンセのことを気に入ってく

れました」
　「それはよかった。その調子でバックグラウンドペーパーの方もよろしくたのむよ」
　「はい，もちろんです！　ただそのぉ，ちょっとお聞きしたいことがありまして……」
　「ん？　何かな」
　マメさんはライチさんの話，そして父親のダイズさんに言われた話をティーさんに話しました。にこにこしながらその話を聞いていたティーさんは，
　「そうか，ライチさんたちのこの先のことについては心配だが，君にとってはすごくよい出会いになったね。確かに君は父君が言われるように恵まれていると思うよ」
　「そうなんでしょうか……？」
　「そうだよ。私が経済学を勉強していたときに言われた言葉で『クールヘッド，ウォームハート』というのがあった。君は頭脳明晰で，この国を真に思う情熱的な優しさを持っていると思うよ」
　「でも，僕はライチさんに何もうまく説明できませんでした。いろいろと考えれば，教育開発も援助政策もそんなに簡単なことじゃないとわかります。だからそれをうまく伝えることもできなかった。考えはじめるとリスクや不安なこともたくさん頭をよぎります。ウォームハートを維持するのも楽じゃないなって思うんです」
　「確かに君の言うとおりだね。でも，『君の知性は悲観的だが，意志は楽観的である』という言葉もある。君はその底抜けに明るい前向きの意志を，ふるさとやご家族から受け取ったんだろう。だからこそ君のその頭脳や知性が，わが国にとって意味あるものになるんだろうね」
　「？？？？」
　「ハハハ，君も開発経済学のテキストや統計書類ばかりではなくて，たまには小説やエッセイなども読んでみるといいよ」
　「そんなものでしょうか？」
　「そういうものだよ」
　マメさんは，怒られたのか褒められたのか，よくわかりませんでしたが，

189

ティーさんがとても楽しそうにしているのを見て，何かふと気が楽になりました。それと同時に，父ダイズさんが話してくれた，自分がライチさんや故郷の希望として生きるということの意味が少しだけわかったような気もしました。

　さて，アスー国の物語はひとまずここでお休みです。マメさんやティーさんがどのようにこの国の舵取りをしていくのか，アスー国の将来はどのようになるのか，それを想像し，物語を完成させていくのは，この本を読んでくださったみなさんに任せたいと思います。アスー国，そして似たような多くの途上国の将来こそ，この本の「希望」そのものなのです。

CHAPTER

補論 1

書を捨てよ，現場へ行こう！
フィールド調査の実際

KEY WORDS

- リサーチ・クエスチョン
- 質問票
- サンプリング
- データクリーニング

1 なぜ，現場へ行くの？

　この本で繰り返し出てきたように，現在の開発経済学はミクロ的な分析，つまりは個人や世帯（家計）が，どのような理由やメカニズムによって日々生活や経済活動を行っているのか，というところに注目する研究が主流になっています。こうした研究の多くが，実際に途上国の現場に行って調査を行い，集めたデータをもとに，人々の経済行動や意思決定のメカニズムを分析しています。この本のミクロ編で紹介してきたような分析を行いたいのであれば，現場に行って調査をすることに重要な意義があります。

　ただ，「なるほど，そりゃあ途上国の農村で暮らす人々の経済活動について分析をしたかったら，現場に行って調査をした方がよいのはよくわかる。でも，そんなの大学生にどうやってやれっていうんだ？」という声が聞こえてくるのも無理はありません。途上国の農村に親戚が住んでいるわけではないのですから，だいたいどうやって行くべき現場を選ぶべきかもよくわからないかもしれません。仮にうまく調査候補地が見つかったとしても日本に暮らす若者にとって，牛の糞が転がっている農道を歩くのは少々抵抗があるかもしれませんし，水洗式のトイレに慣れた人間にとって穴が掘ってあるだけの見晴らしのよいトイレは少々居心地が悪いものかもしれません。その他にも，日本ではかかりそうもない病気にかかるリスクや，食べ物でおなかを壊すリスクも日本よりもかなり高くなることは間違いありません。

　こうやって書き出してみると，大変抵抗感が高そうな現場での調査ですが，不思議なことに，途上国で調査をしたいと筆者（栗田）のゼミの門をたたく学生は毎年何十人もいます。日本での生活におもしろみが足りないのか，はたまた途上国への純粋な好奇心なのか，人によって理由はさまざまでしょうが，途上国に興味を持って，できるならば実際に現場へ行って何かをしてみたいと思っている学生が少なからずいるのは事実のようです。そこで，途上国の現場での調査をどのように行えばよいのか，簡単にまとめてみました。

　調査プロセスは，大別すれば，①準備期間，②調査実施期間，③調査後の分

析期間の3つに分かれます。それぞれの時期にどのようなことを考えればよいのか，まとめてみましたので，この**補論1**がこの本を手にとって現場へ行こうと考えた学生の一助になればとてもうれしいです。なお，**補論2**では，最近の開発経済学でよく行われるようになったRCTや実験についての解説が掲載されていますので，これらの知識を調査に盛り込んで，オリジナリティのある研究をめざしてください。

2 調査の準備

　図補1-1を見てください。これが調査前に行う作業のプロセスです。

　大別すると2つに分かれます。最初が研究の大枠・目的を決めるステップですね。これは言うなれば，自分が実際に現地へ行ってどんなことを明らかにしたいのか，分析したいのか（これを**リサーチ・クエスチョン**と言います）を，クリアにする作業と言えます。実際に筆者のゼミの学生は**図補1-2**にあるようなプロセスで，リサーチ・クエスチョンを決定していきました。

　よい調査には，明確に設定されたリサーチ・クエスチョンが不可欠で，そのためには，単に調査国の現状を知るだけではなく，開発経済学や計量経済学の知識が必要です。そのためには，丹念に先行研究を読みこんだり，調査国のことを調べたり，計量経済学の勉強をしなければなりません。たとえば大学4年生の夏休みに，卒論に向けて1～2週間程度の調査をしようと考えているのであれば，3年生の秋学期ぐらいからコツコツと準備を始めていけばよいでしょう。

　次に第2ステップは調査デザインの決定です。たとえば，第1ステップでカンボジアの稲作農村を調査することを決めたとしても，アポなしでいきなり農村を訪ねても，調査は不可能です。調査の候補地になりそうな場所を複数選択して，そこへコンタクトが取れそうな個人や団体（NGOなど）を，たとえばゼミの先生等を介して紹介してもらう必要があります。こうしたコネクションを得ることができれば，調査実施が具体性を帯びてきます。事前に調査地域の情報を送ってもらい，調査村の村長さんに，何月何日に村を訪れて調査をする旨

CHART 図補 1-1　フィールド調査前の作業

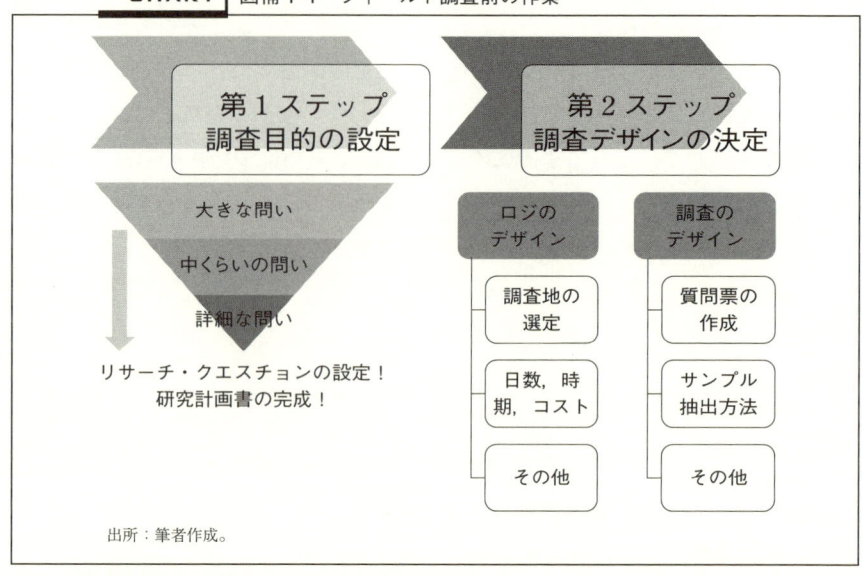

第1ステップ　調査目的の設定
- 大きな問い
- 中くらいの問い
- 詳細な問い

リサーチ・クエスチョンの設定！
研究計画書の完成！

第2ステップ　調査デザインの決定

ロジのデザイン
- 調査地の選定
- 日数，時期，コスト
- その他

調査のデザイン
- 質問票の作成
- サンプル抽出方法
- その他

出所：筆者作成。

CHART 図補 1-2　リサーチ・クエスチョン決定のプロセス

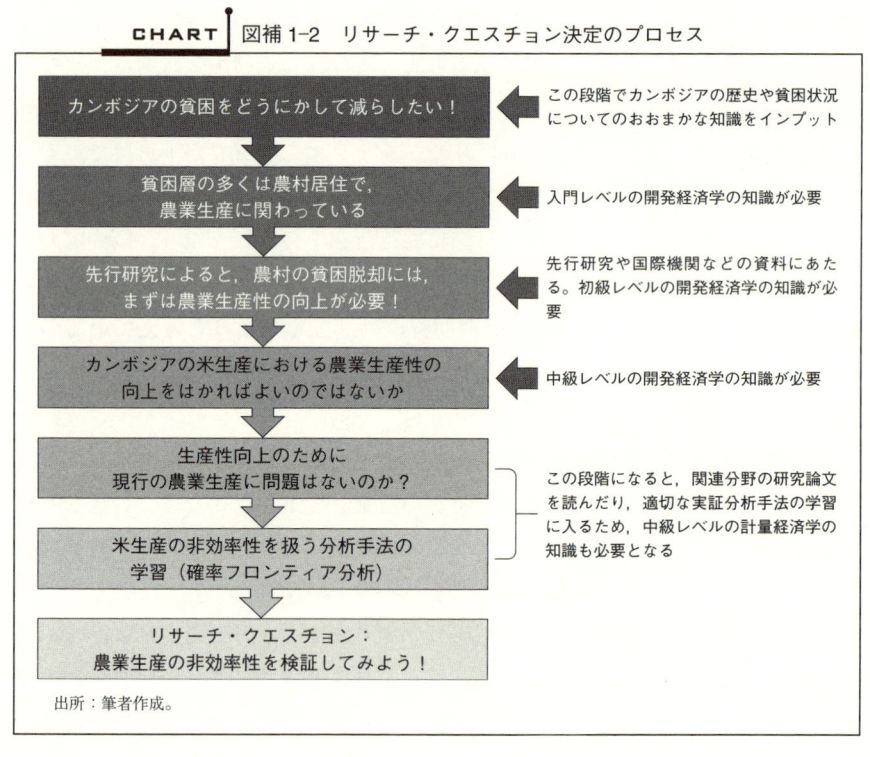

プロセス	必要な知識
カンボジアの貧困をどうにかして減らしたい！	この段階でカンボジアの歴史や貧困状況についてのおおまかな知識をインプット
貧困層の多くは農村居住で，農業生産に関わっている	入門レベルの開発経済学の知識が必要
先行研究によると，農村の貧困脱却には，まずは農業生産性の向上が必要！	先行研究や国際機関などの資料にあたる。初級レベルの開発経済学の知識が必要
カンボジアの米生産における農業生産性の向上をはかればよいのではないか	中級レベルの開発経済学の知識が必要
生産性向上のために現行の農業生産に問題はないのか？	この段階になると，関連分野の研究論文を読んだり，適切な実証分析手法の学習に入るため，中級レベルの計量経済学の知識も必要となる
米生産の非効率性を扱う分析手法の学習（確率フロンティア分析）	
リサーチ・クエスチョン：農業生産の非効率性を検証してみよう！	

出所：筆者作成。

を伝えてもらいましょう。その他にも，現地語が話せる通訳を雇ったり，村まで出かける車の手配をしたりと，調査に際してかかる通訳，車両の確保やお金の計算などもしっかりやっておきましょう。通訳の単価は，旅行会社等が提供する正規の通訳さんを雇ってしまうと割高ですが，うまくコネを使って現地の大学生などを雇えば，その10分の1ぐらいの通訳代金で確保できます。いずれにしても，観光地訪問とは違いますので，調査内容をしっかりと通訳に理解してもらうために，前もってきちんとした説明をする時間を確保し，コミュニケーションを密にとることが必要です。現地に行く際に必要な予防接種のアレンジも，時間の余裕を持って進めましょう。

調査デザインの中心課題は，**質問票**の作成と**サンプリング**（どのような調査対象の母集団を設定し，実際に調査する相手を選択するのか）です。質問票にどのような質問項目を入れるのかは，当然のことながらリサーチ・クエスチョンがどのようなものかによって異なります。たとえば，農業生産のことを詳しく知りたければ，単に米をどれだけ作っているのか，いくらで売ったかといった粗収入を計算するための質問だけではなく，化学肥料，殺虫剤の投入量・金額，農業労働者の雇用者数・給与支払総額，などを聞いて収益の計算をする必要があるでしょう。さらには，田植えの作業には何人雇って，除草作業には何人，といったように農作業の種類ごとに労働者数などを詳しく聞く必要があるかもしれません。質問票のドラフトを作成する上で，世界銀行のLSMS（Living Standards Measurement Study，より詳しくはGrosh and Glewwe 2000参照）のページに載せられたサンプル質問票は簡単にダウンロードできますので，参考にしてください。質問票が実際にうまく機能するか，可能な限り現地で事前テストを行い，必要な修正を柔軟に行ってください。

サンプリングは，調査村が決まっていれば，通常は，村の世帯リストを用意し，そこからランダムに調査世帯を抽出します。世帯リストが得られない場合，Google Mapを使った地理的ランダムサンプリングを採用することもできます。Google Mapでその村の航空写真を取得し，そこに映っている家屋からランダムにサンプリングする方法です。

必要なサンプルサイズは，関心のある変数が実際にどのくらいの散らばりを持っているかと，それに影響を及ぼす変数との関係がどれほど強いかによって

変わってきます．関心のある変数の散らばりがそもそも大きかったり，検出したい関係がそもそも弱ければ，その関係を統計的に検出するために必要な標本数は大きくなります．サンプリングの方法について，詳しくは永田（2003）や高野（2014）を参照してください．100世帯程度の小さなサンプルサイズですと，関心のある変数の散らばりが小さく，かつ検出したい関係が強い場合でないと，統計的に信頼できる分析はできなくなります．

3 調査実施

　さあ，ようやく調査実施の段階に入りました．農繁期や宗教上の行事がある日などは避けて，調査日程を確定させましょう．調査実施のコストは，ホテル代（通訳などの分も負担する必要があります），車両手配，通訳代，食事代などです．途上国ですと現金を常に持ち歩かないと支払えなくなりますので注意してください．

　調査のスタイルには，村の集会場に村人を集めて行うスタイルと，各世帯の家を訪問するスタイルがあり，それぞれに一長一短があります．いずれにしても，調査時間があまり長くならないよう，事前テスト（とはいえ学部学生が現地で事前テストをしてから調査に出かけるのは難しいかもしれません．そうした場合は友人を村人に見立ててテストしてください）と通訳への事前説明を十分にしておくことが大切です．それでも思いがけない理由で調査が手間取ることがあります．予想外の家族構成とか就業形態が出てくることがあるのです．

　調査が長引くと，最初は快く応じてくれていた村人も，退屈しはじめて，いい加減な回答が増えることが危惧されます．そのときは，日本の飴などを持参して，勧めてあげてください．きれいな個装がされている日本の飴で少しは機嫌を直してくれると思います．また，高価である必要は決してないので，各世帯へのお礼やお土産も持参すると喜ばれます．正確な回答を引き出せるように，言葉がわからなくても周囲に気を配って調査に臨むようにしましょう．通訳に対しても同じ配慮が必要です．

　なお，通訳や運転手も含む調査チーム全員が体調を崩さぬよう，十分気をつ

けるようにしてください。とりわけ，暑い中で調査をする場合は脱水症状などを起こさないように，水分補給が欠かせません。その他，予期せぬトラブルなどが生じる可能性もありますので，冷静な対処ができるように事前の準備をしっかりと行うようにしてください。

4 貴重なオリジナルデータの分析

さて，無事に調査を終えて帰国したみなさんを待っているのは，**データクリーニング**とその分析です。入力データに誤りがなく，質問相互の間で整合的な内容になっているかどうかチェックすることを，データクリーニングと言います。データ入力は，タブレット等を利用して調査と同時に行うとミスを少なくできますが，電力事情等の理由で途上国では難しいかもしれません。なお，帰国後にまとめて入力すると，明らかなミスを発見しても修正しようがないことが多いので，フィールドにいるうちにそのようなミスの修正は最大限行うことが大切です。

データ入力は単純作業なので，疲れてくると入力ミスが多発します（家族人数のデータに80名と入力してしまうなど）。こうしたミスは完全には防ぐことができませんので，ダブル入力（同じ質問票のデータを2人が別々に入力して，一致している部分を採用し，一致していない部分は質問票を見直して再入力する）や，統計ソフトを使った異常値チェックを必ず行うようにしてください。平均値，中央値，分散，最大値，最小値といった基本統計量を求めたり，ヒストグラムなどを書いたりすれば，データクリーニングも進みますし，分析のためのアイデアも浮かんできます。

こうしてオリジナルデータセットが完成したら，あとは分析に移ります。計量経済学的な分析をするならば，無料で利用できるRや，経済学者に定評のあるStata，EViewsといった統計解析ソフトを利用します。予想に合致した分析結果や，あるいはまったく反する結果，どちらも起こりえますので，最初の推計結果を見るときには，かなりドキドキしますよ。予想と違う結果が出たら，その理由を考え，柔軟に推計モデルや検証すべき仮説を修正してください。

最終的には論文にまとめ，積極的に報告をしましょう。せっかく集めた貴重なオリジナルデータに基づく分析ですから，多方面へその成果を広めるようにしてください。分析結果を，調査でお世話になった地域や調査国にフィードバックすることも忘れずに。
　みなさんの調査が滞りなく行われ，すばらしい論文が世の中にたくさん生まれ落ちることを期待しています！

Column ❿　パキスタン辺境の村

　パキスタンの北西部にハイバル・パフトゥンハー（KP）州という地域があります。2010年までは，イギリス植民地時代につけられた名前の「北西辺境州」として知られていました。イギリスの対ロシア政策上の辺境ないし前線（どちらも英語は frontier）という意味が旧州名にはありました。州都のペシャーワル市は，他のパキスタンやインドの町とは違い，女性の多くはブルカという黒や灰色のベールで全身を覆っています。成人女性を家族以外の邪な眼から守ることが家や士族の名誉を高めるとする部族社会の掟が，今も人々の生活にさまざまな影響を与えているのがこの州です。

　経済学的調査がほとんどなされていなかったこともあり，筆者（黒崎）は，ペシャーワルの郊外に位置する3つの農村を，1996年から2000年にかけて詳細に調査し，パネルデータを構築しました。パキスタンの隣国インドには，ICRISAT村，パランプール村のような優れた開発経済学の長期定点調査の例がありましたし（黒崎・山崎 2002 の簡単な紹介などを参照），フィリピンには日本の開発経済学者が誇る通称「速水村」の長期調査が 1960 年代以降現在まで連綿と続けられてきていましたので（Hayami and Kikuchi 1999），それらに倣って長期的に調査を行いたいという思いがありました。

　2010年にパキスタンを未曾有の洪水が襲い，KP州がとりわけ大きな被害を受けたことを知り，同年末から被災地調査を始めました。1990年代に調査した3村を含む約10村のパイロット調査をまず行い，続いてより大規模な調査を実施する計画でした。しかし 2001 年の同時多発テロ 9.11 事件以後，調査地の治安は悪化し，とくに3村の1つは，外国人はおろかパキスタン人の共同研究者すら足を踏み込めなくなっていました。ペシャーワル市の治安悪化はとどまることを知らず，調査村を自ら訪問してじっくりこの眼で観察することができない歯がゆい状態が続いた結果，本調査はあきらめ，2010 年末と 2011 年末の 2 回のパイロット調査だけで終わりました。長期定点調査が常に可能とは限らず，さまざまな偶然が重なって速水村のような稀有な例が生まれるのだと思います。2回のパイロット調査からは，天災からの復興過程に部族的規範が影響を及ぼしていることを示唆する興味深いデータが得られただけに，本調査が不可能になったことは残念です。

パキスタンKP州農村の誇り高き住民たち（1999年）

CHAPTER

補論 2

書を捨てよ，現場へ行こう！
介入の効果を測る

KEY WORDS

□ インパクト評価　　　□ 仮想現実
□ 差の差（二重差分）　□ ランダム化比較実験（RCT）

1　なぜ，介入の効果を測るの？

　途上国の現場で調査をしているうちに，ちょっとした工夫で，人々の生活を改善させられるアイデアが浮かぶことがあります。たとえば，筆者（黒崎）が2011年以来調査しているバングラデシュ北西部の大河，ブラフマプトラ川の中州には，多くの人が住んでいますが，中州は洪水常襲地域であり，地盤も安定していないので電線を引くことができず，村に電気は来ていません。夜，子どもたちはケロシン・ランプを使って勉強しています。それほど明るくない上に，体に悪い，嫌な臭いのガスが出ます。

　そこで，昼間充電すれば一晩中，学習机を照らすくらいの明るさを保てる太陽電池のソーラー・ランタン（以下，SL）を村人に紹介したらどうかというアイデアが，筆者の友人たちに浮かびました（詳しくはKudo et al. 2015参照）。SLを使えば，子どもの学習効果が上がるだけでなく，呼吸器系の病気も減るという二重の経路で，子どもの人的資本蓄積が進み，経済成長・貧困削減につながるのではないでしょうか？

　しかしこのアイデアだけで，たとえばJICAのバングラデシュオフィスを訪れて，日本のODAで支援しろと言っても，すぐには相手にしてもらえないでしょう。この仮説を科学的に検証し，SLが大きな便益をもたらすことをまず示さないといけません。それがこの補論のテーマ，**インパクト評価**（介入の効果を測るということ）です。科学的証拠（エビデンス）に基づく政策介入を支えるのが，インパクト評価です。

　インパクト評価は，個別のプロジェクトの効果を測るだけではありません。そのプロジェクトの成果をより強めるため，既存の介入のどこを直すべきかに関しても示唆が得られます。また，どのような環境で効果が出るのかを考察することにより，対象地域・家計が抱える経済学的な制約条件なども明らかにできるでしょう。

　なお，この後詳しく説明するように，正確なインパクト評価はとても面倒で，コストもかかります。プロジェクトすべてに面倒な評価をしていたら時間とお

金がかかりすぎます。一般的に言って，その介入が貧困削減や経済発展にとって戦略的に重要な意義を持つ場合や，その介入によって革新的なアプローチを試す場合，そしてその種の介入が効果を持つかどうかのエビデンスが現時点で不足している場合に，厳密なインパクト評価を行う価値があると言えるでしょう。また，評価期間内に介入の効果が出ると期待できることも要件になります。バングラデシュのSLは，これらの基準を満たしていると考え，次のステップに進むことにしましょう。

2 印象論やナイーブな比較が持つ問題

　SLが子どもの成績と健康状態を改善したことを示すにはどうしたらよいでしょうか？「みんなSLを欲しがったし，もらった子はみんなそれで勉強しているよ」というインタビュー結果は，新聞記事ならよいでしょうが，科学的証拠には使えない印象論です。もっと数字で示さないと，コストとの比較ができません。

　1つ考えられるのは，一部の学校で生徒にSLを配り，子どもたちの成績と健康診断結果を後でもらいに行き，SLを配らなかった学校の子どもの成績および健康診断結果と比較することです。SLを配った学校の方が子どもの成績がよくて呼吸器疾患が少なかったら，その差はSLの効果と言えないでしょうか？

　この比較が有効かどうかは，SLを配った学校と，配らなかった学校とがどれほど似通っているかによります。十分似通っていれば，SLを配らなかった学校で，仮にSLを配っていたならば生じたであろう成績と健康状態は，SLを配った学校での成績と健康状態に似たものになっていたはずです。したがって，両者の差はSLの効果になります。

　しかしSLを配った学校は，そのような試みに積極的な教員が集まった学校，新しいものにオープンで積極的な親が多い学校だったかもしれません。その場合，2つのタイプの学校の差は，SLの効果だけでなく，教員や親の積極性等の効果も含んでしまいます。

では，学校で生徒にSLを配る際に，その子どもたちの配布前時点での成績と健康診断結果をまず入手し，SLを一定期間使った後で，同じ子どもの成績と健康診断結果を入手して，SL前と後を比較してはどうでしょう？　SLを配った後の方が子どもの成績がよくて呼吸器疾患が少なかったら，その差はSLの効果と言えないでしょうか？（Before-After比較。第**8**章も参照）

　この比較が有効かどうかは，SLを配る前と，配った後の状況とがどれほど似通っているかによります。十分似通っていれば，SLを配った学校で，仮にSLを配っていなかったならば生じたであろう成績と健康状態は，SLを配る前の成績と健康状態に似たものになっていたはずです。したがって，両者の差はSLの効果になります。

　しかしSLを配る前には，その学校にはその他の教材も不足していたのが，SL配布を機に，その学校は他の教材も充実させたのかもしれません。その場合，同じ学校のSL前と後との差は，SLの効果だけでなく，追加の教材の効果も含んでしまいます。

　以上2種類の比較は，よく「ナイーブな比較」と呼ばれます。わかりやすい比較ですが，どちらも他の効果を含んでしまい，正確に介入の効果を測ることは難しそうです。

　2種類の比較を組み合わせるとどうでしょう？　SL配布前の子どもたちの成績と健康診断結果を，SL配布予定学校と，配布しない予定の学校とでそれぞれ入手し，試行期間後に，両方のタイプの学校で同じ子どもの成績と健康診断結果を入手して，試行期間でどう変化したか（時間方向への差分）を，2つのタイプの学校の差（空間方向への差分）として計算します。ちょっと複雑ですね。この方法を，2つの差分を重ねて比較することから，**差の差**（difference in difference: DID）とか，**二重差分**（double difference）などと呼びます。

　図補2-1はDIDのメカニズムを示しています。図からもわかるようにこの方法によって，SLの効果が正確に測れるかどうかは，やはりSLを配った学校と，配らなかった学校とがどれほど似通っているかによります（図では簡単化のため成績のみを考えていますが，先にも述べたように教員の熱意や親の積極性といった点などでも似通っている必要があります）。DIDの場合，推定された効果は，次のように解釈できます。SLを配った学校で，仮にSLを配っていなかった

| CHART | 図補2-1 DIDのメカニズム |

■ SLを配布した小学校と配布しなかった小学校が似通っている場合

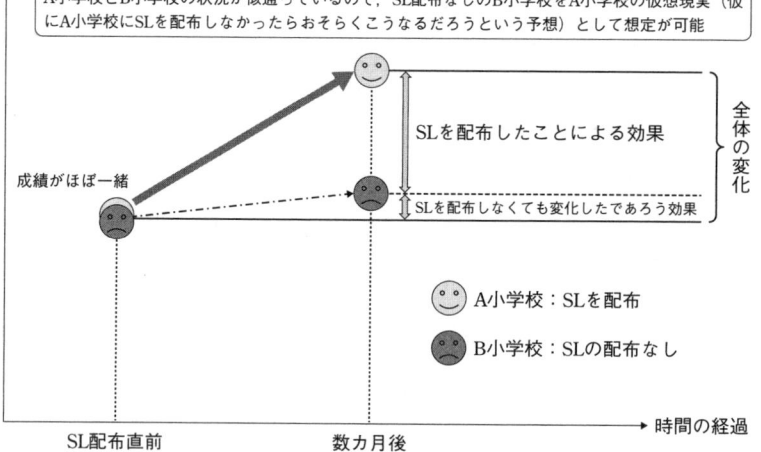

A小学校とB小学校の状況が似通っているので，SL配布なしのB小学校をA小学校の仮想現実（仮にA小学校にSLを配布しなかったらおそらくこうなるだろうという予想）として想定が可能

成績がほぼ一緒

SLを配布したことによる効果

SLを配布しなくても変化したであろう効果

全体の変化

A小学校：SLを配布
B小学校：SLの配布なし

SL配布直前　　数カ月後　　時間の経過

■ SLを配布した小学校と配布しなかった小学校が似通っていない場合

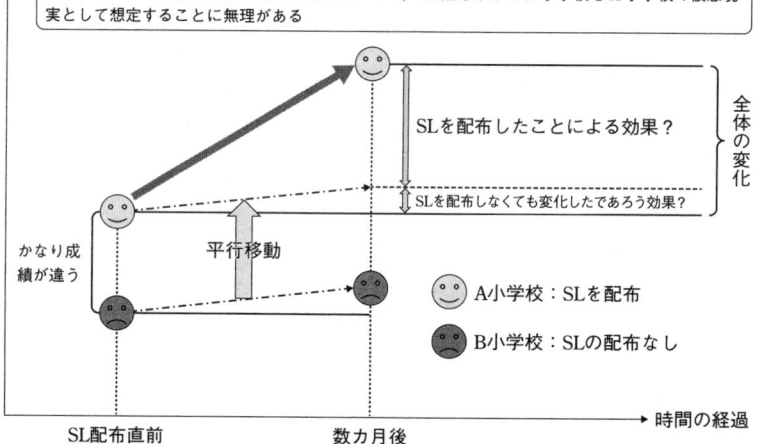

A小学校とB小学校の状況が似通っていないので，SL配布なしのB小学校をA小学校の仮想現実として想定することに無理がある

かなり成績が違う

平行移動

SLを配布したことによる効果？

SLを配布しなくても変化したであろう効果？

全体の変化

A小学校：SLを配布
B小学校：SLの配布なし

SL配布直前　　数カ月後　　時間の経過

注：上側の図（似通っている場合）において，顔マークから出ている破線矢印は，2本の矢印が平行に並んだものだが，SL配布直前の成績がほぼ一緒であるがゆえに2本はほぼ重なっているため，単純化して1本の矢印で示した。
出所：筆者作成。

ならば，試行期間後に生じたであろう成績と健康状態は，その学校での試行期間前の成績と健康状態に，SL を配らなかった学校で試行期間中に生じた成績と健康状態の変化を加えたものと予測されます。この予測値と，実際に SL 配布学校での配布後の成績と健康状態の値との差が，DID（図の「SL を配布したことによる効果」の部分）です。

この予測（インパクト評価の専門用語では，**仮想現実**〔counterfactual〕と呼びます）が正確ならばよいのですが，もしかすると，SL を配らなかった学校では，地域の教育委員会が不公平だと思って他の教材を追加的に配っていたかもしれません。となると，この場合の仮想現実は不正確です。DID で与えられる SL の効果の推計値は，真の効果よりも，追加の教材配布の効果の分だけ過小になっている可能性があります。

3　効果測定の手法

以上でおわかりのように，インパクト評価とは，仮に介入がなかったならばどうなっていたであろうかという仮想現実と，介入があったデータとを比較する，あるいは，仮に介入が行われていたらどうなっていたであろうかという仮想現実と，介入がなかったデータとを比較する作業です。正確に仮想現実を推計すること，それが効果測定手法の鍵となります。

正確に仮想現実を推計するための伝統的な手法は，計量経済学の手法を駆使することによって，比較する対象をできるだけ似通ったものにしようというアプローチです。簡単な紹介は黒崎（2009）第 4 章を参照してください。SL を配る学校と配らなかった学校を DID で比較する場合，この実験への参加や子どもの成績・健康状態に影響を与えそうなデータをとにかくたくさん集めて，計量モデルに取り入れます。

これらの計量経済学的方法では残念ながら，教員や親の意欲のように，簡単に計測できない特徴について似通ったものにコントロールすることはとても難しいことが知られています。たとえば，この試行実験への参加が，学校や親や生徒の意思が反映されて決まっている場合や，実験実施者が恣意的に SL の配

布先を決めている場合には，SL利用者とそうでない者との間に差異が生じてしまいます。そしてこうした差異は計測がしづらいため，厳密な比較をすることが難しくなるのです。

　この問題を根本的に解決する手法が，**ランダム化比較実験**（randomized controlled trials: RCT）です（簡単な紹介は黒崎2009第4章を参照）。RCTは，医学分野での新薬試験などでよく用いられます。新薬試験では，潜在的な治験者（新薬の効果を測りたい患者）をランダムに「治験群」と，「対照群」に割り振り，前者にのみ新薬を施し，後者には新薬とまったく同じ外見の何も薬用成分を含まない偽薬を渡し，それぞれがどちらのグループに属しているかを本人に隠した上で，2つのグループの治癒状況に統計的に有意な差が生じたかどうかを検定します。

　開発経済学のRCTでもできるだけこれに近いように実験を設計します。潜在的な治験者（SLの効果を測りたいバングラデシュの中州に住む生徒全員）の中から一部をランダムに取り出して，「治験群」と，「対照群」に割り振り，前者にのみ新薬（SL）を施し，後者には渡さず，2つのグループの成績と健康状態に統計的に有意な差が生じたかどうかを検定すればよいわけです。RCTがうまくいけば，DIDの複雑な計量経済学のモデルは不要となり，単純に平均値を比べる「差の検定」によって，十分信頼に足るインパクト評価が可能になります。

　ここで，新薬試験とSL配布実験の微妙な違いに気づいたでしょうか？　新薬試験では偽薬を対照群に渡すことにより，自分たちが治験群の患者と異なる処置を受けていることを秘密にしておくことができます。SLではそうはいきません。対照群の生徒はSLを受け取っていないのですから，自分たちがSL実験における対照群であることが必ずばれてしまうのです。人間は繊細な生き物ですので，異なる処置を受けたということがわかるという事実そのものが行動に影響してしまう可能性があります（嫉妬など）。他にも開発経済学のRCTと新薬実験の間にはさまざまな違いがあり，理想的なRCTを途上国の現場で行うことは簡単ではありません。そのこともあり，開発経済学でRCTが行われた場合のインパクト評価は，単純な差の検定ではなく，DIDの検定で行うのが普通です。

4. RCTをやってみよう

　最近の開発経済学では，RCTブームとも言うべき状況が見られます（Karlan and Appel 2011, Banerjee and Duflo 2011などを参照）。しかし第**8**章にまとめたように，RCTには限界もたくさんあります。つまりRCTは，その限界を正しく理解して初めて，その有用性が生きてくる実証研究の手法だと思います。筆者らも，RCTを使った研究にも携わっています。補論1で，フィールド調査を始めたあなた，フィールドで何かよいアイデアが浮かんだら，次はRCTを試してください。

　最初のステップは，プログラムを実施してくれる機関を探し出し，交渉し，RCT実施の詳細について合意することです。補論1のような小規模な農村調査でしたら，農村調査をアレンジしてくれた現地の大学や研究機関が引き受けてくれることも多いでしょうし，彼らにNGOなどを紹介してもらうのもよいですね。

　ただし問題は，ランダムに割り振ることの重要性を先方に正しく理解してもらうことが，それほど簡単ではないことです。とりわけNGOに協力を依頼した場合，潜在的な対象者の中でも，特に最貧困層をサポートしたいという熱意に燃えている場合が多く，ランダムに割り振った結果，そのような人が治験群から外れると，こっそりその人を対照群から治験群に移してしまうといったことが起きることもあります。実験がうまくいけば潜在的な対象者すべてに便益があること，最初の実験で対照群に入った人には，改良版のよりよい介入が少し遅れて手元に届くことを強調すること（RCTでは，しばしばこのようなアレンジをすることで，対照群が不満を持たないように配慮します），したがって最初の実験では潜在的な対象者の中での割り振りを完全にランダムに行わなければいけないことなどを，がんばって伝えて，説得してください。

　次に難しいのは，ランダム化をどのレベルで行うのかという問題です。個人のレベルでランダムに抽出するのか，あるいは学校のレベルで行うのかによって，必要となるサンプル数や調査の設計も異なるでしょう。プログラムのイン

パクトが真にプラスであり，かつ，RCT が厳密に実施されたとしても，この設計が悪いと，本当はインパクトがあるのに RCT 結果からは何も検出されない，という悲しい結末になります。なぜなら，経済的な変数は常に誤差や個人差を伴っていますので，その統計的誤差が，真のインパクトを隠してしまう可能性が常に存在するからです。標本数が多ければ多いほど，介入のタイプが単純であればあるほど，この可能性は小さくなります。詳しくは高野（2014）を参照してください。

　RCT が実施できたら，インパクト分析です。ランダム化がうまくいけば，成果に関する変数において，治験群と対照群それぞれの平均の差が統計的に有意かどうかだけをチェックすればよいですし，より慎重を期す場合でも，DID を計算してその統計的有意性を検証するだけです。ただし，RCT の結果を報告する論文の書き方には一連の作法があり，とりわけ，ランダム化がどれだけ適切に実施されたかを示す「バランス・チェック」という統計分析の結果を示す必要があります。バランス・チェックとは，RCT 実施前の時点においては，治験群と対照群の間に統計的に有意な差が存在しないことを示すことです。これらの作業を効率よく行うには，Stata のような統計解析ソフトが必要です。

さらなる学びのためのリーディング・ガイド

　アス一国のストーリーから学ぶ開発経済学，いかがだったでしょうか？　途上国の抱える深刻な問題は，決して解決不可能なものではなく，その解決のためのさまざまなアイデアが近年の研究成果によって提示されてきていることが伝わったことと思います。そこで最後に，アス一国の未来や開発経済学によりいっそう興味を持ってくれた読者のために，さらなる学びのためのリーディング・ガイドを用意しました。

　本書は初学者向けの教科書ということもあり，より精緻に理論や実証分析の方法論を学びたいという方や，より実際の政策の成否について知りたいと考えている方には少々物足りないところもあったかと思います。各章で議論されたトピックについてはそれぞれで紹介された文献などを当たっていただくこととして，ここでは以下のような5つの点から書籍を紹介したいと思います。

① 近年の研究成果を網羅した入門的な読み物
② 開発経済学の教科書的書籍
③ 開発政策に関する書籍
④ 資料的価値のある書籍など
⑤ 専門的に開発経済学を勉強したい人のために

それでは，順を追って見ていきましょう。

① 近年の研究成果を網羅した入門的な読み物
　途上国の問題と近年の開発経済学の潮流を整理した入門的な本でお薦めのものは，Karlan and Appel（2011），Banerjee and Duflo（2011），Collins et al.（2009），Fisman and Miguel（2008）です。どの本も邦訳が出ていますので日本語で読むことができます。これらの本からは，途上国に住む貧困層が必ずしも合理的な経済人として行動するわけではないという行動経済学のアイデアや，本書でも紹介したRCTという社会実験手法で測定した援助政策のインパクトについて，

さまざまな事例をより詳しく学べると思います。行動経済学の事例集としては Gneezy and List（2013）もおもしろいと思います。

② 開発経済学の教科書的書籍

2015年に第3版が出版されたジェトロ・アジア経済研究所ほか（2015）は，最新の流れを含めて開発経済学の考え方をコンパクトに整理しておりお薦めです。他方 Todaro and Smith（2008）は，大変分厚い書籍ですが，開発経済学のさまざまなトピックを網羅的に解説しており，初学者にとっては辞書的な活用もできると思います。戸堂（2015）は，入門的内容でありながら，成長モデルについてかなり詳しく書かれていて，本書と補完性が高い教科書です。また，定評ある古典的な教科書として鳥居（1979）や速水（2000）のような教科書にも目を通しておくとよいでしょう。中級から上級レベルの教科書としては，邦訳があるものでは Bardhan and Udry（1999）が主にミクロ経済学分野の議論を幅広く紹介しています。開発経済学の学説史的変遷に関するすばらしい展望書として，絵所（1997）も必読書です。

開発経済学は実践的な学問であるため，データを使った定量的な分析が欠かせません。こうした定量的な分析には統計学，計量経済学の知識が必要となりますが，それだけではなく Stata や R，EViews といった統計ソフト，MATLAB や GAUSS といった数値計算ソフトを使いこなす必要もあります。これらの教科書紹介については，それぞれ専門分野の書籍を参照していただければと思います。なお，World Bank（2009）は，ウェブサイトから本文すべてがダウンロードできるだけではなく，さまざまな分析手法の Stata コマンドと実際の途上国データも掲載されており，貧困分析の手法を一通り自習したい人にはお薦めの書籍です。

③ 開発政策に関する書籍

先に見た RCT は，個別の援助案件の成否を評価するには適した手法かもしれませんが，途上国が国全体として持続的な経済成長や貧困削減を達成するためにどんな開発戦略をとったらいいのかといった，より大きな構造的な問題については答えを出すことができません。途上国の開発戦略に関しては，大塚

(2014) や末廣 (2014), 浅沼・小浜 (2013) 等に目を通すことをお薦めします。日本が誇る開発経済学者の重鎮たちから語られる開発のありようは, 彼らの長年の研究と実務から得た経験に裏づけられていて, 途上国の開発戦略を考える上で大変示唆に富みます。

また, 開発政策が実際に行われるのは各国, 各地域になりますから, 途上国の現状を深く理解する必要もあります。この点からお勧めなのが, ミネルヴァ書房から出ている「現代の世界経済」シリーズです。

④ 資料的価値のある書籍など

先にも述べたように, 開発経済学ではさまざまなタイプのデータを取り扱うことになります。その点で, 世界銀行が毎年出版する世界開発報告シリーズ, 国連開発計画が毎年出版する人間開発報告書シリーズは, 開発経済分野におけるホットイシューについて, さまざまな研究やデータを紹介しており, とても資料的価値の高い1冊です。また, 世界銀行が発行している World Development Indicators は, 世界各国のマクロ経済統計やさまざまな開発指標が掲載されたデータ集です。

日本の省庁などから出版されている報告書や白書も役に立ちます。JETRO から毎年出版されている『ジェトロ世界貿易投資報告』, 外務省が出版する『政府開発援助 (ODA) 白書』, 経済産業省が出版する『通商白書』などから得られる情報, データも有用です。

さらには, UNESCO, IMF, 世界銀行, アジア開発銀行, 米州開発銀行, アフリカ開発銀行や各国の統計局などのウェブサイトからさまざまなデータをダウンロードすることができます。

⑤ 専門的に開発経済学を勉強したい人のために

開発経済学を専門に研究しはじめると, 査読つきジャーナル (学術雑誌) の論文を読む作業がメインになります。開発経済学の分野では, *Journal of Development Economics* 誌を筆頭に, さまざまな専門ジャーナルがあります。また, 開発経済学の分野でも突出した独創性のある論文は, *Econometrica* や *American Economic Review* といった, トップレベルの一般経済学ジャーナルに

掲載されます。近年では，こうしたジャーナルのほとんどが，電子媒体で提供されており，閲覧も容易になっているので，専門分野のジャーナルだけではなく，一般のジャーナルにも幅広く目を通すようにしましょう。なお，日本のジャーナルでは，『アジア経済』『国際開発研究』『アジア研究』などに開発経済学関連の論文が数多く掲載されています。

　一方，開発経済学の専門書（和書）は，より詳細な分野に特化した研究書になります。筆者（黒崎）は，これまで2冊の専門書を上梓しています。ミクロ経済学・ミクロ計量経済学のアプローチをどのように開発経済学に適用するかに焦点を当てた黒崎（2001），その続編として貧困・脆弱性分析を追求した黒崎（2009）といった研究書です。なお黒崎（2009）が刊行された勁草書房の「開発経済学の挑戦」は，質の高い専門書を日本語で読むことができる希少なシリーズです。また福井（2014）は，行動経済学的手法を用いた開発経済学分野の実証分析の研究書としては，日本語で読める現時点で唯一の書籍です。

参考文献

ABC 順

Armendariz, B. and J. Morduch (2010) *The Economics of Microfinance*, 2nd ed., MIT Press.
浅沼信爾・小浜裕久（2013）『途上国の旅――開発政策のナラティブ』勁草書房
Banerjee, A.V. and E. Duflo (2011) *Poor Economics: A Radical Rethinking of the Way to Fight Global Poverty*.（山形浩生訳『貧乏人の経済学――もういちど貧困問題を根っこから考える』みすず書房，2012 年）
Bardhan, P. and C. Udry (1999) *Development Microeconomics*.（福井清一・不破信彦・松下敬一郎訳『開発のミクロ経済学』東洋経済新報社，2001 年）
Barro, R. J. and J. Lee (2010) "A New Data Set of Educational Attainment in the World, 1950-2010," NBER Working Paper, No. 15902.
Burgess, R. and R. Pande (2005) "Do Rural Banks Matter? Evidence from the Indian Social Bank Experiment," *American Economic Review*, Vol.95, No.3.
Burnside, C. and D. Dollar (2000) "Aid, Policies, and Growth," *American Economic Review*, Vol.90, No.4.
Chaudhury, N., J. Hammer, M. Kremer, K. Muralidharan and F. H. Rogers (2006) "Missing in Action: Teacher and Health Worker Absence in Developing Countries," *Journal of Economic Perspectives*, Vol. 20, No.1.
Claessens, S. and N. van Horen (2012) "Foreign Banks: Trends, Impact and Financial Stability," IMF Working Paper WP/12/10.
Cohen, J. and P. Dupas (2010) "Free Distribution or Cost-Sharing? Evidence from a Randomized Malaria Prevention Experiment," *Quarterly Journal of Economics*, Vol.125, No.1.
Collins, D., J. Morduch, S. Rutherford and O. Ruthven (2009) *Portfolios of the Poor: How the World's Poor Live on $2 a Day*.（大川修二訳『最底辺のポートフォリオ――1 日 2 ドルで暮らすということ』みすず書房，2011 年）
Deaton, A. (2013) *The Great Escape: Health, Wealth, and the Origins of Inequality*.（松本裕訳『大脱出――健康，お金，格差の起源』みすず書房，2014 年）
Duflo, E., R. Hanna and S.P. Ryan (2012) "Incentives Work: Getting Teachers to Come to School," *American Economic Review*, Vol.102, No.4.
絵所秀紀（1997）『開発の政治経済学』日本評論社
FAI [Financial Access Initiative] (2014) "Big Questions: Overview," http://www.financialaccess.org/big-question, accessed on June 1, 2014.
Fisman, R. and E. Miguel (2008) *Economic Gangsters: Corruption, Violence, and the Poverty of Nations*.（田村勝省訳『悪い奴ほど合理的――腐敗・暴力・貧困の経済学』NTT 出版，2014 年）
福井清一編（2014）『新興アジアの貧困削減と制度――行動経済学的視点を据えて』勁草書房
Fuwa, N., S. Ito, K. Kubo, T. Kurosaki and Y. Sawada (2012) "How Does Credit Access Affect Children's Time Allocation? Evidence from Rural India," *Journal of Globalization and Development*, Vol.3, No. 1.
Gibson, J. and D. McKenzie (2011) "Eight Questions about Brain Drain," *Journal of Economic Perspective*, Vol.25, No.3.
Gneezy, U. and J. List (2013) *The Why Axis: Hidden Motives and the Undiscovered Economics of Everyday Life*.（望月衛訳『その問題，経済学で解決できます。』東洋経済新報社，2014 年）
神門善久（2012）「工業化の二段階仮説と人的資本」社会経済史学会編『社会経済史学の課題と展望』有斐閣，所収

● 213

Grosh, M. and P. Glewwe eds. (2000) *Designing Household Survey Questionnaires for Developing Countries* : *Lessons from 15 Years of the Living Standards Measurement Study*, The World Bank.

Harris, J. R. and M. P. Todaro (1970) "Migration, Unemployment and Development: A Two-Sector Analysis," *American Economic Review*, Vol. 60, No. 1.

速水佑次郎（2000）『新版・開発経済学――諸国民の貧困と富』創文社

Hayami, Y. and M. Kikuchi (1999) *A Rice Village Saga: Three Decades of Green Revolution in the Philippines*, St. Martin's Press.

依田高典（2010）『行動経済学――感情に揺れる経済心理』中央公論新社（中公新書）

ILO [International Labour Organization] (2013) *Marking Progress against Child Labour: Global Estimates and Trends 2000-2012*, ILO.

IOM [International Organization for Migration] (2013) *World Migration Report 2013: Migrant Well-Being and Development*, IOM.

石川城太・椋寛・菊地徹（2013）『国際経済学をつかむ（第2版）』有斐閣

泉田洋一・万木孝雄（1990）「アジアの農村金融と農村金融市場理論の検討」『アジア経済』第31巻，第6・7号

Jensen, R. (2010) "The (Perceived) Returns to Education and the Demand for Schooling," *Quarterly Journal of Economics*, Vol.125, No.2.

Jensen, R. (2012) "Do Labor Market Opportunities Affect Young Women's Work and Family Decisions? Experimental Evidence from India," *Quarterly Journal of Economics*, Vol.127, No.2.

ジェトロ・アジア経済研究所・黒岩郁雄・高橋和志・山形辰史編（2015）『テキストブック開発経済学（第3版）』有斐閣

Karlan, D. and J. Appel (2011) *More Than Good Intention: Improving the Ways the World's Poor Borrow, Save, Farm, Learn, and Stay Healthy*.（清川幸美訳『善意で貧困はなくせるのか？――貧乏人の行動経済学』みすず書房，2013年）

北川勝彦・高橋基樹編（2014）『現代アフリカ経済論』ミネルヴァ書房

国立国会図書館及び立法考査局（2010）『持続可能な社会の構築・統合調査報告者』国立国会図書館

小浜裕久（2013）『ODAの経済学（第3版）』日本評論社

高野久紀（2014）「連載 実践開発経済学 第2回――ランダム化比較試験，フィールド実験，検出力分析」『経済セミナー』第679号

Krugman, P. (1994) "The Myth of Asia's Miracle," *Foreign Affairs*, Vol.73, No.6.（邦訳「まぼろしのアジア経済」『中央公論』1995年1月号）

Kudo, Y., A. Shonchoy and K. Takahashi (2015) "Can Solar Lanterns Improve Youth Academic Performance? Experimental Evidence from Bangladesh," paper presented at the 2015 Autumn Meeting of the Japanese Economic Association.

国宗浩三編（2013）『グローバル金融危機と途上国経済の政策対応』アジア経済研究所

栗田匡相・野村宗訓・鷲尾友春編（2014）『日本の国際開発援助事業』日本評論社

黒崎卓（2001）『開発のミクロ経済学――理論と応用』岩波書店

黒崎卓（2007）「ムハマド・ユヌスとグラミン銀行のノーベル平和賞受賞に寄せて」『経済セミナー』第624号

黒崎卓（2009）『貧困と脆弱性の経済分析』勁草書房

黒崎卓（2013）「インド・デリー市におけるサイクルリキシャ業――都市インフォーマルセクターと農村からの労働移動」『経済研究』第64巻，第1号

黒崎卓（2015）「教育普及――産業発展につながる教育支援」黒崎卓・大塚啓二郎編『これからの日本の国際協力――ビッグ・ドナーからスマート・ドナーへ』日本評論社，所収

黒崎卓・大塚啓二郎編（2015）『これからの日本の国際協力——ビッグ・ドナーからスマート・ドナーへ』日本評論社

黒崎卓・澤田康幸（2009）「途上国支援，開発援助の質高めよ——研究と事業の連動強化を」『日本経済新聞』経済教室，2009 年 12 月 21 日朝刊

黒崎卓・山崎幸治（2002）「南アジアの貧困問題と農村世帯経済」絵所秀紀編『現代南アジア 2——経済自由化のゆくえ』東京大学出版会，所収

Lewis, W. A. (1954) "Economic Development with Unlimited Supplies of Labor," *Manchester School of Economics and Social Studies*, Vol.22, No.2.

Markusen, J. R. (2002) *Multinational Firms and the Theory of International Trade*, MIT Press.

Meadows, D. H., D. L. Meadows, J. Randers and W.W. Behrens III (1972) *The Limits to Growth*.（大来佐武郎監訳『成長の限界——ローマ・クラブ「人類の危機」レポート』ダイヤモンド社）

Minami, R. (1968) "The Turning Point in the Japanese Economy," *Quarterly Journal of Economics*, Vol.82, No.3.

Munshi, K. (2003) "Networks in the Modern Economy: Mexican Migrants in the U.S. Labor Market," *Quarterly Journal of Economics*, Vol.118, No.2.

永田靖（2003）『サンプルサイズの決め方』朝倉書店

中島賢太郎（2012）「空間経済学を基礎とした地域統合の理論・実証分析」浦田秀次郎・栗田匡相編『アジア地域経済統合』勁草書房，所収

西垣昭・下村恭民・辻一人（2009）『開発援助の経済学（第 4 版）——「共生の世界」と日本のODA』有斐閣

OECD (1979) *The Impact of the Newly Industrializing Countries on Production and Trade in Manufactures*, OECD.（大和田悳朗訳『新興工業国の挑戦——OECD レポート』東洋経済新報社，1980 年）

奥田英信・三重野文晴・生島靖久（2010）『新版 開発金融論』日本評論社

大塚啓二郎（2014）『なぜ貧しい国はなくならないのか——正しい開発戦略を考える』日本経済新聞出版社

大塚啓二郎・黒崎卓編（2003）『教育と経済発展——途上国における貧困削減に向けて』東洋経済新報社

Ravallion, M. and Q. Wodon (2000) "Does Child Labour Displace Schooling? Evidence on Behavioural Responses to an Enrollment Subsidy," *Economic Journal*, Vol.110.

Rosenzweig, M. R. and O. Stark (1989) "Consumption Smoothing, Migration, and Marriage: Evidence from Rural India," *Journal of Political Economy*, Vol.97, No.4.

佐藤泰裕（2014）『都市・地域経済学への招待状』有斐閣

佐藤泰裕・田渕隆俊・山本和博（2011）『空間経済学』有斐閣

澤田康幸（2003a）「教育開発の経済学——現状と展望」大塚啓二郎・黒崎卓『教育と経済発展——途上国における貧困削減に向けて』東洋経済新報社，所収

澤田康幸（2003b）「初等教育におけるコミュニティの役割と学校の質——エルサルバドルの事例」大塚啓二郎・黒崎卓編『教育と経済発展——途上国における貧困削減に向けて』東洋経済新報社，所収

澤田康幸・池上宗信（2006）「政府開発援助の経済分析——現状と展望」『国民経済雑誌』第 193 巻，第 1 号

Shonchoy, A. and T. Kurosaki (2014) "Impact of Seasonality-adjusted Flexible Microcredit on Repayment and Food Consumption: Experimental Evidence from Rural Bangladesh," IDE Discussion Paper No.460.

Stiglitz, J. E. and A. Weiss (1981) "Credit Rationing in Markets with Imperfect Information," *American Economic Review*, Vol.71, No.3.
末廣昭（2000）『キャッチアップ型工業化論――アジア経済の軌跡と展望』名古屋大学出版会
末廣昭（2014）『新興アジア経済論――キャッチアップを超えて』岩波書店
Takahashi, K., A. Shonchoy, S. Ito and T. Kurosaki (2014) "How Does Contract Design Affect the Uptake of Microcredit among the Ultra-Poor? Experimental Evidence from the River Islands of Northern Bangladesh," IDE Discussion Paper No.483, forthcoming in *Journal of Development Studies*.
寺西重郎・福田慎一・奥田英信・三重野文晴編（2008）『アジアの経済発展と金融システム――東南アジア編』東洋経済新報社
Todaro, M. P. and S. C. Smith (2008) *Economic Development*, 10th ed.（森杉壽芳監修，OCDI 開発経済研究会訳『トダロとスミスの開発経済学』ピアソン桐原，2010 年）
戸堂康之（2008）『技術伝播と経済成長――グローバル時代の途上国経済分析』勁草書房
戸堂康之（2015）『開発経済学入門』新世社
鳥居泰彦（1979）『経済発展理論』東洋経済新報社
UNDP (2014) *Human Development Report 2014: Sustaining Human Progress ― Reducing Vulnerabilities and Building Resilience*, United Nations.
UNESCO (2015) *Fixing the Broken Promise of Education for All: Findings from the Global Initiative on Out-of-School Children*, UNESCO Institute for Statistics.
UN Habitat [United Nations Human Settlements Programme] (2012) *Sustainable Housing for Sustainable Cities: A Policy Framework for Developing Cities*, UN Habitat.
浦田秀次郎・栗田匡相編（2012）『アジア地域経済統合』勁草書房
浦田秀次郎・三浦秀之（2012）「アジア域内の貿易と投資」浦田秀次郎・栗田匡相編『アジア地域経済統合』勁草書房，所収
Weil, D. (2012) *Economic Growth*, 3rd ed., Pearson Education Limited.
World Bank (1993) *The East Asian Miracle: Economic Growth and Public Policy*.（白鳥正喜監訳『東アジアの奇跡――経済成長と政府の役割』東洋経済新報社，1994 年）
World Bank (2008) *World Development Report 2008: Agriculture for Development*, Oxford University Press.
World Bank (2009) *Handbook on Poverty and Inequality*, The World Bank.
World Bank (2013a) *World Development Report 2014: Risk and Opportunity― Managing Risk for Development*, Oxford University Press.
World Bank (2013b) *Migration and Development Brief*, Migration and Remittances Unit, Development Prospects Group, 19th April.
World Bank (2014) *Global Financial Development Report 2014: Financial Inclusion*, The World Bank.
World Commission on Environment and Development (1987) *Our Common Future*.（大来佐武郎監修『地球の未来を守るために――環境と開発に関する世界委員会』福武書店）

索　引

事　項

●アルファベット

DAC　→開発援助委員会
DID　→差の差
EDUCO　66
FDI　→外国直接投資
Food for Education（FFE）Program　65
ILO　→国際労働機関
IMF　135, 211
IOM　→国際移住機関
JICA　→国際協力機構
LDC　→後発開発途上国
MDGs　→ミレニアム開発目標
ODA　→政府開発援助
OECD　→経済協力開発機構
PACES　65
PAPRIz　29
PROGRESA　65
RCT　→ランダム化比較実験
ROSCA　43
RPS　65
SDGs　→持続可能な開発目標
UNDP　→国連開発計画
UNESCO　55, 211
UNICEF　63
WHO　→世界保健機関

●あ　行

アジア開発銀行　211
アジア通貨危機　102, 131, 136
アフリカ開発銀行　211
インターリンケージ　23, 37
インパクト評価　201
インフォーマル金融　36, 41, 139
インフォーマル部門　76, 78, 79
インフラ　35, 46, 141, 142, 159

インフレーション　133
栄養不良　61
エネルギー需要　175
援助協調　158
援助の氾濫　153
援助のファンジビリティ　153
エンパワーメント　46, 147, 159
オンザジョブトレーニング（OJT）　113

●か　行

外国直接投資（FDI）　73, 110, 151
下位中所得国　9, 38, 100
開発援助委員会（DAC）　149
開発学　2
開発社会学　2
開発人類学　2
外部性　116
化学肥料　15, 20, 23, 25, 33, 47, 156, 195
格差
　教育の男女間——　52, 57
　先進国・途上国間——　9, 12, 81, 84, 95
　都市農村間——　80
家計　26, 44, 96, 192
仮想現実　205
学校教育　54
灌漑　6, 15, 21, 146
環境クズネッツ曲線　168
環境税　173, 174, 177
雁行型発展　100, 114
間接金融　130
干ばつ　15, 21, 24, 80
機械工場　109, 116
帰還移動　80
気候変動枠組条約　166, 176, 178
偽装失業　75
技能オリンピック　111

217

逆選択　41
逆淘汰　41, 45
キャッチアップ　99, 101
教育の収益率　54, 58, 65
京都議定書　176, 178
銀　行　129, 130
金融制度　129, 139
金融のグローバル化　136, 139
金融抑圧　134, 139
空間経済学　3, 82
グラミン銀行　38, 46, 48
クリーン開発メカニズム　176, 177
グリーンフィールド投資　115
グループ会合　46, 48, 50
クロスカントリー分析　145, 154
経済協力開発機構（OECD）　149
経済統合　82, 91
経済特区　108
下　痢　53, 63
限界資本係数　150, 153
限界生産性　74
研究開発（R&D）投資　113, 119, 120
講　43, 139
高収量品種　16, 20, 25
構造調整政策　47, 135
行動経済学　3, 42, 159, 209, 212
後発開発途上国（LDC）　9, 151
国際移住機関（IOM）　87
国際協力機構（JICA）　29, 66, 123, 144, 155, 201
国際連合（国連）　9, 181
国際労働機関（ILO）　55
国連開発計画（UNDP）　11, 211
コブ・ダグラス型関数　96
コミットメント　42, 46, 48
コモンズの悲劇　179
コレクティブ・ハウスホールド・モデル　44

●さ 行

財政赤字　151
差の差（DID, 二重差分）　203, 206, 208
参加型開発　147
産業集積　118
サンプリング　195, 196

自己選択バイアス　119
持続可能な開発目標（SDGs）　168, 181
持続可能な発展　167, 170
失　業　24, 76, 77, 81
質問票　195
児童労働　55
地場企業　114, 116
資本蓄積　95, 96
就学年数　12, 155
就学率　52, 65, 155, 161
上位中所得国　6, 9, 100
奨学金　65
証　券　129, 130
条件付き給付　65
私立学校　60, 66
　　低料――　60
人的資本　46, 50, 54, 84, 93, 120, 154
人的投資　55
信用収縮　138
信用制約　40, 48, 58, 64, 128
垂直的直接投資　116
水平的直接投資　116
ストックホルム会議（国連人間環境会議）　167
頭脳流出　84
スピルオーバー効果　116, 118
スラム　78, 79
生産関数　96
生産性　93, 96, 103, 134
成人平均教育年数　55
成長回帰分析　154
成長モデル　210
政府開発援助（ODA）　73, 149, 154, 201
世界銀行（世銀）　9, 50, 72, 86, 101, 135, 195, 211
世界保健機構（WHO）　53, 63
戦略的債務不履行　45

●た 行

対外収支赤字　151
大気汚染　165, 167, 168, 170
単位面積当たり収量（単収）　15
地球温暖化　166, 174, 176, 178
地球サミット　167

中小企業　　128, 132, 139
中進国の罠　　103, 121
直接規制　　170, 173
直接金融　　130
貯　蓄　　37, 38, 42
ツー・ギャップ・モデル　　144, 152, 154
低所得国　　9, 38, 50, 100, 119
出稼ぎ者送金　　73, 151
データクリーニング　　197
伝染病　　61
動学的誘因　　45
投資率　　150

●な　行

二重差分　→差の差
乳幼児死亡率　　61
人間開発　　11, 54
ネットワーク　　81
農村金融市場論　　47
農村非農業就業　　36

●は　行

排出権取引　　173, 174, 176, 177
ハウスホールド・モデル　　26
パトロン・クライエント関係　　23
パリ協定　　178, 179
ハリス=トダロモデル　　77, 78, 80
東アジアの奇跡　　101, 134
非対称情報　　41, 45
貧困者比率　　11, 29
貧困線　　11, 29
貧困分析　　210, 212
ファンジビリティ　　146
付加価値　　94, 95
物的資本　　93, 95, 103
不平等　　10, 11, 101
プラザ合意　　135
ブルントラント委員会　　167

分益小作制　　22
平均寿命　　12
米州開発銀行　　211
ペティ=クラークの法則　　18
縫製業　　50
縫製工場　　76, 109
紡績業　　114
保　険　　24, 26, 28, 37, 38, 58, 78, 80

●ま　行

マイクロクレジット　　35, 38, 40, 45, 46, 48, 147
マイクロファイナンス　　38, 50, 146
マラリア　　156
緑の革命　　20, 27, 76
ミレニアム開発目標（MDGs）　　168, 181
モノカルチャー　　90
モラルハザード　　41, 45

●や　行

輸出指向型工業化　　135
ユニタリー・ハウスホールド・モデル　　44
輸入代替工業化　　90, 132, 134
ヨハネスブルグサミット　　167

●ら　行

ランダム化比較実験（RCT）　　64, 66, 156, 158, 159, 206, 209
リサーチ・クエスチョン　　193, 195
利子率　　33, 34, 40, 128
リスク回避　　23, 26
リスク・シェアリング　　24
リスク分散　　24, 81, 131
リーマン・ショック　　136, 138
流動性制約　　40
ルイスの転換点　　75, 76
連帯責任　　35, 45, 48

国・地域

●ア 行

アジア NIEs　　90, 99, 101
ASEAN　　90, 98, 119
アメリカ　　18, 83, 97
アンゴラ　　60
イギリス　　83
インド　　9, 18, 47, 50, 59, 60, 65, 68, 79, 83, 106, 142, 169, 175, 199
インドネシア　　12, 99, 119, 123, 136
ウガンダ　　9, 60, 83
エジプト　　18
エルサルバドル　　66

●カ 行

ガーナ　　9, 60
韓国　　12, 18, 90, 98, 106, 120
カンボジア　　9, 60, 83, 119, 123, 161
ギニア　　132
ケニア　　83, 86, 123
コートジボワール　　9, 83
コロンビア　　65
コンゴ　　132

●サ 行

サブサハラ・アフリカ　　10, 18, 20, 28, 48, 55, 57, 60, 61, 63, 79, 101, 132
シンガポール　　90, 98, 120
ジンバブエ　　83

●タ 行

タイ　　9, 83, 90, 98, 112, 119, 123, 135, 136
台湾　　90, 98
中国　　9, 18, 99, 106, 169, 175
東南アジア　　12, 20, 106, 135

●ナ 行

ドミニカ共和国　　65

ナイジェリア　　18
ニカラグア　　65
日本　　76, 98, 106, 120
ネパール　　83

●ハ 行

ハイチ　　9
パキスタン　　9, 18, 60, 66, 106, 132, 142, 199
バングラデシュ　　9, 18, 38, 48, 50, 60, 65, 142, 201
東アジア　　10, 90, 92, 106, 110, 131, 135, 137, 175
フィリピン　　119, 136, 199
ブラジル　　9, 65
ブルキナファソ　　83
ベトナム　　9, 99, 119, 123
ボリビア　　9
香港　　90, 98

●マ 行

マダガスカル　　18, 29, 123
マラウイ　　98
マレーシア　　90, 98, 119
南アジア　　9, 18, 20, 55, 57, 60, 63, 106, 152
南アフリカ　　9, 83
ミャンマー　　9, 182
メキシコ　　65

●ラ 行

ラオス　　119, 132
ラテンアメリカ　　90, 98, 101, 134

有斐閣ストゥディア

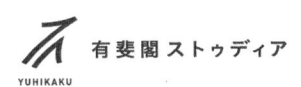

ストーリーで学ぶ開発経済学——途上国の暮らしを考える
Introductory Development Economics: Learning from Stories

2016 年 3 月 30 日　初版第 1 刷発行
2024 年 9 月 10 日　初版第 8 刷発行

著　者　　黒　崎　　　卓
　　　　　栗　田　匡　相

発行者　　江　草　貞　治

発行所　　株式会社　有　斐　閣
　　　　　郵便番号　101-0051
　　　　　東京都千代田区神田神保町 2-17
　　　　　https://www.yuhikaku.co.jp/

印刷・萩原印刷株式会社／製本・大口製本印刷株式会社
©2016, Takashi Kurosaki, Kyosuke Kurita. Printed in Japan
落丁・乱丁本はお取替えいたします。
★定価はカバーに表示してあります。
ISBN 978-4-641-15034-8

[JCOPY] 本書の無断複写(コピー)は、著作権法上での例外を除き、禁じられています。複写される場合は、そのつど事前に、(一社)出版者著作権管理機構(電話03-5244-5088, FAX03-5244-5089, e-mail:info@jcopy.or.jp)の許諾を得てください。